CW01020212

DANTE

LA DIVINE COMÉDIE
L'ENFER

Texte original

*Traduction, introduction
et notes de* Jacqueline Risset

GF Flammarion

Édition corrigée, 2004
© Flammarion, Paris, 1985.
© Flammarion, Paris, 1992, pour cette édition.
ISBN : 978-2-0807-1216-5

INTRODUCTION

La grande réserve du mal dans l'univers : l'*Enfer* de Dante joue dans notre culture un rôle de référence absolue, et curieusement ambiguë. Même pour qui ne l'a jamais lu, pour qui ne voit en Dante et dans l'*Enfcr* guère plus que de simples noms, ce *guère plus* prend la forme d'une limite : pôle négatif à partir duquel existent tous les autres livres, expérience-limite parmi toutes les autres écritures, correspondant aussi à un lieu mystérieux dans une topologie réelle...

Tout se passe un peu comme si, dans l'image courante, l'*Enfer* n'avait pas été vraiment écrit comme un livre, mais plutôt visité comme un pays. Statut étrange, légèrement inquiétant, déjà en place depuis le début : Dante avait le teint olivâtre, et les commères d'Italie, le voyant passer, exilé pour toujours de sa ville, de sa Florence bien-aimée, attribuaient la couleur sombre de sa peau à la traversée des flammes d'outre-tombe. « C'est l'homme qui a été en Enfer », murmuraient-elles sur son passage.

Nous ne croyons plus à ces contes, mais l'idée d'une œuvre non écrite — sorte de trace dans la mémoire d'une grande entreprise d'exploration — s'est perpétuée au-delà d'eux, créant du même coup un phénomène d'éloignement radical, l'image d'un Dante archaïque et poussiéreux.

L'expérience religieuse de Dante — dans sa dimension prophétique médiévale — nous est certes très étrangère, et difficilement accessible. Inaccessibilité redoublée par la minutie des localisations historiques : la chronique de la lutte entre guelfes et gibelins, et de l'affrontement entre Église et Empire, réfracté par les intrigues politiques des communes toscanes.

Et pourtant la fascination de l'*Enfer* s'exerce même à distance, sur des lecteurs habitant désormais un tout autre univers. Le XIXe siècle français ressaisissait Dante à travers le roman noir, comme poésie de la cruauté, grand répertoire des scènes d'horreur et de pathétique, origine du satanisme littéraire, cœur du questionnement sur le problème du mal. Tous les lecteurs du XIXe siècle manifestent une identification romantique au personnage de Francesca da Rimini, morte d'amour-passion ; et un trouble morbide autour de l'énigme du comte Ugolino, victime désespérée du cruel archevêque Ruggiero, et peut-être dévorateur désespéré de ses propres enfants (Dante laisse flotter sur son texte une savante ambiguïté).

Si forte, et si unanime, cette fascination, qu'on pourrait écrire une histoire de la littérature française du XIXe siècle comme suite de rêveries autour de l'*Enfer*, et de la traduction de l'*Enfer* : un grand nombre d'écrivains ont alors pensé toute leur œuvre (Balzac) ou une partie de leur œuvre (Baudelaire, Nerval, Lautréamont) à partir et en fonction de ce lieu fondamental de la littérature ; beaucoup d'autres (Stendhal, Alexandre Dumas) ont gardé longtemps parmi leurs projets une traduction totale ou partielle de la *Divine Comédie*. (Dumas, qui voulait tout traduire, publia dans la « Revue des Deux Mondes » un premier chant de l'*Enfer* — il n'alla pas plus loin — en alexandrins très soignés…)

Mais aujourd'hui : peut-on encore aimer Francesca, être troublé par Ugolino, trembler aux tourments des damnés de la *Comédie* ? L'*Enfer* de Dante, poétique et médiéval, n'a-t-il pas désormais pâli irréparablement auprès des Enfers tout proches, et actifs, que notre siècle n'a pas encore fini, semble-t-il, de susciter ?

En fait l'imagination créatrice de Dante est si puissante, et si précise, qu'elle semble décrire par avance, parfois, l'inimaginable horreur moderne. Ainsi le gigantesque entonnoir de l'Enfer, qui se creuse jusqu'au centre de la terre, est dépeint comme le réceptacle de tout le mal de l'univers, comme une sorte de sac où viennent s'engouffrer tous les noyaux, tous les atomes de mal épars sur la planète. Les taches que les anges effacent du front des pénitents du Purgatoire viennent y glisser, portées par les fleuves de l'Enfer, formés par les larmes de la statue mythique du Vieillard de Crète, qui est la représentation de la décadence de l'humanité (de l'Age d'or à la dégradation de l'Église de Rome). On pense à la terrible carte d'Europe qu'on peut voir encore à Auschwitz, où un réseau secret semble avoir pris la place des réseaux de chemin de fer connus : toutes les capitales y figurent avec leur nom, mais elles ne sont pas reliées entre elles – une seule ligne les relie toutes, une par une, au point central du réseau, marqué par le nom AUSCHWITZ. Et l'aspect même de parodie de production industrielle donné au camp de la mort par les cheminées des fours crématoires apparaît comme préfiguré dans la description du fond de l'Enfer, où Lucifer est enfoncé dans la glace, porteur de trois têtes, et « sous chaque tête sortaient deux grandes ailes » ; chaque paire d'ailes produit un vent glacé ; les six yeux produisent des larmes, qui coulent le long du corps, mélangées à la bave sanguinolente qui sort des trois bouches, occupées à dévorer chacune un damné : ce liquide, aussitôt gelé par le vent des ailes, va former la glace qui tapisse l'Enfer. Lucifer est un moulin à vent, à la fonction réfrigérante ; ses larmes, production mécanique, répétitive, inconsciente, contribuent à la définition du mal comme activité industrielle – dans l'acception de répétitivité immuable et morte (à l'opposé de la joyeuse créativité naissante qui préside à l'animation lumineuse du *Paradis*).

Mais nous lisons aussi autre chose dans l'*Enfer* ; nous

y lisons aussi précisément le *Purgatoire* et le *Paradis*. Même si l'*Enfer* se présente comme un livre séparé, il se perçoit sur fond d'un ensemble dont il n'est qu'une phase inséparable (ce qui exclut toute assimilation hâtive à la problématique des camps : le mal est ici enfermé, forcé à servir à l'œuvre de justice que les damnés acceptent et reconnaissent : aucune fascination — sinon dénoncée comme tentation locale — mais un travail de symbolisation active, dans le mouvement ininterrompu). Car il s'agit d'un voyage chamanique — expérience initiatique accomplie pas à pas par le personnage narrateur ; chaque épisode a le sens d'une étape orientée vers la révélation finale ; chaque point renvoie à tous les autres, et le lecteur les parcourt tous, dans leur succession rigoureuse, dans leur simultanéité symbolique...

Et le lecteur moderne s'y retrouve assez, dans cette dimension chamanique. Parce que son expérience anthropologique s'est un peu élargie depuis Alexandre Dumas, à d'autres genres littéraires, à d'autres littératures... Mais aussi parce qu'il trouve des exemples de ce type, dans sa culture la plus proche. On peut, en définitive, lire la *Divine Comédie* comme une *Recherche du Temps perdu* qui nous aurait échappé... il faut se souvenir que le premier titre donné par Proust à son œuvre était la « Recherche de la Vérité » ; tout s'y tient, disait-il, comme dans une symphonie ou dans une cathédrale — comme dans la *Comédie*. Le voyageur Dante butant contre les rochers et interrogeant les damnés des neuf cercles infernaux, et le jeune Marcel s'attardant à regarder les nénufars pris dans les eaux de la Vivonne poursuivent une semblable expérience, expérience interrogative du monde, qui devra les instruire sur eux-mêmes et leur livrer à la fin la Vérité qu'ils attendent. On lit, dans *Du Côté de chez Swann*, ce fragment d'une promenade du jeune narrateur : « Tel était ce nénufar, pareil à quelqu'un de ces malheureux dont le tourment singulier, qui se répète indéfiniment durant l'éternité, excitait la curiosité de Dante, et dont il se serait fait raconter plus longuement les particularités et la cause par le supplicié lui-même, si Virgile, s'éloignant à grands pas, ne l'avait forcé à le rattraper au plus vite, comme moi mes parents. » Le regard irrévérent et passionné de Proust démasque ici la curiosité sadique du Dante infernal, celle précisément que Virgile reproche à son disciple comme « bas désir ». L'apprenti chaman passe par cette étape, de la séduction du mal. Et ce qui différencie le lecteur d'aujourd'hui du lecteur du siècle dernier, c'est peut-être précisément ceci, qu'il s'identifie non plus au spectacle, mais au spectateur, étant bien entendu que le spectateur — le « je » — est pris dans le spectacle comme dans une modification incessante et risquée.

C'est l'insistance du *je*, sa présence intensément concrète, corporelle, qui guide en quelque sorte le chemin d'une lecture moderne de la *Comédie* et particulièrement de l'*Enfer*. Et c'est le corps de Dante voyageur qui engendre une série de mouvements dramatiques dans le poème. Cause pour Dante lui-même d'encombrement, de fatigue, de frayeur, ce corps est pour les damnés qui le rencontrent source de stupeur, d'envie, de nostalgie : c'est un corps vivant qui se déplace parmi les corps morts — parmi les ombres impalpables, qui n'ont en fait que l'apparence de corps — purs simulacres, sans substance et sans poids, sensibles seulement à la douleur — c'est la règle du jeu des supplices. Dante, lorsqu'il marche, déplace les cailloux des pentes infernales : c'est un corps qui *pèse*, et les ombres le regardent, incrédules.

A chaque instant c'est ce corps encombrant qui rappelle l'enjeu et la progression chamanique du récit : escaladant la montagne du Purgatoire il sera de plus en plus léger ; au Paradis il se fera si docile et si transparent au vouloir qu'il saura voler parmi les sphères.

En Enfer — première étape — il trébuche, il tombe : « Et je tombai comme tombe un corps mort » : Dante s'évanouit en entendant Francesca, à cause de l'excès

d'émotion, à cause de son identification de poète de
l'amour avec les amoureux rendus coupables par un
livre, et à cause de sa brusque compréhension d'un
caractère infiniment dangereux de la littérature, et
précisément de la sienne : car c'est lui, poète du Dolce
Stil Nuovo, qui avait écrit dans la *Vita Nuova* : « Farei
parlando innamorar la gente » (« je ferai en parlant
enamourer les gens »). L'évanouissement mime la
mort, dans le royaume des morts. Dante, ici, suggère
qu'il a failli y rester ; pour un peu, il restait là, au
chant V, puni parmi les luxurieux — propagateur de
luxure, comme la reine Sémiramis. Et nous aurions
aujourd'hui une *Divine Comédie* inachevée, son auteur
s'étant pris, comme acteur, dès l'entrée, dans ses
cercles...

Mais dès ce moment — à partir de cet évanouissement — le lecteur saisit avec Dante que le danger de la
traversée de l'*Enfer* est un danger *intérieur* : plus que les
embûches du lieu, plus que l'hostilité des diables, ce
qui fait le vrai danger et l'attraction du mal lui-même,
par reconnaissance et identification complète, comme
ici, en face de Francesca, ou encore, comme il arrive
plus loin, dans les cercles inférieurs, par fascination
trouble du mal comme spectacle — par contamination
encore, mais non théorisée cette fois, non plus médiati-
sée par le travail poétique : comme attraction innom-
mée, pulsion sexuelle non classifiée, jouissance immédiate de la dégradation, « bas désir » (en face des
métamorphoses corporelles des voleurs en serpents, en
face de l'altercation grotesque des faussaires déformés
par la goutte). Virgile rappelle à l'ordre son disciple
fasciné (comme ses parents le jeune Marcel). Dante a
honte...

Schopenhauer, pour qui la *Divine Comédie* présentait
« les aspects les plus répugnants de la doctrine chrétienne », voyait dans l'*Enfer* une « apothéose de la
cruauté », et dans le personnage de Dante l'apothéose
de cette apothéose (il en donne pour exemple l'épisode
où le voyageur, dans le Cocyte gelé, promet tout

d'abord d'aider un damné, puis, ayant obtenu le récit qu'il voulait, refuse à la fin, contre sa promesse, de détacher les larmes de glace qui bouchent les yeux du malheureux). Ici se trouvent en jeu, à part les tendances sadiques que Dante observe attentivement sur lui-même, des notions qui sont difficilement concevables pour un moderne : la rigueur de la loi médiévale, et la jouissance qui lui est corrélative — notions avec lesquelles Dante, par ailleurs, entretient des relations complexes, observant par exemple un grand nombre d'irrégularités et de libertés par rapport à la loi qui règle les fautes et les peines.

Lorsque Virgile explique, au chant XI, l'ordonnance de l'Enfer, il fait remonter à Aristote la désignation des « trois dispositions que le ciel ne veut pas » : « incontinence, bestialité, malice », qui offensent toutes trois, à des degrés divers, la raison humaine. Même si Dante utilise, pour sa classification des fautes et des châtiments, outre l'*Éthique* aristotélicienne, les traités du droit romain, Aristote est son maître autant que Virgile (dans un projet primitif, il l'avait même choisi pour son guide, à la place de Virgile). Aristote est pour Dante le chef de la « famille philosophique », le « maître de ceux qui savent ». C'est de lui qu'il tire sa définition de la raison comme propre de l'homme, et de l'homme lui-même comme être social, comme « animal compagnon » (les damnés qui subissent les peines les plus graves sont les traîtres, car la trahison mine le fondement même de l'accord social).

Les apports théoriques et iconographiques qui aident Dante à inventer son Enfer, il les prend de tous côtés. Par exemple, l'idée d'un Enfer *glacé* (qui lui permet l'opposition symétrique avec la chaleur et la lumière de l'amour divin, tel qu'il apparaît au Paradis) a une origine islamique, comme beaucoup d'autres éléments, que Dante reprend au *Livre de l'Échelle* (récit de la visite de Mahomet accompagné de l'archange Gabriel dans les trois règnes de l'au-delà).

Précisément, ce qui a toujours rendu l'*Enfer* fasci-

nant, même aux périodes où le reste de l'œuvre était
devenu presque incompréhensible, c'est la radicalité
d'un imaginaire qui se montrait capable de transformer
une série de représentations séparées et répétitives
(toujours les diables noirs tourmentant les damnés dans
les flammes) en une architecture mystérieuse, à la fois
extrêmement variée et profondément unitaire, et d'une
originalité complète par rapport aux récits et visions qui
précèdent.

L'*Enfer* commence comme un récit de voyage : « Je
me retrouvai dans une forêt obscure. » Mais c'est en
même temps le début typique d'un récit de rêve. Et, de
fait, tout le premier chant peut se lire comme un rêve
(modalité traditionnelle d'ouverture des grands récits
antiques). Dès ce début et par la suite, la narration
participe de façon simultanée, et parfois indiscernable,
de registres opposés. Tout ce qui est décrit est allégorique (la forêt est forêt de l'erreur et du péché); et, en
même temps, tout est concret. Chaque perception est
retracée avec une précision quasi hallucinatoire, qu'on
pourrait comparer de nos jours peut-être seulement à
Kafka...

Dante donc dit qu'il se retrouve, il ne sait comment,
dans cette forêt. Il entrevoit, au-delà des arbres, la cime
d'une colline ensoleillée, où il voudrait bien aller, où il
sait qu'il doit aller; mais trois bêtes terrifiantes se
dressent sur son passage; il recule... A ce moment, une
ombre apparaît tout près de lui, pâle et bienveillante :
c'est Virgile, son maître en poésie, qui est aussi, pour
tout le Moyen Age, grand mage, grand sage, et, dans
ses écrits, prophète secret du christianisme. Virgile
propose à Dante de l'accompagner : il n'a pas le choix ;
pour sortir de ce mauvais pas, il lui faudra passer par les
trois règnes, les traverser de fond en comble, l'un après
l'autre. Pour sortir de l'*Enfer*, où il va entrer, il lui
faudra descendre tout l'espace du vaste entonnoir, où
règnent l'obscurité, le bruit, le puanteur, jusqu'au
fond, jusqu'au corps de Lucifer, qui coïncide avec le

centre de la terre, qui est le centre du monde — le mal est là, indéniable et central. Dante a peur, mais il accepte.

« Au milieu du chemin de notre *vie* » : tel est le premier vers. Il va s'agir, dans le livre qui commence, d'un voyage, ou peut-être d'une vision, vécu *au nom de l'humanité.* Mais le *nous* de la dimension prophétique se mélange intimement, dès les premières lignes — dans un glissement grammatical interne — au *je* de l'expérience individuelle :

> « Au milieu du chemin de notre vie
> *Je* me retrouvai dans une forêt obscure »

Lorsqu'il parle de son œuvre, Dante ne parle jamais d'une fiction. Il emploie le mot *Comédie* (ce qui veut dire qu'elle finit bien), et la qualification de « poème sacré » — rapportant une expérience ayant valeur de vérité, et l'ayant pour tous les hommes. Elle a pour but, son auteur le précise en ces termes, de « tirer de l'état de misère les vivants dans cette vie et de les conduire à l'état de félicité ».

Et c'est sa propre expérience, reparcourue par le lecteur dans les vers de son poème, qui doit amener à la félicité les vivants. But simple, mais quelque peu ardu, qui n'est pour Dante ni extravagant ni impossible, parce qu'il se vit lui-même comme un prophète. Et c'est probablement pour éclairer cette dimension qu'il placera dans son Paradis un prophète biblique qui est son homonyme : le prophète de Salomon, Nathan, dont le nom signifie en hébreu « celui qui a donné ». Or *Dante* signifie « celui qui donne ». Nathan est appelé dans la Bible « scribe de Dieu ». Dante se sent lui aussi, dans sa *Comédie*, scribe de Dieu — ou plus exactement scribe de la matière divine (« quella materia ond'io son fatto scriba », Par. X, 27).

Il s'agit donc d'une mission dont le livre sera le signe et l'aboutissement : le véritable voyage commence avec

la fin, avec le moment où son accomplissement, sa
réalisation, devient possibilité de le raconter – de le
commencer. On retrouve ici la structure circulaire de la
Recherche proustienne : « Moi, c'était autre chose que
j'avais à écrire, de plus long, et pour plus d'une
personne », énonce Proust dans les dernières pages du
Temps retrouvé. Cette décision, ainsi déclarée, d'écrire
le livre — rendue possible grâce à une série de révéla-
tions qui s'accélèrent — elle est étrangement proche des
déclarations de Dante dans les derniers chants du
Paradis : de temps en temps il s'arrête, dans son voyage
merveilleux, pour penser au livre encore à écrire, se
demandant s'il aura la force de soutenir la boulever-
sante vision finale, et comprenant tout à coup, dans une
pensée foudroyante, que le seul moyen de soutenir
l'expérience insoutenable est d'y entrer encore plus, et
de l'écrire.

Loin de Dante comme nous le sommes, nous pouvons peut-être enfin, paradoxalement, le lire *de tout
près* : au plus près du sens global et génétique de
l'œuvre, telle qu'elle se présentait comme « à écrire »
pour son auteur. Du reste l'entreprise de Dante joue,
d'une façon beaucoup plus profonde et beaucoup plus
étendue qu'il ne paraît souvent, comme *modèle absolu*
pour un grand nombre d'œuvres modernes : de la
Comédie humaine à *Ulysse* et à *Finnegans Wake*
(l'ensemble de l'œuvre de Joyce compose d'ailleurs —
selon Joyce lui-même — une *Divine Comédie* sans
Paradis; il n'y a plus, de notre temps, de Paradis,
dit-il). L'*Enfer* aujourd'hui, plutôt que le catalogue
effrayant des péchés et des châtiments possibles, plutôt
que l'archétype du roman noir, est pour nous la première étape du grand roman initiatique d'une civilisation qui est racine de la nôtre.

Jacqueline Risset.

TRADUIRE DANTE[1]

Dante écrivait dans son *Convivio* :

> « Et que chacun sache que nulle chose harmonisée par lien musaïque ne se peut transmuer de son idiome en un autre sans perdre toute sa douceur et son harmonie. »

Si l'on convient avec lui que toute traduction – dans la mesure où elle implique la rupture du lien indissociable entre le son et le sens qui constitue le texte poétique comme tel – se présente inévitablement comme une opération réductrice, on devra admettre aussi que la traduction qui aura pour objet l'œuvre de Dante lui-même apparaîtra comme doublement, ou triplement réductrice, puisque ce qui dans cette œuvre se trouve infiniment renforcé – par rapport aux œuvres poétiques normales –, c'est tout ce que l'auteur désigne par le beau nom de « lien musaïque » : l'ensemble des éléments qui fondent le langage poétique (le *travail des Muses*) rendant inséparables les différents aspects du texte – la forme du vers, les rimes, etc.

Dans la *Divine Comédie* en effet, aux contraintes habituelles s'ajoutent encore d'autres liens ; et avant tout le jeu nouveau de la tierce rime – strophe formée de trois vers, dont le premier rime avec le troisième, et le deuxième avec le premier de la strophe suivante. On

---

1. Cf. J. Risset, « Traduire », in *Dante écrivain, ou l'Intelletto d'Amore*, Seuil, 1982, p. 235 sq.

peut la considérer comme une invention de Dante : bien qu'elle lui soit inspirée par la tradition courtoise (la forme du *sirventès*), c'est Dante qui le premier saisit la possibilité génératrice d'une telle strophe enchaînante. Il l'emploie pour la totalité de son grand poème, soudant ainsi chaque chant en une unité indivisible, où chaque strophe sort littéralement, en autant de naissances renouvelées, de la strophe précédente, sous les yeux du lecteur. Lequel perçoit un mouvement rapide, continu : plus qu'une série de strophes, une seule tresse qui se déroule ; ou plutôt une série d'arcs et de flèches, chaque flèche partant du milieu de l'arc et allant fonder l'arc suivant.

De plus – et ce point indique une complexité spécifiquement dantesque – la scansion en strophes de 3 vers a été pensée par l'auteur de la *Comédie* comme entièrement significative, précisément comme une occurrence essentielle du nombre 3, qui gouverne tout le poème. Sans affronter ici le problème inextricable de la numérologie chez Dante, rappelons ces vers du *Paradis* :

> « Ce un et deux et trois qui vit toujours
> et règne toujours en trois et deux et un,
> non circonscrit, et qui circonscrit tout »,
> (Par., XIV, 28-30)

où s'éclaire la valeur de « véritable Trinité prosodique[1] » de la tierce rime. Si par ailleurs on se souvient que le vers employé par Dante est l'hendécasyllabe, on observe une corrélation supplémentaire : aux 33 chants qui composent chacune des 3 parties du poème correspondent des cellules de base (les strophes elles-mêmes formées de trois vers de 11 syllabes – chacune a donc 33 syllabes).

De sorte que la traduction introduit à tous les niveaux, par rapport à ce tissu infiniment et rigoureusement articulé et « lié », une série de ruptures irrépa-

---

1. Cf. Tibor Wlassics, *Elementi di prosodia dantesca*, Florence, Signorelli, 1972.

rables. Car il est impossible, par exemple, d'implanter la tierce rime dans une traduction moderne (seules les toutes premières traductions, celles du XVIᵉ siècle, l'ont maintenue[1]) sans que tout le texte se trouve du même coup soumis à un effet de répétition excessive, académique et déformante. La simple rime elle-même, systématiquement imposée dans le texte traduit, y provoque une impression de mécanicité redondante, ce qui trahit et méconnaît un aspect essentiel du texte de Dante, celui de l'invention souveraine, qui frappe le lecteur et le déconcerte à chaque pas sur les chemins inconnus de l'autre monde...

Traduire Dante est une opération risquée ; mais le traduire *en français* l'est plus encore : Rivarol, auteur de la première traduction célèbre de la *Comédie,* au XVIIIᵉ siècle, imputait à Dante cette difficulté comme une sorte de perfidie supplémentaire :

> « Il n'est point de poète qui tende plus de pièges à son traducteur ; c'est presque toujours des bizarreries, des énigmes ou des horreurs qu'il lui propose : il entasse les comparaisons les plus dégoûtantes, les allusions, les termes de l'école et les expressions les plus basses : rien ne lui paraît méprisable, et la langue française, chaste et timorée, s'effarouche à chaque phrase[2]. »

Certes, la langue française est devenue aujourd'hui moins « chaste et timorée », mais la norme du *goût* (du goût français, en tant qu'absolu et universel) a régné durablement sur la langue littéraire nationale et, de façon impérative, sur les traductions des autres littératures. Le « plurilinguisme » de Dante, qui inclut – surtout dans l'*Enfer* – le « bas », le « dégoûtant », est sans aucun doute profondément étranger à la tradition française, par rapport à laquelle Rabelais est resté

---

1. Cf. Charles Morel, *Les Plus Anciennes Traductions de Dante en France*, Paris, éditions Libr. universitaires, 1895-97.
2. Rivarol, *L'Enfer*, Paris, Méligot et Barrois, 1783, p. 32 ; cf. Arturo Farinelli, *Dante e la Francia*, Milan, Hœpli, 1908, I, p. 33.

isolé[1], et qui s'est constituée, historiquement, comme essentiellement « haute » et *homogène*. « Rien ne lui paraît méprisable », dit Rivarol : l'esthétique – et l'éthique – classique tremblent...

Qu'en est-il aujourd'hui ? Peut-on traduire ce Dante bizarre, ce Dante qui « ne méprise rien » ? André Pézard a courageusement essayé, dans son édition de la Pléiade, en recourant aux archaïsmes, aux néologismes, aux tournures dialectales. Mais l'archaïsme renvoie à un Moyen Age français (celui des fabliaux), et non à celui du grand laboratoire italien de la *Comédie*. En outre, l'archaïsme par lui-même donne l'image d'un texte nostalgique, alors que Dante, inventant sa langue, est tout entier tourné vers le futur[2].

Et les autres traductions existantes semblent ne pas approcher vraiment le texte qu'elles présentent, soucieuses qu'elles sont, au premier chef, dirait-on, de respecter une norme française, obtenant pour la plupart ce résultat de proposer un Dante auquel manque la voix de Dante, et aussi son rythme propre – ce que Proust nommait « l'air de la chanson ».

Que faire dès lors ? Pourquoi traduire, et comment traduire ? Roman Jakobson, dans ses *Essais de linguistique générale*, rappelait que la traduction est à la fois un exemple de pratique linguistique et le modèle même de toute opération linguistique possible[3]. De cette constatation la traduction tire aujourd'hui les raisons qui l'arrachent à son statut subalterne, et lui permettent de s'interroger plus radicalement – plus ironiquement et analytiquement – sur elle-même. Antoine Berman, proposant un nouveau champ de recherches, la traductologie, indiquait en même temps un nouveau type de traduction, dont il rappelait que la possibilité avait été

---

1. Cf. l'article de Céline, « Rabelais, il a raté son coup », in *Cahiers de l'Herne*, nº 3, 1963.

2. Cf. J. Risset, *Dante écrivain*, Paris, Seuil, 1982, p. 210.

3. Roman Jakobson, « Quelques remarques sur la traduction », in *Essais de linguistique générale*, Paris, Éditions de Minuit, 1961, p. 81.

ouverte tout d'abord par Hölderlin, dans ses traductions des tragiques grecs, et dans sa réflexion sur leurs textes[1]. Traduction littérale grâce à une prosodie moderne, débarrassée de ses symétries obligatoires (« désossée », selon Christian Prigent), et capable de transmettre l'éclat, le tranchant d'un grand texte oublié (assoupi, recouvert par ses propres gloses) ; disposant en effet, grâce à la réflexivité de l'époque tardive, d'une écoute capable d'ouvrir l'accès (à partir du présent) à ces textes lointains devenus proches sans cesser de faire briller leur distance.

La traduction est un processus décisionnel, écrit Jiřy Levy[2]. Elle consiste en une série de choix successifs – telle une suite de *coups* dans un jeu d'échecs, chacun limitant et orientant irréversiblement les suivants. Le choix originaire de cette traduction-ci peut se formuler comme la décision de faire émerger, outre le son et le rythme, un aspect généralement voilé par l'opération de traduire : la *vitesse* du texte de Dante. Lorsque la traduction institue une solennité paralysante, une sorte de sens supplémentaire s'insinue, équivalant à ceci : « Le poème que vous lisez, lecteurs ignorants, est un chef-d'œuvre de l'humanité ; par conséquent, découvrez-vous, et ne le regardez pas en face... » D'où l'inexorable ennui...

Rapidité étonnante, au contraire, de la *Comédie*. Au niveau de la fable (de la « *fabula*[3] »), elle est représentée par la hâte des personnages : « Je te dirai en quelques mots »... « Mais il faut partir »... « déjà la lune »... Il s'agit de tout parcourir – de descendre tout l'entonnoir de l'Enfer, de gravir toute la montagne du Purgatoire, de voler jusqu'au plus haut ciel du Paradis. Mais ce n'est pas tout ; il faut encore revenir très vite sur terre,

---

1. Antoine Berman, *L'Épreuve de l'étranger*, Paris, Gallimard, 1984, p. 281.

2. Jiřy Levy, « Sulla traduzione », in *Strumenti critici*, n° 14, fév. 1971.

3. Cf. C. Segre, *Le strutture e il tempo*, Turin, Einaudi, 1974.

pour raconter, pour écrire ce texte que le lecteur lit
– boucle sans repos. La flèche de la tierce rime ne cesse
pas, la surprise emmène le voyageur, le rythme des vers
impairs dépayse l'oreille « comme un vers libre [1] ». C'est
là, dans ce mouvement fébrile, que Dante est proche,
qu'on entend sa voix, et que cette voix nous concerne.

Comment traduire en poésie la rapidité d'une telle
voix ? D'abord, être littéral, le plus littéral possible, et
dans tous les sens – mais ceci tout en décidant de ne pas
renoncer à être *absolument moderne.* Si chaque traduction équivaut, en définitive, à une nouvelle mise en
scène, il va de soi que les éléments de l'interprétation scé-
nique doivent être contemporains – non du texte, mais
du metteur en scène (l'archaïsme, par exemple, ne lui
appartient pas, sauf s'il est intimement coloré, et désiré,
par le présent). Ainsi, puisque la tierce rime, et la rime
même, produisent des effets de symétrie répétitive et
immobilisante, essayer de substituer à sa marque for-
cée, en fin de vers, un tissu d'homophonies généralisées
– transmettant directement la notion d'un espace où
tout se répond à l'intérieur d'un rythme serré et libre. Il
ne s'agit pas, pour autant, de supprimer tous les alexandrins et décasyllabes qui affleurent sous la plume – ils
font partie de notre mémoire de langue la plus profonde, la plus immédiate ; ce sont eux qui laissent venir
la lettre, la violence de la lettre, et la capacité que
semble avoir un texte, parfois, de se traduire « tout
seul ». Mais il faut en même temps laisser affleurer les
ruptures de rythme, les vers faux, les trébuchements qui
réveillent le sens.

Il s'agit, en fait, de ne pas confondre mètre et
rythme [2], d'une part, et d'autre part de partir d'une prosodie moderne, celle dont nous disposons – celle-là
même qui a donné naissance au *vers libre,* et dont Remy
de Gourmont a proposé la plus belle définition : « Le

---

1. Cf. Tibor Wlassics, *op. cit.*, p. 53.
2. Cf. G.S. Sansone, *La Pœtica dell' antica provenza*, Milan,
Guanda-Mondadori, 1982.

vers est un, il ne comporte pas de césure fixe ; le rythme doit tendre à faire coïncider ses temps forts avec les temps forts de la pensée » ; « Le vers est un seul mot, et s'il n'était pas un seul mot, il ne serait pas un vers[1] ». C'est en ce point que réside la plus grande difficulté dans la traduction de Dante. Car la compacité de son vers est telle que traduire sans tenter de s'en approcher équivaut à le trahir.

Écrire de la poésie aujourd'hui, c'est savoir – j'en ai fait souvent l'expérience – que par exemple la mesure dans le vers n'existe plus comme un élément simple (il comporte des éclats quasi imperceptibles, qui font rythme, et tiennent leur place). Le *e* muet, cette torture des versificateurs et des lecteurs, est devenu créature soluble, parfois jusqu'à l'évanouissement, jusqu'à l'anéantissement[2]. On écrit désormais avec un clavier de valeurs variables, que leur combinaison attrape et arrête un instant, dans une langue à la fois façonnée par l'histoire et rejouée par l'invention individuelle.

La traduction est elle aussi écriture et invention, et prolongement du texte, par les moyens qu'elle connaît. Ainsi, le plurilinguisme, par exemple, n'a pas à être introduit de force (Joyce, traduisant *Finnegans Wake* en italien – en se mettant explicitement *sous le signe de Dante* –, jouait des possibilités plurielles intérieures à la langue italienne). Ici, la marque de l'hétérogénéité linguistique est confiée aux *noms propres*, laissés en italien chaque fois que c'est possible, et qui portent sur eux, selon un procédé fréquemment employé par Dante lui-même, l'épaisseur du son étranger, la proximité du hors-sens[3]. Par ailleurs, le traducteur doit suivre et saisir la pensée ; or un texte comme celui de Dante comporte

1. Remy de Gourmont, *Esthétique de la langue française*, Paris, Mercure de France, 1899.

2. En 1899 déjà, Remy de Gourmont écrivait : « On a connu que les *e* muets ne sont plus (hormis en un petit nombre de cas) que la vibration d'une consonne », *op. cit.*, p. 241.

3. Cf. J. Risset, « Joyce translates Joyce », in *Comparative Criticism*, Oxford University Press, Oxford, 1984.

un grand nombre de points obscurs, de nœuds suscitant des interprétations multiples et divergentes. Le traducteur doit alors choisir son interprétation propre ; s'il tente de restituer à tout prix le polysémisme, il n'obtient le plus souvent qu'une sorte de flou vainement poétisant. Les traductions véritables sont en cela plus claires que l'original. Cela fait partie de leur être.

A ce point, ce qui se révèle fascinant dans le texte de Dante, vu à partir du laboratoire contemporain, c'est ceci : que peut-être Dante n'est pas seulement, dans son lointain XIVe siècle, très proche ; mais qu'il est aussi (ce qui est difficile à exprimer, et peut-être pas encore tout à fait exprimable) *en avant de nous*, par ce long poème, précisément. Nous vivons encore, littérairement, sur la poétique du poème court, telle qu'elle a été formulée par Poe, et mise en pratique par Mallarmé – fusion dans le blanc, aboli bibelot, absence de toute fleur... Mais quelque chose se dessine, dirait-on, à partir du texte de Dante, lu aujourd'hui : quelque chose qui brise le bibelot, et de façon inattendue opère une métamorphose de sa matière : à la fois attention multipliée, prolongée jusqu'au-delà de l'audible, et distraction souveraine, qui laisse les mots se proposer d'eux-mêmes...

Le texte italien de cette édition est celui qu'a établi Giorgio Petrocchi en 1965, fondé sur la collation et la classification de 27 manuscrits antérieurs à 1355, et publié à Milan, chez Mondadori, en 1966-1967.

J. R.

REMERCIEMENTS

Je voudrais adresser ici une pensée chaleureuse et reconnaissante à Louis Audibert, récemment disparu, qui m'avait demandé, il y a vingt-deux ans, cette traduction pour les éditions Flammarion, et qui en a suivi avec constance et affection le cheminement. Je voudrais également évoquer Giorgio Petrocchi, grand dantologue, collègue et ami de l'université de Rome, pour sa généreuse attention ; et encore Giovanni Macchia, dont l'amitié éclairée m'a soutenue pendant toutes ces années.

La présente révision a trouvé un élan final dans la lecture quasi intégrale que l'ensemble de la Troupe de la Comédie-Française a donnée de ce texte le 16 mai 2004, dans la salle Richelieu. J'en remercie ici Jean-Pierre Jourdain et Marc Bozonnet, et aussi Laure Adler et Bernard Comment pour France-Culture.

Parmi ceux dont le regard m'a été précieux, je voudrais rappeler en particulier : Nino Borsellino, Pietro Citati, Jacques Derrida, Umberto Eco, Vincenzo Esposito, Edmond Jabès, Francesco Mazzoni, Marcelin Pleynet, Eugenio Ragno, Philippe Sollers, Achille Tartaro, et Umberto Todini, et, parmi les artistes, Miquel Barcelo, François Bayle, André Bon, Laurent Brunet, Gérard Garouste, Jean-Paul Marcheschi, François Rouan.

INFERNO

L'ENFER

CANTO I

Nel mezzo del cammin di nostra vita
mi ritrovai per una selva oscura,
3 ché la diritta via era smarrita.
Ahi quanto a dir qual era è cosa dura
esta selva selvaggia e aspra e forte
6 che nel pensier rinova la paura!
Tant' è amara che poco è piú morte;
ma per trattar del ben ch'i' vi trovai,
9 dirò de l'altre cose ch'i' v'ho scorte.
Io non so ben ridir com'i' v'intrai,
tant' era pien di sonno a quel punto
12 che la verace via abbandonai.
Ma poi ch'i' fui al piè d'un colle giunto,
là dove terminava quella valle
15 che m'avea di paura il cor compunto,
guardai in alto e vidi le sue spalle
vestite già de' raggi del pianeta
18 che mena dritto altrui per ogne calle.
Allor fu la paura un poco queta,
che nel lago del cor m'era durata
21 la notte ch'i' passai con tanta pieta.
E come quei che con lena affannata,
uscito fuor del pelago a la riva,
24 si volge a l'acqua perigliosa e guata,
cosí l'animo mio, ch'ancor fuggiva,
si volse a retro a rimirar lo passo
27 che non lasciò già mai persona viva.

CHANT I

La forêt obscure — La colline ensoleillée — Apparition des trois bêtes : Dante recule vers la forêt — Apparition de Virgile — La prophétie du Lévrier — En route vers l'outre-tombe.
(Nuit du jeudi au vendredi saint, 7-8 avril, an 1300.)

Au milieu du chemin de notre vie*a
je me retrouvai par une forêt obscure*
3 car la voie droite était perdue.
    Ah dire ce qu'elle était est chose dure
cette forêt féroce et âpre et forte
6 qui ranime la peur dans la pensée!
    Elle est si amère que mort l'est à peine plus;
mais pour parler du bien que j'y trouvai,
9 je dirai des autres choses que j'y ai vues.
    Je ne sais pas bien redire comment j'y entrai,
tant j'étais plein de sommeil en ce point
12 où j'abandonnai la voie vraie.
    Mais quand je fus venu au pied d'une colline
où finissait cette vallée
15 qui m'avait pénétré le cœur de peur,
    je regardai en haut et je vis ses épaules
vêtues déjà par les rayons de la planète*
18 qui mène chacun droit par tous sentiers.
    Alors la peur se tint un peu tranquille,
qui dans le lac du cœur m'avait duré
21 la nuit que je passai si plein de peine.
    Et comme celui qui hors d'haleine,
sorti de la mer au rivage,
24 se retourne vers l'eau périlleuse et regarde,
    ainsi mon âme, qui fuyait encore,
se retourna pour regarder le pas
27 qui ne laissa jamais personne en vie.

a. Les astérisques renvoient aux notes en fin de volume.

Poi ch'èi posato un poco il corpo lasso,
ripresi via per la piaggia diserta,
30 sí che 'l piè fermo sempre era 'l piú basso.

Ed ecco, quasi al cominciar de l'erta,
una lonza leggera e presta molto,
33 che di pel macolato era coverta;

e non mi si partia dinanzi al volto,
anzi 'mpediva tanto il mio cammino,
36 ch'i' fui per ritornar piú volte vòlto.

Temp' era dal principio del mattino,
e 'l sol montava 'n sú con quelle stelle
39 ch'eran con lui quando l'amor divino

mosse di prima quelle cose belle;
sí ch'a bene sperar m'era cagione
42 di quella fiera a la gaetta pelle

l'ora del tempo e la dolce stagione;
ma non sí che paura non mi desse
45 la vista che m'apparve d'un leone.

Questi parea che contra me venisse
con la test' alta e con rabbiosa fame,
48 sí che parea che l'aere ne tremesse.

Ed una lupa, che di tutte brame
sembiava carca ne la sua magrezza,
51 e molte genti fé già viver grame,

questa mi porse tanto di gravezza
con la paura ch'uscia di sua vista,
54 ch'io perdei la speranza de l'altezza.

E qual è quei che volontieri acquista,
e giugne 'l tempo che perder lo face,
57 che 'n tutti suoi pensier piange e s'attrista;

tal mi fece la bestia sanza pace,
che, venendomi 'ncontro, a poco a poco
60 mi ripigneva là dove 'l sol tace.

Mentre ch'i' rovinava in basso loco,
dinanzi a li occhi mi si fu offerto
63 chi per lungo silenzio parea fioco.

Quando vidi costui nel gran diserto,
« Miserere di me », gridai a lui,
66 « qual che tu sii, od ombra od omo certo! »

Quand j'eus un peu reposé le corps las,
je repris mon chemin sur la plage déserte,
30 et le pied ferme* était toujours plus bas que l'autre.

Mais voici, presque au début de la montée,
une panthère* légère et très agile,
33 que recouvrait un pelage moucheté ;

elle ne bougeait pas de devant mon visage,
et même elle empêchait tellement mon chemin
36 que plusieurs fois je me tournai pour m'en aller.

C'était le temps* où le matin commence,
et le soleil montait avec toutes ces étoiles
39 qui étaient avec lui lorsque l'amour divin

bougea la première fois ces choses belles ;
si bien qu'à espérer me donnait lieu
42 de cette bête au gai pelage

l'heure du jour et la douce saison ;
mais non pas tant que la peur ne me vînt
45 à la vue d'un lion*, qui m'apparut.

Il me semblait qu'il venait contre moi
la tête haute, plein de faim enragée ;
48 on aurait cru autour de lui voir l'air trembler.

Et une louve*, qui paraissait dans sa maigreur
chargée de toutes les envies,
51 et qui fit vivre maintes gens dans la misère ;

elle me fit sentir un tel accablement
par la terreur qui sortait de sa vue,
54 que je perdis l'espoir de la hauteur.

Et pareil à celui qui se plaît à gagner,
mais vient le temps qui le fait perdre,
57 alors il pleure et se désole en chaque pensée ;

pareil me fit la bête qui n'a pas de paix,
quand venant contre moi peu à peu
60 elle me repoussait où le soleil se tait.

Tandis que je glissais vers le bas lieu,
une figure s'offrit à mes regards,
63 qu'un long silence avait tout affaiblie*.

Quand je la vis dans le grand désert,
« Miserere de moi* », je lui criai,
66 « qui que tu sois, ombre ou homme certain ! »

Rispuosemi : « Non omo, omo già fui,
e li parenti miei furon lombardi,
69 mantoani per patrïa ambedui.

Nacqui *sub Iulio*, ancor che fosse tardi,
e vissi a Roma sotto 'l buono Augusto
72 nel tempo de li dèi falsi e bugiardi.

Poeta fui, e cantai di quel giusto
figliuol d'Anchise che venne di Troia,
75 poi che 'l superbo Ilïón fu combusto,

Ma tu perché ritorni a tanta noia?
perché non sali il dilettoso monte
78 ch'è principio e cagion di tutta gioia? »

« Or se' tu quel Virgilio e quella fonte
che spandi di parlar sí largo fiume? »,
81 rispuos' io lui con vergognosa fronte.

« O de li altri poeti onore e lume,
vagliami 'l lungo studio e 'l grande amore
84 che m'ha fatto cercar lo tuo volume.

Tu se' lo mio maestro e 'l mio autore,
tu se' solo colui da cu' io tolsi
87 lo bello stilo che m'ha fatto onore.

Vedi la bestia per cu' io mi volsi;
aiutami da lei, famoso saggio,
90 ch'ella mi fa tremar le vene e i polsi. »

« A te convien tenere altro vïaggio »,
rispuose, poi che lagrimar mi vide,
93 « se vuo' campar d'esto loco selvaggio;

ché questa bestia, per la qual tu gride,
non lascia altrui passar per la sua via,
96 ma tanto lo 'mpedisce che l'uccide;

e ha natura sí malvagia e ria,
che mai non empie la bramosa voglia,
99 e dopo 'l pasto ha piú fame che pria.

Molti son li animali a cui s'ammoglia,
e piú saranno ancora, infin che 'l veltro
102 verrà, che la farà morir con doglia.

Questi non ciberà terra né peltro,
ma sapïenza, amore e virtute,
105 e sua nazion sarà tra feltro e feltro.

Il répondit : « Homme ne suis, homme plutôt je fus,
et mes parents furent lombards
69 mantouans tous deux de patrie.

Je naquis *sub Julio**, quoiqu'il fût tard,
et vécus sous le grand Auguste, à Rome,
72 au temps des dieux faux et menteurs.

Je fus poète, et je chantai le juste*
fils d'Anchise qui vint de Troie
75 quand l'orgueilleuse Ilion fut toute en flammes.

Mais toi, pourquoi retournes-tu vers cette angoisse ?
Pourquoi ne vas-tu pas à la douce montagne
78 qui est principe et cause de toute joie ? »

« Es-tu donc ce Virgile* et cette source
qui répand si grand fleuve de langage ? »,
81 lui répondis-je, avec la honte au front.

« O lumière et honneur de tous les poètes,
que m'aident la longue étude et le grand amour
84 qui m'ont fait chercher ton ouvrage.

Tu es mon maître et mon auteur
tu es le seul où j'ai puisé
87 le beau style qui m'a fait honneur.

Vois la bête pour qui je me retourne ;
aide-moi contre elle, fameux sage,
90 elle me fait trembler le sang et les veines. »

« Il te convient d'aller par un autre chemin »,
répondit-il, quand il me vit en larmes
93 « si tu veux échapper à cet endroit sauvage ;

car cette bête, pour qui tu cries,
ne laisse nul homme passer par son chemin,
96 mais elle l'assaille, et à la fin le tue ;

elle a nature si mauvaise et perverse
que jamais son envie ne s'apaise
99 et quand elle est repue elle a plus faim qu'avant.

Nombreux les animaux avec qui elle s'accouple,
et seront plus encore, jusqu'au jour où viendra
102 le lévrier*, qui la fera mourir dans la douleur.

Lui ni terre ni métal* ne le nourrira,
mais sagesse, amour et vertu,
105 et sa nation sera entre feltre et feltre*.

Di quella umile Italia fia salute
per cui morí la vergine Cammilla,
108 Eurialo e Turno e Niso di ferute.

Questi la caccerà per ogne villa,
fin che l'avrà rimessa ne lo 'nferno,
111 là onde 'nvidia prima dipartilla.

Ond' io per lo tuo me' penso e discerno
che tu mi segui, e io sarò tua guida,
114 e trarrotti di qui per loco etterno;

ove udirai le disperate strida,
vedrai li antichi spiriti dolenti,
117 ch'a la seconda morte ciascun grida;

e vederai color che son contenti
nel foco, perché speran di venire
120 quando che sia a le beate genti.

A le quai poi se tu vorrai salire,
anima fia a ciò piú di me degna :
123 con lei ti lascerò nel mio partire;

ché quello imperador che là sú regna,
perch' i' fu' ribellante a la sua legge,
126 non vuol che 'n sua città per me si vegna.

In tutte parti impera e quivi regge;
quivi è la sua città e l'alto seggio :
129 oh felice colui cu' ivi elegge! »

E io a lui : « Poeta, io ti richeggio
per quello Dio che tu non conoscesti,
132 acciò ch'io fugga questo male e peggio,

che tu mi meni là dov' or dicesti,
sí ch'io veggia la porta di san Pietro
e color cui tu fai cotanto mesti. »
136 Allor si mosse, e io li tenni dietro.

Il sera le salut de cette humble Italie
pour qui mourut la vierge Camille*,
108 Euryale et Turnus et Nisus, de leurs blessures.
Il la chassera par toutes les villes,
puis il viendra la remettre en enfer,
111 d'où l'avait tirée d'abord l'envie.
Donc pour ton mieux je pense et je dispose
que tu me suives, et je serai ton guide,
114 et je te tirerai d'ici vers un lieu éternel,
où tu entendras les cris désespérés;
tu verras les antiques esprits dolents
117 qui chacun crient à la seconde mort;
et tu verras ceux qui sont contents
dans le feu, parce qu'ils espèrent venir
120 un jour futur aux gens heureux.
Et si tu veux ensuite monter vers eux,
une âme* se trouvera, bien plus digne que moi :
123 à elle je te laisserai à mon départ;
car cet empereur qui est là-haut,
comme je fus rebelle à sa loi,
126 ne veut pas qu'on vienne par moi à sa cité.
En tous lieux il gouverne, et là il règne;
là est sa ville et son haut siège.
129 O bienheureux celui qu'il y choisit! »
Et moi, à lui : « Poète, je te prie,
par ce Dieu que tu n'as pas connu,
132 pour que je fuie ce mal et pire,
que tu me mènes là où tu as dit,
en sorte que je voie la porte de saint Pierre*
et ceux que tu décris si emplis de tristesse. »
136 Alors il s'ébranla, et je suivis ses pas.

CANTO II

Lo giorno se n'andava, e l'aere bruno
togleva li animai che sono in terra
3 da le fatiche loro; e io sol uno
    m'apparecchiava a sostener la guerra
    sí del cammino e sí de la pietate,
6 che ritrarrà la mente che non erra.
    O muse, o alto ingegno, or m'aiutate;
    o mente che scrivesti ciò ch'io vidi,
9 qui si parrà la tua nobilitate.
    Io cominciai : « Poeta che mi guidi,
    guarda la mia virtú s'ell' è possente,
12 prima ch'a l'alto passo tu mi fidi.
    Tu dici che di Silvïo il parente,
    corruttibile ancora, ad immortale
15 secolo andò, e fu sensibilmente.
    Però, se l'avversario d'ogne male
    cortese i fu, pensando l'alto effetto
18 ch'uscir dovea di lui, e 'l chi e 'l quale
    non pare indegno ad omo d'intelletto;
    ch'e' fu de l'alma Roma e di suo impero
21 ne l'empireo ciel per padre eletto :
    la quale e 'l quale, a voler dir lo vero,
    fu stabilita per lo loco santo
24 u' siede il successor del maggior Piero.
    Per quest' andata onde li dai tu vanto,
    intese cose che furon cagione
27 di sua vittoria e del papale ammanto.

CHANT II

Dante a peur – Virgile le rassure – Descente de Béatrice
dans les Limbes – Dante reprend courage.
(Vendredi saint, 8 avril 1300, au soir.)

Le jour s'en allait, et l'air obscur
ôtait les animaux qui sont sur terre
3 de leurs fatigues; moi seul
je m'apprêtais à soutenir la guerre
du long parcours et de la compassion
6 que rapportera la mémoire sans erreur.
O muses, ô grand esprit*, aidez-moi à présent,
ô mémoire qui écrivis ce que j'ai vu,
9 c'est ici que ta noblesse apparaîtra.
Je commençai : « Poète qui me guides,
vois bien si ma vertu est assez forte,
12 avant de me confier à ce voyage ardu.
Tu dis que le père de Silvius*,
quand il était encore dans l'état corruptible,
15 entra dans le monde éternel, avec son corps.
Mais si l'adversaire de tout mal
lui fut courtois, pensant à l'effet qui viendrait*
18 à travers lui, qui était grand, de grand mérite,
cela ne semble pas indigne aux gens de sens;
car il fut élu dans le ciel
21 père de la sainte Rome et de son empire :
laquelle, avec lequel, fut, à dire le vrai,
choisie pour être ce lieu saint
24 où siège le successeur du premier Pierre.
Et par ce voyage dont tu lui fais gloire
il comprit bien des choses qui furent cause
27 de sa victoire et du manteau papal.

Andovvi poi lo Vas d'elezïone,
per recarne conforto a quella fede
₃₀ ch'è principio a la via di salvazione.
        Ma io, perché venirvi? o chi 'l concede?
Io non Enëa, io non Paulo sono;
₃₃ me degno a ciò né io né altri 'l crede.
        Per che, se del venire io m'abbandono,
temo che la venuta non sia folle.
₃₆ Se' savio; intendi me' ch'i' non ragiono. »
        E qual è quei che disvuol ciò che volle
e per novi pensier cangia proposta,
₃₉ sí che dal cominciar tutto si tolle,
        tal mi fec' ïo 'n quella oscura costa,
perché, pensando, consumai la 'mpresa
₄₂ che fu nel cominciar cotanto tosta.
        « S'i' ho ben la parola tua intesa »,
rispuose del magnanimo quell'ombra,
₄₅ « l'anima tua è da viltade offesa;
        la qual molte fïate l'omo ingombra
sí che d'onrata impresa lo rivolve,
₄₈ come falso veder bestia quand' ombra.
        Da questa tema acciò che tu .ti solve,
dirotti perch' io venni e quel ch'io 'ntesi
₅₁ nel primo punto che di te mi dolve.
        Io era tra color che son sospesi,
e donna mi chiamò beata e bella,
₅₄ tal che di comandare io la richiesi.
        Lucevan li occhi suoi piú che la stella;
e cominciommi a dir soave e piana,
₅₇ con angelica voce, in sua favella :
        "O anima cortese mantoana,
di cui la fama ancor nel mondo dura,
₆₀ e durerà quanto 'l mondo lontana,
        l'amico mio, e non de la ventura,
ne la diserta piaggia è impedito
₆₃ sí nel cammin, che vòlt' è per paura;
        e temo che non sia già sí smarrito,
ch'io mi sia tardi al soccorso levata,
₆₆ per quel ch'i' ho di lui nel cielo udito.

Et plus tard y alla le Vase d'élection*
pour apporter réconfort à la foi
30 qui est le premier pas dans la voie du salut.
   Mais moi, pourquoi venir ? qui le permet ?
Je ne suis ni Énée ni Paul ;
33 ni moi ni aucun autre ne m'en croit digne.
   Aussi je crains, si je me résous à venir,
que cette venue ne soit folle.
36 Tu es sage ; tu comprends mieux que je ne parle. »
   Tel est celui qui ne veut plus ce qu'il voulait,
changeant d'idée pour des pensées nouvelles,
39 si bien qu'il abandonne ce qu'il a commencé,
   tel je devins sur cette pente obscure,
car en pensant je consumai toute l'entreprise
42 qui fut si rude en son commencement.
   « Si j'ai bien compris ta parole,
répondit l'ombre du magnanime,
45 ton âme est accablée de lâcheté ;
   laquelle encombre l'homme bien souvent
et le détourne d'une noble entreprise,
48 comme fausse vision à bête qui s'ombrage.
   Je te dirai, pour t'ôter cette crainte,
pourquoi je vins et ce que j'entendis
51 dans le premier moment où je souffris pour toi.
   J'étais parmi ceux qui sont en suspens*
quand une dame* heureuse et belle m'appela,
54 telle que je la priai de me commander.
   Ses yeux brillaient plus que l'étoile,
et elle me parla, douce et calme,
57 d'une voix d'ange, en son langage :
   "O âme courtoise de Mantoue,
dont la gloire dure encore dans le monde,
60 et durera autant que le monde,
   mon ami vrai, et non ami de la fortune*,
est empêché si fort, sur la plage déserte,
63 que la peur le fait s'en retourner,
   et je crains qu'il ne soit déjà si égaré
que je me sois levée trop tard à son secours,
66 pour ce que j'entendis de lui au ciel.

Or movi, e con la tua parola ornata
e con ciò c'ha mestieri al suo campare,
69 l'aiuta sí ch'i' ne sia consolata.

I' son Beatrice che ti faccio andare;
vegno del loco ove tornar disio;
72 amor mi mosse, che mi fa parlare.

Quando sarò dinanzi al segnor mio,
di te mi loderò sovente a lui."
75 Tacette allora, e poi comincia' io :

"O donna di virtú sola per cui
l'umana spezie eccede ogne contento
78 di quel ciel c'ha minor li cerchi sui,

tanto m'aggrada il tuo comandamento,
che l'ubidir, se già fosse, m'è tardi;
81 piú non t'è uo' ch'aprirmi il tuo talento.

Ma dimmi la cagion che non ti guardi
de lo scender qua giuso in questo centro
84 de l'ampio loco ove tornar tu ardi."

"Da che tu vuo' saver cotanto a dentro,
dirotti brievemente", mi rispuose,
87 "perch' i' non temo di venir qua entro.

Temer si dee di sole quelle cose
c'hanno potenza di fare altrui male;
90 de l'altre no, ché non son paurose.

I' son fatta da Dio, sua mercé, tale,
che la vostra miseria non mi tange,
93 né fiamma d'esto 'ncendio non m'assale.

Donna è gentil nel ciel che si compiange
di questo 'mpedimento ov' io ti mando,
96 sí che duro giudicio là sú frange.

Questa chiese Lucia in suo dimando
e disse : — Or ha bisogno il tuo fedele
99 di te, e io a te lo raccomando —.

Lucia, nimica di ciascun crudele,
si mosse, e venne al loco dov' i' era,
102 che mi sedea con l'antica Rachele.

Disse : — Beatrice, loda di Dio vera,
ché non soccorri quei che t'amò tanto,
105 ch'uscí per te de la volgare schiera?

Va donc, et aide-le si bien
par ta parole ornée, et ce qui peut servir
69 à son salut, que j'en sois consolée.
    Je suis Béatrice, qui te prie d'aller;
je viens du lieu où j'ai désir de retourner;
72 Amour m'envoie, qui me fait parler.
    Quand je serai auprès de mon seigneur,
je lui ferai souvent ta louange."
75 Elle se tut alors, et je repris :
    "O dame de vertu, vertu qui permet seule
que l'espèce humaine excède tout ce qui est
78 sous le ciel qui a les cercles les plus petits*,
ton commandement m'agrée si fort
qu'y obéir, même aussitôt, me semble tard;
81 il ne sert plus que tu m'expliques ton désir.
    Mais dis-moi la raison qui t'enlève la peur
de descendre ici en ce centre
84 du vaste lieu où tu désires t'en retourner."
    "Puisque tu veux savoir un tel secret,
je te dirai brièvement, répondit-elle,
87 pourquoi je n'ai pas craint de venir par ici.
    Il faut avoir peur seulement de ces choses
qui ont pouvoir de faire mal à autrui;
90 des autres non, car elles ne sont pas redoutables.
    Je suis faite par Dieu, et par sa grâce, telle
que votre misère ne peut me toucher,
93 et que la flamme de cet incendie ne m'atteint pas.
    Noble dame est au ciel, qui a pitié
de la détresse où je t'envoie,
96 si bien qu'elle brise la dure loi d'en haut.
    Or cette dame a appelé Lucie
et lui a dit : — Ton fidèle a maintenant besoin
99 de toi, et moi, à toi je le recommande —.
    Lucie*, ennemie de toute cruauté,
se mit en chemin, et vint là où j'étais,
102 assise auprès de l'antique Rachel*,
    et dit : — Béatrice, louange de Dieu vraie,
pourquoi n'aides-tu pas celui qui t'aima tant
105 que pour toi il sortit de la horde vulgaire?

    Non odi tu la pieta del suo pianto,
non vedi tu la morte che 'l combatte
108 su la fiumana ove 'l mar non ha vanto? —
    Al mondo non fur mai persone ratte
a far lor pro o a fuggir lor danno,
111 com' io, dopo cotai parole fatte,
    venni qua giú del mio beato scanno,
fidandomi del tuo parlare onesto,
114 ch'onora te e quei ch'udito l'hanno."
    Poscia che m'ebbe ragionato questo,
li occhi lucenti lagrimando volse,
117 per che mi fece del venir piú presto.
    E venni a te cosí com' ella volse :
d'inanzi a quella fiera ti levai
120 che del bel monte il corto andar ti tolse.
    Dunque : che è? perché, perché restai,
perché tanta viltà nel core allette,
123 perché ardire e franchezza non hai,
    poscia che tai tre donne benedette
curan di te ne la corte del cielo,
126 e 'l mio parlar tanto ben ti promette? »
    Quali fioretti dal notturno gelo
chinati e chiusi, poi che 'l sol li 'mbianca,
129 si drizzan tutti aperti in loro stelo,
    tal mi fec' io di mia virtude stanca,
e tanto buono ardire al cor mi corse,
132 ch'i' cominciai come persona franca :
    « Oh pietosa colei che mi soccorse!
e te cortese ch'ubidisti tosto
135 a le vere parole che ti porse!
    Tu m'hai con disiderio il cor disposto
sí al venir con le parole tue,
138 ch'i' son tornato nel primo proposto.
    Or va, ch'un sol volere è d'ambedue :
tu duca, tu segnore e tu maestro. »
Cosí li dissi; e poi che mosso fue,
142 intrai per lo cammino alto e silvestro.

N'entends-tu pas la pitié de ses pleurs,
ne vois-tu pas la mort qui le menace
108 sur le grand fleuve où la mer ne vient pas ? –
Personne jamais ne fut plus prompt
à faire son bien, et à fuir son dommage,
111 que je ne fus, à ces paroles dites,
à venir ici-bas de mon siège d'élue,
confiant dans ton parler honnête
114 qui t'honore toi-même, et ceux qui l'entendent."
Après qu'elle eut parlé ainsi,
elle tourna en pleurant vers moi ses yeux brillants,
117 me faisant par là plus rapide à venir.
Et je vins à toi comme elle voulut :
je t'ôtai de devant cette bête qui t'a privé
120 du court chemin vers la belle montagne.
Allons : qu'as-tu ? pourquoi, pourquoi t'attardes-tu,
pourquoi accueilles-tu lâcheté dans ton cœur,
123 pourquoi es-tu sans courage et sans tranquillité,
puisque les trois dames bénies
ont souci de toi dans la cour du ciel,
126 et que mon parler te promet tant de bien ? »
Comme fleurette inclinée et fermée
par la gelée nocturne, quand le soleil l'éclaire,
129 se redresse épanouie sur sa tige,
tel j'émergeai de ma vertu lassée,
et tant de bon courage ressurgit dans mon cœur
132 que je commençai, en homme libre :
« O clémente celle qui m'a secouru !
Et toi courtois, qui obéis si vite
135 aux paroles vraies qu'elle t'adressa !
Tu as si bien, par ton discours,
disposé mon cœur au désir d'aller
138 que je suis revenu à mon premier dessein.
Va donc, car nous avons tous deux un seul vouloir :
toi mon guide, mon seigneur et mon maître. »
Je lui parlai ainsi ; et quand il s'ébranla,
142 j'entrai dans le chemin dur et sauvage.

CANTO III

« Per me si va ne la città dolente,
per me si va ne l'etterno dolore,
3 per me si va tra la perduta gente.

Giustizia mosse il mio alto fattore;
fecemi la divina podestate,
6 la somma sapïenza e 'l primo amore.

Dinanzi a me non fuor cose create
se non etterne, e io etterno duro.
9 Lasciate ogne speranza, voi ch'intrate. »

Queste parole di colore oscuro
vid'ïo scritte al sommo d'una porta;
12 per ch'io : « Maestro, il senso lor m'è duro. »

Ed elli a me, come persona accorta :
« Qui si convien lasciare ogne sospetto;
15 ogne viltà convien che qui sia morta.

Noi siam venuti al loco ov' i' t'ho detto
che tu vedrai le genti dolorose
18 c'hanno perduto il ben de l'intelletto. »

E poi che la sua mano a la mia puose
con lieto volto, ond' io mi confortai,
21 mi mise dentro a le segrete cose.

Quivi sospiri, pianti e alti guai
risonavan per l'aere sanza stelle,
24 per ch'io al cominciar ne lagrimai.

Diverse lingue, orribili favelle,
parole di dolore, accenti d'ira,
27 voci alte e fioche, e suon di man con elle

CHANT III

Vestibule de l'Enfer
**La porte de la cité dolente — La première troupe des
damnés :** *Esprits neutres et lâches*, **harcelés par des insectes —
L'Achéron et son passeur, Caron — Tremblement de terre :
Dante s'évanouit.**
(Vendredi saint, 8 avril 1300, au soir.)

    « Par moi on va dans la cité dolente,
    par moi on va dans l'éternelle douleur,
3 par moi on va parmi la gent perdue.
    Justice a mû mon sublime artisan,
    puissance divine m'a faite,
6 et la haute sagesse et le premier amour.
    Avant moi rien n'a jamais été créé*
    qui ne soit éternel, et moi je dure éternellement.
9 Vous qui entrez laissez toute espérance. »
    Ces paroles de couleur sombre,
    je les vis écrites au-dessus d'une porte ;
12 aussi je dis : « Maître, leur sens m'est dur. »
    Et lui à moi, en homme qui savait mes pensées :
    « Ici il convient de laisser tout soupçon ;
15 toute lâcheté ici doit être morte.
    Nous sommes venus au lieu que je t'ai dit,
    où tu verras les foules douloureuses
18 qui ont perdu le bien de l'intellect. »
    Et après avoir mis sa main dans la mienne
    avec un visage gai, qui me réconforta,
21 il me découvrit les choses secrètes.
    Là pleurs, soupirs et hautes plaintes
    résonnaient dans l'air sans étoiles,
24 ce qui me fit pleurer pour commencer.
    Diverses langues, et horribles jargons,
    mots de douleur, accents de rage,
27 voix fortes, rauques, bruits de mains avec elles,

facevano un tumulto, il qual s'aggira
sempre in quell'aura sanza tempo tinta,
30 come la rena quando turbo spira.
    E io ch'avea d'error la testa cinta,
dissi : « Maestro, che è quel ch'i' odo?
33 e che gent' è che par nel duol sí vinta? »
    Ed elli a me : « Questo misero modo
tegnon l'anime triste di coloro
36 che visser sanza 'nfamia e sanza lodo.
    Mischiate sono a quel cattivo coro
de li angeli che non furon ribelli
39 né fur fedeli a Dio, ma per sé fuoro.
    Caccianli i ciel per non esser men belli,
né lo profondo inferno li riceve,
42 ch'alcuna gloria i rei avrebber d'elli. »
    E io : « Maestro, che è tanto greve
a lor che lamentar li fa sí forte? »
45 Rispuose : « Dicerolti molto breve.
    Questi non hanno speranza di morte,
e la lor cieca vita è tanto bassa,
48 che 'nvidïosi son d'ogne altra sorte.
    Fama di loro il mondo esser non lassa;
misericordia e giustizia li sdegna :
51 non ragioniam di lor, ma guarda e passa. »
    E io, che riguardai, vidi una 'nsegna
che girando correva tanto ratta,
54 che d'ogne posa mi parea indegna;
    e dietro le venía sí lunga tratta
di gente, ch'i' non averei creduto
57 che morte tanta n'avesse disfatta.
    Poscia ch'io v'ebbi alcun riconosciuto,
vidi e conobbi l'ombra di colui
60 che fece per viltade il gran rifiuto.
    Incontanente intesi e certo fui
che questa era la setta d'i cattivi,
63 a Dio spiacenti e a' nemici sui.
    Questi sciaurati, che mai non fur vivi,
erano ignudi e stimolati molto
66 da mosconi e da vespe ch'eran ivi.

faisaient un fracas tournoyant
toujours, dans cet air éternellement sombre,
30 comme le sable où souffle un tourbillon.
    Et moi, qui avais la tête entourée d'ombre,
je dis : « Maître, qu'est-ce que j'entends ?
33 qui sont ces gens si défaits de souffrance ? »
    Et lui à moi : « Cet état misérable
est celui des méchantes âmes des humains
36 qui vécurent sans infamie et sans louange.
    Ils sont mêlés au mauvais chœur des anges*
qui ne furent ni rebelles à Dieu
39 ni fidèles, et qui ne furent que pour eux-mêmes.
    Les cieux les chassent, pour n'être pas moins beaux,
et le profond enfer ne veut pas d'eux,
42 car les damnés en auraient plus de gloire. »
    Et moi : « Maître, quel est le poids
qui les fait se plaindre si fort ? »
45 Il répondit : « Je vais te le dire en quelques mots.
    Ceux-ci n'ont pas espoir de mort,
et leur vie aveugle est si basse
48 que tout autre sort leur fait envie.
    Le monde ne laisse pas de renommée pour eux,
miséricorde et justice les méprisent :
51 ne parlons pas d'eux, mais regarde et passe. »
    Et moi qui regardais j'aperçus une enseigne
qui en tournant courait si vite
54 qu'elle semblait indigne de repos ;
    et derrière elle venait si grande foule
d'humains, que je n'aurais pas cru
57 que mort en eût défait autant.
    Après que j'en eus reconnu quelques-uns,
je vis et reconnus l'ombre de celui-là
60 qui fit par lâcheté le grand refus*.
    Aussitôt je compris et je fus certain
que c'était bien la secte des mauvais,
63 qui déplaisent à Dieu, comme à ses ennemis.
    Ces malheureux, qui n'ont jamais été vivants,
étaient nus et harcelés sans cesse
66 par des mouches et des guêpes qui étaient près d'eux.

Elle rigavan lor di sangue il volto,
che, mischiato di lagrime, a' lor piedi
69 da fastidiosi vermi era ricolto.

E poi ch'a riguardar oltre mi diedi,
vidi genti a la riva d'un gran fiume;
72 per ch'io dissi : « Maestro, or mi concedi
ch'i' sappia quali sono, e qual costume
le fa di trapassar parer sí pronte,
75 com' i' discerno per lo fioco lume. »

Ed elli a me : « Le cose ti fier conte
quando noi fermerem li nostri passi
78 su la trista riviera d'Acheronte. »

Allor con li occhi vergognosi e bassi,
temendo no 'l mio dir li fosse grave,
81 infino al fiume del parlar mi trassi.

Ed ecco verso noi venir per nave
un vecchio, bianco per antico pelo,
84 gridando : « Guai a voi, anime prave!

Non isperate mai veder lo cielo :
i' vegno per menarvi a l'altra riva
87 ne le tenebre etterne, in caldo e 'n gelo.

E tu che se' costí, anima viva,
pàrtiti da cotesti che son morti. »
90 Ma poi che vide ch'io non mi partiva,

disse : « Per altra via, per altri porti
verrai a piaggia, non qui, per passare :
93 piú lieve legno convien che ti porti. »

E 'l duca lui : « Caron, non ti crucciare :
vuolsi cosí colà dove si puote
96 ciò che si vuole, e piú non dimandare. »

Quinci fuor quete le lanose gote
al nocchier de la livida palude,
99 che 'ntorno a li occhi avea di fiamme rote.

Ma quell' anime, ch'eran lasse e nude,
cangiar colore e dibattero i denti,
102 ratto che 'nteser le parole crude.

Bestemmiavano Dio e lor parenti,
l'umana spezie e 'l loco e 'l tempo e 'l seme
105 di lor semenza e di lor nascimenti.

Elles leur rayaient le visage de sang,
qui, mêlé de pleurs, tombait à leurs pieds
69 où le recueillaient des vers immondes.

Et comme je regardais au-delà,
je vis des gens sur le bord d'un grand fleuve ;
72 alors je dis : « Maître, permets-moi à présent
de savoir qui ils sont, et quelle étrange loi
les fait sembler si pressés de passer,
75 comme on discerne à ce peu de clarté. »

Et lui à moi : « Ces choses te seront claires
quand nous arrêterons nos pas
78 à la triste rivière d'Achéron. »

Alors les yeux baissés, honteux,
craignant que mes paroles ne lui pèsent,
81 je m'abstins de parler jusqu'au fleuve.

Et voici s'avancer vers nous dans un bateau
un vieillard blanc* d'antique poil,
84 criant : « Malheur à vous, âmes méchantes,
n'espérez pas voir un jour le ciel :
je viens pour vous mener à l'autre rive
87 dans les ténèbres éternelles, en chaud et gel.

Et toi qui es ici, âme vivante,
va-t'en loin de ceux-ci, qui sont tous morts. »
90 Mais comme il vit que je ne partais pas,
il dit : « Par d'autres voies, par d'autres ports*
tu viendras au rivage, non ici pour passer ;
93 il faudra que te porte un bateau plus léger. »

Mon guide alors lui dit : « Charon, ne te démène pas :
on veut ainsi là où on peut
96 ce que l'on veut, et ne demande pas davantage. »

Je vis alors s'apaiser les joues laineuses
du nocher du marais infernal,
99 qui avait autour des yeux des roues de flamme.

Mais ces ombres, qui étaient lasses et nues,
changèrent de couleur et claquèrent des dents,
102 dès qu'elles entendirent ces mots cruels.

Elles blasphémaient Dieu et leurs parents,
l'espèce humaine et le lieu et le germe
105 de leur naissance, et de leur lignée.

Pio si ritrasser tutte quante insieme,
forte piangendo, a la riva malvagia
108 ch'attende ciascun uom che Dio non teme.
Caron dimonio, con occhi di bragia
loro accennando, tutte le raccoglie;
111 batte col remo qualunque s'adagia.
Come d'autunno si levan le foglie
l'una appresso de l'altra, fin che 'l ramo
114 vede a la terra tutte le sue spoglie,
similemente il mal seme d'Adamo
gittansi di quel lito ad una ad una,
117 per cenni come augel per suo richiamo.
Cosí sen vanno su per l'onda bruna,
e avanti che sien di là discese,
120 anche di qua nuova schiera s'auna.
« Figliuol mio », disse 'l maestro cortese,
« quelli che muoion ne l'ira di Dio
123 tutti convegnon qui d'ogne paese;
e pronti sono a trapassar lo rio,
ché la divina giustizia li sprona,
126 sí che la tema si volve in disio.
Quinci non passa mai anima buona;
e però, se Caron di te si lagna,
129 ben puoi sapere omai che 'l suo dir suona. »
Finito questo, la buia campagna
tremò sí forte, che de lo spavento
132 la mente di sudore ancor mi bagna.
La terra lagrimosa diede vento,
che balenò una luce vermiglia
la qual mi vinse ciascun sentimento;
136 e caddi come l'uom cui sonno piglia.

Puis elles s'amassèrent toutes ensemble,
en pleurant fort, sur la rive mauvaise
106 qui attend les humains qui ne craignent pas Dieu.
Charon le diable aux yeux de braise
les recueille toutes, et leur fait signe,
111 battant avec sa rame celles qui s'attardent.
Comme en automne les feuilles s'envolent
l'une après l'autre, jusqu'au temps où la branche
114 a mis à terre toutes ses dépouilles,
pareillement la semence d'Adam
se jette du rivage, âme après âme,
117 comme des oiseaux, par signes, à son appel.
Elles s'en vont ainsi sur l'eau brune,
et avant qu'elles descendent sur l'autre rive,
120 une nouvelle troupe encore s'assemble sur celle-ci.
« Mon fils », dit le maître courtois
« ceux qui meurent dans la colère de Dieu
123 arrivent ici de tous pays ;
et ils sont prêts à traverser le fleuve,
car la divine justice les presse,
126 et leur peur se change en désir.
Par ici ne passe jamais une âme bonne,
et si Charon se plaint de toi,
129 tu comprends à présent quel est son dire. »
Quand il eut achevé, la campagne noire
trembla si fort, que la mémoire de ce moment
132 me baigne encore le corps de sueur.
La terre en larmes donna un vent
d'où surgit une lumière vermeille,
laquelle vainquit tous mes esprits ;
136 et je tombai comme celui qui succombe au sommeil*.

CANTO IV

Ruppemi l'alto sonno ne la testa
un greve truono, sí ch'io mi riscossi
3 come persona ch'è per forza desta;
   e l'occhio riposato intorno mossi,
dritto levato, e fiso riguardai
6 per conoscer lo loco dov' io fossi.
   Vero è che 'n su la proda mi trovai
de la valle d'abisso dolorosa
9 che 'ntrono accoglie d'infiniti guai.
   Oscura e profonda era e nebulosa
tanto che, per ficcar lo viso a fondo,
12 io non vi discernea alcuna cosa.
   « Or discendiam qua giú nel cieco mondo »,
cominciò il poeta tutto smorto.
15 « Io sarò primo, e tu sarai secondo. »
   E io, che del color mi fui accorto,
dissi : « Come verrò, se tu paventi
18 che suoli al mio dubbiare esser conforto? »
   Ed elli a me : « L'angoscia de le genti
che son qua giú, nel viso mi dipigne
21 quella pietà che tu per tema senti.
   Andiam, ché la via lunga ne sospigne. »
   Cosí si mise e cosí mi fé intrare
24 nel primo cerchio che l'abisso cigne.
   Quivi, secondo che per ascoltare,
non avea pianto mai che di sospiri
27 che l'aura etterna facevan tremare;

CHANT IV

Esprits vertueux non baptisés, sans autre peine que le désir
éternellement insatisfait de voir Dieu.

Réveil de Dante — Les Limbes — La descente du Christ aux
Enfers — Les poètes antiques — Le château des vaillants et
des sages.
                    (Vendredi saint, 8 avril 1300, au soir.)

    Le haut sommeil fut rompu dans ma tête
    par un éclat de foudre, et je repris mes sens
3 comme un homme qu'on réveille de force ;
      je tournai autour de moi l'œil reposé,
    debout, et je regardai fixement
6 pour connaître le lieu où j'étais transporté.
      En vérité je me trouvai sur le rebord
    de la vallée d'abîme douloureuse
9 qui accueille un fracas de plaintes infinies.
      Elle était noire, profonde et embrumée ;
    en fixant mon regard jusqu'au fond,
12 je ne pouvais rien y discerner.
      « Descendons à présent dans le monde aveugle »,
    commença le poète en pâlissant,
15 « je serai le premier, toi le second. »
      Et moi, qui avais remarqué sa pâleur,
    je dis : « Comment viendrai-je, si tu crains,
18 toi qui toujours réconfortes mes doutes ? »
      Et lui : « C'est la souffrance des ombres
    qui sont ici, qui peint sur mon visage
21 cette pitié que tu prends pour la peur.
      Allons, le long chemin nous pousse. »
    C'est ainsi qu'il entra et qu'il me fit entrer
24 dans le premier cercle qui entoure l'abîme.
      Et là, à ce que j'entendis,
    il n'était pas de pleurs, seulement des soupirs,
27 qui faisaient trembler l'air éternel ;

ciò avvenia di duol sanza martíri,
ch'avean le turbe, ch'eran molte e grandi.
30 d'infanti e di femmine e di viri.
   Lo buon maestro a me : « Tu non dimandi
che spiriti son questi che tu vedi?
33 Or vo' che sappi, innanzi che piú andi,
   ch'ei non peccaro; e s'elli hanno mercedi,
non basta, perché non ebber battesmo,
36 ch'è porta de la fede che tu credi;
   e s'e' furon dinanzi al cristianesmo,
non adorar debitamente a Dio :
39 e di questi cotai son io medesmo.
   Per tai difetti, non per altro rio,
semo perduti, e sol di tanto offesi
42 che sanza speme vivemo in disio. »
   Gran duol mi prese al cor quando lo 'ntesi,
però che gente di molto valore
45 conobbi che 'n quel limbo eran sospesi.
   « Dimmi, maestro mio, dimmi, segnore »,
comincia' io per volere esser certo
48 di quella fede che vince ogne errore :
   « uscicci mai alcuno, o per suo merto
o per altrui, che poi fosse beato? »
51 E quei che 'ntese il mio parlar coverto,
rispuose : « Io era nuovo in questo stato,
quando ci vidi venire un possente,
54 con segno di vittoria coronato.
   Trasseci l'ombra del primo parente,
d'Abèl suo figlio e quella di Noè,
57 di Moïsè legista e ubidente;
   Abraàm patrïarca e Davíd re,
Israèl con lo padre e co' suoi nati
60 e con Rachele, per cui tanto fé,
   e altri molti, e feceli beati.
   E vo' che sappi che, dinanzi ad essi,
63 spiriti umani non eran salvati. »
   Non lasciavam l'andar perch' ei dicessi,
ma passavam la selva tuttavia,
66 la selva, dico, di spiriti spessi.

cela venait de douleur sans torture
subie par ces foules, qui étaient grandes,
30 d'enfants, de femmes et d'hommes.

Mon bon maître me dit : « Tu ne demandes pas
quels sont les esprits que tu vois ?
33 Or je veux que tu saches, avant d'aller plus loin,
qu'ils furent sans péchés ; et s'ils ont des mérites,
cela ne suffit pas, sans le baptême,
36 qui est le seuil de la foi que tu as ;
et s'ils vécurent avant la loi chrétienne,
ils n'adorèrent pas Dieu comme il convient :
39 je suis moi-même un de ceux-là.

Pour un tel manque, et non pour d'autres crimes,
nous sommes perdus, et notre unique peine,
42 est que sans espoir nous vivons en désir. »

Douleur me prit au cœur lorsque je l'entendis,
car je compris que de très grands
45 étaient suspendus dans ce limbe.

« Dis-moi, mon maître, mon seigneur »,
commençai-je, voulant être assuré
48 de cette foi qui détruit toute erreur :

« quelqu'un est-il jamais sorti d'ici
par son mérite ou par autrui, pour être élu ? »
51 Et lui, qui entendit mes paroles couvertes,

me répondit : « J'étais nouveau dans cet état
quand je vis venir un puissant*,
54 que couronnait un signe de victoire.

Il tira l'ombre de son premier aïeul,
d'Abel son fils et de Noé,
57 et de Moïse, légiste obéissant ;

Abraham patriarche et David roi,
Israël avec son père et ses enfants,
60 et avec Rachel, pour laquelle il fit tant* ;

et beaucoup d'autres, qu'il emmena au ciel.
Et je veux que tu saches qu'avant ceux-là
63 les esprits humains n'étaient pas sauvés. »

Nous ne cessions d'avancer tandis qu'il parlait,
et nous traversions la forêt pendant ce temps,
66 la forêt, dis-je, épaisse d'ombres.

Non era lunga ancor la nostra via
di qua dal sonno, quand' io vidi un foco
69 ch'emisperio di tenebre vincia.

Di lungi n'eravamo ancora un poco,
ma non sí ch'io non discernessi in parte
72 ch'orrevol gente possedea quel loco.

« O tu ch'onori scïenzïa e arte,
questi chi son c'hanno cotanta onranza,
75 che dal modo de li altri li diparte? »

E quelli a me : « L'onrata nominanza
che di lor suona sú ne la tua vita,
78 grazïa acquista in ciel che sí li avanza."

Intanto voce fu per me udita :
« Onorate l'altissimo poeta;
81 l'ombra sua torna, ch'era dipartita. »

Poi che la voce fu restata e queta,
vidi quattro grand' ombre a noi venire :
84 sembianz' avevan né trista né lieta.

Lo buon maestro cominciò a dire :
« Mira colui con quella spada in mano,
87 che vien dinanzi ai tre sí come sire :

quelli è Omero poeta sovrano;
l'altro è Orazio satiro che vene;
90 Ovidio è 'l terzo, e l'ultimo Lucano.

Però che ciascun meco si convene
nel nome che sonò la voce sola,
93 fannomi onore, e di ciò fanno bene. »

Cosí vid' i' adunar la bella scola
di quel segnor de l'altissimo canto
96 che sovra li altri com' aquila vola.

Da ch'ebber ragionato insieme alquanto,
volsersi a me con salutevol cenno,
99 e 'l mio maestro sorrise di tanto;

e piú d'onore ancora assai mi fenno,
ch'e' sí mi fecer de la loro schiera,
102 sí ch'io fui sesto tra cotanto senno.

Cosí andammo infino a la lumera,
parlando cose che 'l tacere è bello,
105 sí com' era 'l parlar colà dov' era.

Nous avions fait peu de chemin encore
au-delà du sommeil, lorsque je vis un feu
69 qui vainquait l'hémisphère de ténèbres.
Nous étions encore assez loin de là,
mais déjà je pouvais discerner en partie
72 que des gens honorables habitaient ce lieu.
« O toi qui honores la science et l'art,
quels sont ces gens, qui ont ici un tel honneur
75 que leur sort est séparé des autres ? »
Et lui : « Leur renommée,
qui résonne en haut dans ta vie,
78 acquiert aux cieux la grâce qui les sépare. »
Cependant j'entendis une voix :
« Honorez le très haut poète ;
81 son ombre est revenue, qui nous avait quittés. »
Quand la voix se fut tue et calmée,
je vis venir à nous quatre grandes figures
84 dont les visages n'étaient ni gais ni tristes.
Mon bon maître me dit : « Regarde
celui qui a une épée dans sa main,
87 qui vient avant les autres comme un roi :
c'est Homère poète souverain ;
après lui vient Horace satiriste ;
90 Ovide est le troisième, et Lucain le dernier.
Puisque chacun concorde avec moi dans ce nom
que la voix seule a prononcé*,
93 ils me font honneur, et ils font bien. »
Ainsi je vis se rassembler la belle école
de ce seigneur au très haut chant
96 qui vole comme un aigle au-dessus des autres.
Quand ils eurent conversé un peu ensemble,
ils se tournèrent vers moi en signe de salut,
99 et mon maître sourit de cet accueil ;
mais ils me firent plus d'honneur encore,
car ils me mirent dans leur compagnie,
102 et je fus le sixième* parmi ces sages.
Nous allâmes ainsi jusqu'à la lumière
en causant de choses qu'il est beau de taire*,
105 comme il était beau d'en parler alors.

Venimmo al piè d'un nobile castello,
sette volte cerchiato d'alte mura,
108 difeso intorno d'un bel fiumicello.

Questo passammo come terra dura;
per sette porte intrai con questi savi :
111 giugnemmo in prato di fresca verdura.

Genti v'eran con occhi tardi e gravi,
di grande autorità ne' lor sembianti :
114 parlavan rado, con voci soavi.

Traemmoci cosí da l'un de' canti,
in loco aperto, luminoso e alto,
117 sí che veder si potien tutti quanti.

Colà diritto, sovra 'l verde smalto,
mi fuor mostrati li spiriti magni,
120 che del vedere in me stesso m'essalto.

I' vidi Eletra con molti compagni,
tra' quai conobbi Ettòr ed Enea,
123 Cesare armato con li occhi grifagni.

Vidi Cammilla e la Pantasilea ;
da l'altre parte vidi 'l re Latino
126 che con Lavina sua figlia sedea.

Vidi quel Bruto che cacciò Tarquino,
Lucrezia, Iulia, Marzïa e Corniglia ;
129 e solo, in parte, vidi 'l Saladino.

Poi ch'innalzai un poco piú le ciglia,
vidi 'l maestro di color che sanno
132 seder tra filosofica famiglia.

Tutti lo miran, tutti onor li fanno :
quivi vid' ïo Socrate e Platone,
135 che 'nnanzi a li altri piú presso li stanno ;

Democrito che 'l mondo a caso pone,
Dïogenès, Anassagora e Tale,
138 Empedoclès, Eraclito e Zenone ;

e vidi il buono accoglitor del quale,
Dïascoride dico ; e vidi Orfeo,
141 Tulïo e Lino e Seneca morale ;

Euclide geomètra e Tolomeo,
Ipocràte, Avicenna e Galïeno,
144 Averoís che 'l gran comento feo.

Nous parvînmes au pied d'un noble château*
sept fois entouré de hauts murs
108 et défendu par une belle rivière.

Nous la passâmes comme terre dure ;
et par sept portes j'entrai avec ces sages,
111 arrivant en un pré à la fraîche verdure.

Des gens s'y trouvaient, aux yeux lents et graves,
avec un air de grande autorité :
114 ils parlaient peu, et d'une voix suave.

Nous nous mîmes ainsi sur l'un des côtés,
en un lieu ouvert, lumineux et haut,
117 si bien que de là nous pouvions les voir tous.

Et là en face, sur l'émail vert,
nous furent montrés les esprits magnanimes
120 dont la vue m'exalte en moi-même.

Je vis Électre* avec ses compagnons,
parmi lesquels je reconnus Hector, Énée,
123 César armé au regard de griffon.

Je vis Camille* et la Penthésilée* ;
et plus loin je vis le roi Latinus*
126 assis avec sa fille Lavinia.

Je vis ce Brutus* qui chassa Tarquin,
Lucrèce, Julia, Martia et Cornélia* ;
129 et seul, à l'écart, je vis Saladin*.

Quand je levai un peu plus les yeux,
je vis le maître de ceux qui savent*
132 assis parmi la famille philosophique.

Tous le regardent, et tous lui font honneur :
là je vis d'abord Socrate et Platon*,
135 qui sont devant les autres, plus près de lui,

Démocrite qui soumet le monde au hasard*,
Diogène, Anaxagore et Thalès*,
138 Empédocle, Héraclite et Zénon* ;

et je vis celui qui décrit les qualités des plantes,
je veux dire Dioscoride* ; et puis je vis Orphée*,
141 Tullius et Linus et Sénèque moral* ;

Euclide géomètre et Ptolémée*,
Hippocrate, Avicenne et Galien*,
144 Averroès*, qui fit le grand commentaire.

Io non posso ritrar di tutti a pieno,
però che sí mi caccia il lungo tema,
147 che molte volte al fatto il dir vien meno.
La sesta compagnia in due si scema :
per altra via mi mena il savio duca,
fuor de la queta, ne l'aura che trema.
151   E vegno in parte ove non è che luca.

Je ne peux les nommer tous pleinement,
car mon long poème me pousse tant
147 que mon dire souvent saute les faits.
    La compagnie des six diminua jusqu'à deux :
mon sage guide me mène par d'autres voies
hors de ce calme, dans l'air qui tremble.
151   Et je viens en un lieu où la lumière n'est plus.

CANTO V

Cosí discesi del cerchio primaio
giú nel secondo, che men loco cinghia
3 e tanto piú dolor, che punge a guaio.
Stavvi Minòs orribilmente, e ringhia :
essamina le colpe ne l'intrata;
6 giudica e manda secondo ch'avvinghia.
Dico che quando l'anima mal nata
li vien dinanzi, tutta si confessa;
9 e quel conoscitor de le peccata
vede qual loco d'inferno è da essa;
cignesi con la coda tante volte
12 quantunque gradi vuol che giú sia messa.
Sempre dinanzi a lui ne stanno molte;
vanno a vicenda ciascuna al giudizio,
15 dicono e odono e poi son giú volte.
« O tu che vieni al doloroso ospizio »,
disse Minòs a me quando mi vide,
18 lasciando l'atto di cotanto offizio,
« guarda com' entri e di cui tu ti fide;
non t'inganni l'ampiezza de l'intrare! »
21 E 'l duca mio a lui : « Perché pur gride?
Non impedir lo suo fatale andare :
vuolsi cosí colà dove si puote
24 ciò che si vuole, e piú non dimandare. »
Or incomincian le dolenti note
a farmisi sentire; or son venuto
27 là dove molto pianto mi percuote.

CHANT V

2ᵉ *cercle* : *Luxurieux*, emportés par l'ouragan infernal.

Minos — Le vent — Virgile indique à Dante quelques personnages célèbres (Sémiranis, Didon, Tristan) — Rencontre avec Francesca da Rimini — Dante s'évanouit.
(Vendredi saint, 8 avril 1300, au soir.)

Je descendis ainsi du premier cercle
dans le second, qui enclôt moins d'espace,
3 mais douleur plus poignante, et plus de cris.
   Minos* s'y tient, horriblement, et grogne :
il examine les fautes, à l'arrivée,
6 juge et bannit suivant les tours.
   J'entends que quand l'âme mal née*
vient devant lui, elle se confesse toute :
9 et ce connaisseur de péchés
   voit quel lieu lui convient dans l'enfer;
de sa queue il s'entoure autant de fois
12 qu'il veut que de degrés l'âme descende.
   Elles se pressent en foule devant lui,
et vont l'une après l'autre au jugement :
15 elles parlent, entendent et tombent.
   « O toi qui viens à l'hospice de douleur »,
me dit Minos quand il me vit,
18 en oubliant de remplir son office,
   « vois comme tu entres, et à qui tu te fies;
que l'ampleur de l'entrée ne t'abuse! »
21 Alors mon guide : « Pourquoi cries-tu ?
   N'empêche pas son voyage fatal :
on veut ainsi là où l'on peut
24 ce que l'on veut, et ne demande pas davantage. »
   A présent commencent les notes douloureuses
à se faire entendre; à présent je suis venu
27 là où les pleurs me frappent.

Io venni in loco d'ogne luce muto,
che mugghia come fa mar per tempesta,
30 se da contrari venti è combattuto.

La bufera infernal, che mai non resta,
mena li spirti con la sua rapina;
33 voltando e percotendo li molesta.

Quando giungon davanti a la ruina,
quivi le strida, il compianto, il lamento;
36 bestemmian quivi la virtú divina.

Intesi ch'a cosí fatto tormento
enno dannati i peccator carnali,
39 che la ragion sommettono al talento.

E come li stornei ne portan l'ali
nel freddo tempo, a schiera larga e piena,
42 cosí quel fiato li spiriti mali

di qua, di là, di giú, di sú li mena;
nulla speranza li conforta mai,
45 non che di posa, ma di minor pena.

E come i gru van cantando lor lai,
faccendo in aere di sé lunga riga,
48 cosí vid' io venir, traendo guai,

ombre portate da la detta briga;
per ch'i' dissi : « Maestro, chi son quelle
51 genti che l'aura nera sí gastiga ? »

« La prima di color di cui novelle
tu vuo' saper », mi disse quelli allotta,
54 « fu imperadrice di molte favelle.

A vizio di lussuria fu sí rotta,
che libito fé licito in sua legge,
57 per tòrre il biasmo in che era condotta.

Ell' è Semiramís, di cui si legge
che succedette a Nino e fu sua sposa :
60 tenne la terra che 'l Soldan corregge.

L'altra è colei che s'ancise amorosa,
e ruppe fede al cener di Sicheo;
63 poi è Cleopatràs lussuriosa.

Elena vedi, per cui tanto reo
tempo si volse, e vedi 'l grande Achille,
66 che con amore al fine combatteo.

Je vins en un lieu où la lumière se tait,
mugissant comme mer en tempête,
30 quand elle est battue par vents contraires.

La tourmente infernale, qui n'a pas de repos,
mène les ombres avec sa rage;
33 et les tourne et les heurte et les harcèle.

Quand elles arrivent devant l'éboulis*,
là sont les cris, les pleurs, les plaintes;
36 là elles blasphèment la vertu divine.

Et je compris qu'un tel tourment
était le sort des pécheurs charnels,
39 qui soumettent la raison aux appétits.

Tout comme leur ailes portent les étourneaux,
dans le temps froid, en vol nombreux,
42 ainsi ce souffle mène, de çà de là,

de haut en bas, les esprits mauvais;
aucun espoir ne les conforte
45 d'aucun repos, et même de moindre peine.

Et comme les grues vont chantant leurs complaintes,
en formant dans l'air une longue ligne,
48 ainsi je vis venir, poussant des cris,

les ombres portées par ce grand vent;
alors je dis : « Maître qui sont ceux-là
51 qui sont ainsi châtiés par l'air noir? »

« La première de ceux dont tu voudrais
savoir quelque nouvelle », me dit-il alors,
54 « fut impératrice de nombreux langages;

au vice de luxure elle fut si rouée
qu'elle fit dans sa loi la licence licite,
57 afin d'ôter le blâme où elle était conduite.

Elle est Sémiramis*, dont on peut lire
qu'elle fut épouse de Ninus, et puis lui succéda :
60 elle tint la terre que le Sultan gouverne*.

La suivante est celle-ci qui se tua par amour*
en trahissant les cendres de Sichée;
63 puis vient la luxurieuse Cléopâtre*.

Tu vois Hélène*, par qui advint
un si long malheur; tu vois le grand Achille*,
66 qui combattit à la fin contre Amour.

Vedi París, Tristano »; e piú di mille
ombre mostrommi e nominommi a dito,
69 ch'amor di nostra vita dipartille.
  Poscia ch'io ebbi 'l mio dottore udito
nomar le donne antiche e 'cavalieri,
72 pietà mi giunse, e fui quasi smarrito.
  I' cominciai : « Poeta, volontieri
parlerei a quei due che 'nsieme vanno,
75 e paion sí al vento esser leggeri. »
  Ed elli a me : « Vedrai quando saranno
piú presso a noi; e tu allor li priega
78 per quello amor che i mena, ed ei verranno. »
  Sí tosto come il vento a noi li piega,
mossi la voce : « O anime affannate,
81 venite a noi parlar, s'altri nol niega! »
  Quali colombe dal disio chiamate
con l'ali alzate e ferme al dolce nido
84 vegnon per l'aere, dal voler portate;
    cotali uscir de la schiera ov' è Dido,
a noi venendo per l'aere maligno,
87 sí forte fu l'affettüoso grido.
  « O animal grazïoso e benigno
che visitando vai per l'aere perso
90 noi che tignemmo il mondo di sanguigno,
    se fosse amico il re de l'universo,
noi pregheremmo lui de la tua pace,
93 poi c'hai pietà del nostro mal perverso.
  Di quel che udire e che parlar vi piace,
noi udiremo e parleremo a voi,
96 mentre che 'l vento, come fa, ci tace.
  Siede la terra dove nata fui
su la marina dove 'l Po discende
99 per aver pace co' seguaci sui.
  Amor, ch'al cor gentil ratto s'apprende,
prese costui de la bella persona
102 che mi fu tolta; e 'l modo ancor m'offende.
  Amor, ch'a nullo amato amar perdona,
mi prese del costui piacer sí forte,
105 che, come vedi, ancor non m'abbandona.

Tu vois Pâris, Tristan » ; ainsi il m'en montra
et m'en désigna du doigt plus de mille
69 qu'amour ôta de notre vie.

Quand j'eus ainsi entendu mon docteur
nommer les dames de jadis et les cavaliers,
72 pitié me prit, et je devins comme égaré.

Je commençai : « Poète, volontiers
je parlerais à ces deux-ci* qui vont ensemble,
75 et qui semblent si légers dans le vent. »

Et lui à moi : « Tu les verras quand ils seront
plus près de nous ; alors prie-les
78 par l'amour qui les mène, et ils viendront. »

Dès que le vent vers nous les plie,
je leur dis ces mots : « O âmes tourmentées,
81 venez nous parler, si nul ne le défend. »

Comme colombes à l'appel du désir
viennent par l'air, les ailes droites et fixes,
84 vers le doux nid, portées par le vouloir ;

ainsi de la compagnie de Didon
ils s'éloignèrent, venant vers nous dans l'air malin,
87 si fort fut mon cri affectueux.

« O créature gracieuse et bienveillante
qui viens nous visiter par l'air sombre,
90 nous dont le sang teignit la terre,

si le roi de l'univers était notre ami,
nous le prierions pour ton bonheur,
93 puisque tu as pitié de notre mal pervers.

De tout ce qu'il vous plaît d'entendre et de dire,
nous entendrons et nous vous parlerons,
96 tandis que le vent, comme il fait, s'adoucit.

La terre où je suis née se trouve au bord
de ce rivage où le Pô vient descendre
99 pour être en paix avec ses affluents.

Amour, qui s'apprend vite au noble cœur,
prit celui-ci de la belle personne
102 que j'étais ; et la manière me touche encore.

Amour, qui force tout aimé à aimer en retour,
me prit si fort de la douceur de celui-ci
105 que, comme tu vois, il ne me laisse pas.

Amor condusse noi ad una morte.
Caina attende chi a vita ci spense. »
108 Queste parole da lor ci fuor porte.

Quand' io intesi quell' anime offense,
china' il viso, e tanto il tenni basso,
111 fin che 'l poeta mi disse : « Che pense? »

Quando rispuosi, cominciai : « Oh lasso,
quanti dolci pensier, quanto disio
114 menò costoro al doloroso passo! »

Poi mi rivolsi a loro e parla' io,
e cominciai : « Francesca, i tuoi martíri
117 a lagrimar mi fanno tristo e pio.

Ma dimmi : al tempo d'i dolci sospiri,
a che e come concedette amore
120 che conosceste i dubbiosi disiri? »

E quella a me : « Nessun maggior dolore
che ricordarsi del tempo felice
123 ne la miseria; e ciò sa 'l tuo dottore.

Ma s'a conoscer la prima radice
del nostro amor tu hai cotanto affetto,
126 dirò come colui che piange e dice.

Noi leggiavamo un giorno per diletto
di Lancialotto come amor lo strinse;
129 soli eravamo e sanza alcun sospetto.

Per piú fïate li occhi ci sospinse
quella lettura, e scolorocci il viso;
132 ma solo un punto fu quel che ci vinse.

Quando leggemmo il disïato riso
esser basciato da cotanto amante,
135 questi, che mai da me non fia diviso,

la bocca mi basciò tutto tremante.
Galeotto fu 'l libro e chi lo scrisse :
138 quel giorno piú non vi leggemmo avante. »

Mentre che l'uno spirto questo disse,
l'altro piangëa; sí che di pietade
io venni men cosí com' io morisse.
142 E caddi come corpo morto cade.

Amour nous a conduits à une mort unique.
La Caïne attend celui qui nous tua. »
108 Tels furent les mots qu'ils nous offrirent.

Quand j'entendis ces âmes blessées,
je baissai le visage, et le gardai si bas
111 que le poète me dit : « Que penses-tu ? »

Quand je lui répondis, je commençai : « Hélas,
que de douces pensées, et quel désir
114 les ont menés au douloureux trépas ! »

Puis je me retournai vers eux et je leur dis
pour commencer : « Francesca, tes martyres
117 me font triste et pieux à pleurer.

Mais dis-moi ; du temps des doux soupirs,
à quel signe et comment permit amour
120 que vous connaissiez vos incertains désirs ? »

Et elle : « Il n'est pas de plus grande douleur
que de se souvenir des temps heureux
123 dans la misère ; et ton docteur le sait.

Mais si tu as telle envie de connaître
la racine première de notre amour,
126 je ferai comme qui pleure et parle à la fois.

Nous lisions un jour par agrément
de Lancelot*, comment amour le prit :
129 nous étions seuls et sans aucun soupçon.

Plusieurs fois la lecture nous fit lever les yeux
et décolora nos visages ;
132 mais un seul point fut ce qui nous vainquit.

Lorsque nous vîmes le rire désiré
être baisé par tel amant,
135 celui-ci, qui jamais ne sera loin de moi,
me baisa la bouche tout tremblant.
Galehaut* fut le livre et celui qui le fit ;
138 ce jour-là nous ne lûmes pas plus avant. »

Pendant que l'un des deux esprits parlait ainsi,
l'autre pleurait, si bien que de pitié
je m'évanouis comme si je mourais.
142 Et je tombai comme tombe un corps mort.

CANTO VI

Al tornar de la mente, che si chiuse
dinanzi a la pietà d'i due cognati,
3 che di trestizia tutto mi confuse,
    novi tormenti e novi tormentati
mi veggio intorno, come ch'io mi mova
6 e ch'io mi volga, e come che io guati.
    Io sono al terzo cerchio, de la piova
etterna, maladetta, fredda e greve;
9 regola e qualità mai non l'è nova.
    Grandine grossa, acqua tinta e neve
per l'aere tenebroso si riversa;
12 pute la terra che questo riceve.
    Cerbero, fiera crudele e diversa,
con tre gole caninamente latra
15 sovra la gente che quivi è sommersa.
    Li occhi ha vermigli, la barba unta e atra,
e 'l ventre largo, e unghiate le mani;
18 graffia li spirti ed iscoia ed isquatra.
    Urlar li fa la pioggia come cani;
de l'un de' lati fanno a l'altro schermo;
21 volgonsi spesso i miseri profani.
    Quando ci scorse Cerbero, il gran vermo,
le bocche aperse e mostrocci le sanne;
24 non avea membro che tenesse fermo.
    E 'l duca mio distese le sue spanne,
prese la terra, e con piene le pugna
27 la gittò dentro a le bramose canne.

CHANT VI

3ᵉ cercle : Gourmands, couchés dans la boue sous une pluie noire et glaciale

Cerbère — Ciacco — Prédiction sur les discordes à Florence — La résurrection des damnés.
                    (Vendredi saint, 8 avril 1300, au soir.)

    Quand me revint la mémoire, qui s'était perdue,
    pour la pitié des deux cousins*
3 en me confondant de tristesse,
      je vois autour de moi, partout où je me tourne,
      où que j'aille et où que je regarde,
6 nouveaux tourments et nouveaux tourmentés.
    Je suis au troisième cercle, à celui de la pluie
    éternelle, maudite, froide et lourde ;
9 règle et nature n'en sont jamais nouvelles.
    Grosse grêle, eau sombre et neige
    s'y déversent par l'air ténébreux ;
12 la terre qui les recueille a une odeur infecte.
    Cerbère*, bête étrange et cruelle,
    hurle avec trois gueules comme un chien
15 sur les morts qui sont là noyés.
    Ses yeux sont rouges, sa barbe grasse et noire,
    son ventre large, ses mains onglées ;
18 il griffe les esprits, les écorche et dépèce.
    La pluie les fait hurler avec les chiens ;
    ils font d'un flanc leur bouclier à l'autre flanc ;
21 ils se tournent souvent, les malheureux profanes.
    Lorsque Cerbère nous vit, l'énorme ver,
    il ouvrit ses bouches, et nous montra les dents ;
24 il n'avait pas un membre qui ne frémît.
    Alors mon guide étendit ses paumes,
    prit de la terre, et à pleines poignées
27 la jeta dans les gueules goulues.

Qual è quel cane ch'abbaiando agogna,
e si racqueta poi che 'l pasto morde,
30 ché solo a divorarlo intende e pugna,
      cotai si fecer quelle facce lorde
de lo demonio Cerbero, che 'ntrona
33 l'anime sí, ch'esser vorrebber sorde.
      Noi passavam su per l'ombre che adona
la greve pioggia, e ponavam le piante
36 sovra lor vanità che par persona.
      Elle giacean per terra tutte quante,
fuor d'una ch'a seder si levò, ratto
39 ch'ella ci vide passarsi davante.
      « O tu che se' per questo 'nferno tratto »,
mi disse, « riconoscimi, se sai :
42 tu fosti, prima ch'io disfatto, fatto. »
      E io a lui : « L'angoscia che tu hai
forse ti tira fuor de la mia mente,
45 sí che non par ch'i' ti vedessi mai.
      Ma dimmi chi tu se' che 'n sí dolente
loco se' messo, e hai sí fatta pena,
48 che, s'altra è maggio, nulla è sí spiacente. »
      Ed elli a me : « La tua città, ch'è piena
d'invidia sí che già trabocca il sacco,
51 seco mi tenne in la vita serena.
      Voi cittadini mi chiamaste Ciacco :
per la dannosa colpa de la gola,
54 come tu vedi, a la pioggia mi fiacco.
      E io anima trista non son sola,
ché tutte queste a simil pena stanno
57 per simil colpa. » E piú non fé parola.
      Io li rispuosi : « Ciacco, il tuo affanno
mi pesa sí, ch'a lagrimar mi 'nvita;
60 ma dimmi, se tu sai, a che verranno
      li cittadin de la città partita;
s'alcun v'è giusto; e dimmi la cagione
63 per che l'ha tanta discordia assalita. »
      E quelli a me : « Dopo lunga tencione
verranno al sangue, e la parte selvaggia
66 caccerà l'altra con molta offensione.

Tel un chien aboyant et vorace
qui se calme quand il a sa pâtée sous la dent,
30 car il s'acharne et s'évertue à dévorer,
   telles se firent les trois faces bestiales
   du démon Cerbère qui étourdit si fort
33 les âmes, qu'elles voudraient être sourdes.
   Nous passions parmi les ombres que terrasse
   la pluie lourde, et nous mettions les pieds
36 sur cette vanité qui semble corps.
   Elles gisaient toutes par terre,
   hors une* qui se dressa vite et s'assit,
39 dès qu'elle nous vit passer devant elle.
   « O toi qui es mené à travers cet enfer,
   dit-il, reconnais-moi, si tu peux ;
42 car tu fus fait avant que moi je fusse défait. »
   Et moi, à lui : « Le tourment que tu as
   t'efface peut-être de ma mémoire,
45 si bien qu'il me paraît ne t'avoir jamais vu.
   Mais dis-moi qui tu es, toi qui en lieu si triste
   es mis à telle peine qu'aucune,
48 même plus grave, n'est aussi dégoûtante. »
   Et lui à moi : « Ta ville*, qui est pleine d'envie,
   au point que le sac en déborde,
51 me tint en elle pendant la vie sereine.
   Vous citoyens vous m'appeliez Ciacco :
   pour le nocif péché de bouche,
54 comme tu vois, à cette pluie je m'affaiblis.
   Et moi, âme coupable, je ne suis pas seule,
   car toutes celles-ci sont à semblable peine
57 pour semblable faute. » Et il se tut.
   Je répondis : « Ciacco ton désespoir
   me pèse tant, qu'il m'invite à pleurer ;
60 mais dis-moi donc, si tu le sais, jusqu'où iront
   les citoyens de notre ville divisée ;
   si l'un d'entre eux est juste ; dis-moi aussi la cause
63 de la discorde qui l'assaille. »
   Et lui à moi : « Après longue querelle
   ils en viendront au sang*, et le parti sauvage*
66 chassera l'autre* avec horrible offense.

Poi appresso convien che questa caggia
infra tre soli, e che l'altra sormonti
69 con la forza di tal che testé piaggia.

Alte terrà lungo tempo le fronti,
tenendo l'altra sotto gravi pesi,
72 come che di ciò pianga o che n'aonti.

Giusti son due, e non vi sono intesi;
superbia, invidia e avarizia sono
75 le tre faville c'hanno i cuori accesi. »

Qui puose fine al lagrimabil suono.
E io a lui : « Ancor vo' che mi 'nsegni
78 e che di piú parlar mi facci dono.

Farinata e 'l Tegghiaio, che fuor sí degni,
Jacopo Rusticucci, Arrigo e 'l Mosca
81 e li altri ch'a ben far puoser li 'ngegni,

dimmi ove sono e fa ch'io li conosca;
ché gran disio mi stringe di savere
84 se 'l ciel li addolcia o lo 'nferno li attosca. »

E quelli : « Ei son tra l'anime piú nere;
diverse colpe giú li grava al fondo :
87 se tanto scendi, là i potrai vedere.

Ma quando tu sarai nel dolce mondo,
priegoti ch'a la mente altrui mi rechi :
90 piú non ti dico e piú non ti rispondo. »

Li diritti occhi torse allora in biechi;
guardommi un poco e poi chinò la testa :
93 cadde con essa a par de li altri ciechi.

E 'l duca disse a me : « Piú non si desta
di qua dal suon de l'angelica tromba,
96 quando verrà la nimica podesta :

ciascun rivederà la trista tomba,
ripiglierà sua carne e sua figura,
99 udirà quel ch'in etterno rimbomba. »

Sí trapassammo per sozza mistura
de l'ombre e de la pioggia, a passi lenti,
102 toccando un poco la vita futura;

per ch'io dissi : « Maestro, esti tormenti
crescerann' ei dopo la gran sentenza,
105 o fier minori, o saran sí cocenti? »

Et plus tard il faudra que cet autre succombe,
avant trois soleils*, et que le premier gagne
69 grâce au pouvoir de qui à présent tergiverse.
    Longtemps il tiendra le front haut
en gardant l'autre sous un joug,
72 quoiqu'il en pleure et s'en outrage.
    Deux sont les justes*, et nul ne les entend :
orgueil, envie et avarice règnent,
75 trois étincelles qui embrasent les cœurs. »
    Il mit fin ici à son discours dolent.
Et moi : « Je veux encore que tu m'enseignes,
78 et que tu me donnes d'autres discours.
    Farinata et Tegghiaio*, qui furent si valeureux,
Jacopo Rusticucci, Arrigo et Mosca*,
81 et les autres qui mirent leurs efforts à bien faire,
dis-moi où ils se trouvent et fais que je les voie,
car j'ai grand désir de savoir
84 s'ils ont miel dans les cieux ou poison aux enfers. »
    Et lui : « Ils sont avec les âmes les plus noires ;
divers péchés les maintiennent au fond :
87 si tu descends assez, là tu pourras les voir.
    Mais quand tu seras sur la douce terre,
rappelle-moi, je te prie, à la mémoire des hommes :
90 je n'en dis pas plus long, et ne te réponds plus. »
    Il tordit alors ses yeux droits et loucha ;
me regarda encore, et puis baissa la tête :
93 et avec elle tomba, comme les autres aveugles.
    Mon guide alors me dit : « Il ne s'éveillera plus
avant le son de la trompe angélique,
96 quand viendra la puissance ennemie :
    chacun retrouvera sa triste tombe,
reprendra sa chair et sa figure,
99 et entendra ce qui résonne éternellement. »
    Ainsi nous traversâmes l'affreux mélange
de pluie et d'ombres, en marchant à pas lents,
102 et causant un peu de la vie future ;
    je lui dis : « Maître, tous ces tourments
s'accroîtront-ils après le grand jugement,
105 ou seront-ils moins forts, ou aussi cuisants ? »

Ed elli a me : « Ritorna a tua scïenza,
che vuol, quanto la cosa è piú perfetta,
108 piú senta il bene, e cosí la doglienza.

Tutto che questa gente maladetta
in vera perfezion già mai non vada,
111 di là piú che di qua essere aspetta. »

Noi aggirammo a tondo quella strada,
parlando piú assai ch'i' non ridico;
venimmo al punto dove si digrada :
115 quivi trovammo Pluto, il gran nemico.

Et lui à moi : « Retourne à ta science*,
pour qui plus la chose est parfaite,
108 plus elle sent le bien, et aussi la douleur.
Quoique ces morts maudits
n'atteignent jamais la vraie perfection,
111 ce qui les attend est plutôt plus que moins. »
Nous tournâmes en rond par cette route
en parlant bien plus que je ne redis ;
puis nous vînmes au point de la descente :
115 là nous trouvâmes Pluton*, le grand ennemi.

CANTO VII

« *Pape Satàn, pape Satàn aleppe!* »,
comincìo Pluto con la voce chioccia;
3 e quel savio gentil, che tutto seppe,
　　disse per confortarmi : « Non ti noccia
la tua paura; ché, poder ch'elli abbia,
6 non ci torrà lo scender questa roccia. »
　　Poi si rivolse a quella 'nfiata labbia,
e disse : « Taci, maladetto lupo!
9 consuma dentro te con la tua rabbia.
　　Non è sanza cagion l'andare al cupo :
vuolsi ne l'alto, là dove Michele
12 fé la vendetta del superbo strupo. »
　　Quali dal vento le gonfiate vele
caggiono avvolte, poi che l'alber fiacca,
15 tal cadde a terra la fiera crudele.
　　Cosí scendemmo ne la quarta lacca,
pigliando piú de la dolente ripa
18 che 'l mal de l'universo tutto insacca.
　　Ahi giustizia di Dio! tante chi stipa
nove travaglie e pene quant' io viddi?
21 e perché nostra colpa sí ne scipa?
　　Come fa l'onda là sovra Cariddi,
che si frange con quella in cui s'intoppa,
24 cosí convien che qui la gente riddi.
　　Qui vid' i' gente piú ch'altrove troppa,
e d'una parte e d'altra, con grand' urli,
27 voltando pesi per forza di poppa.

CHANT VII

4ᵉ cercle : Avares et Prodigues; ils roulent des rochers en s'injuriant mutuellement.
5ᵉ cercle : Coléreux; ils sont immergés dans les eaux bourbeuses du Styx.
Le démon Plutus – Les avares et les prodigues – Théorie de la Fortune – Descente au 5ᵉ cercle : les coléreux.
(Vendredi saint, 8 avril 1300, vers minuit.)

« Pape Satàn, pape Satàn aleppe !* »
commença Plutus à la voix enrouée ;
3   et le noble sage, qui l'avait compris,
     me dit pour me réconforter : « Que ta peur
     ne te trouble pas ; tout le pouvoir qu'il a
6   ne peut nous empêcher de franchir cette roche. »
     Puis il se retourna vers cette face enflée,
     et lui dit : « Tais-toi donc, maudit loup !
9   ronge-toi toi-même avec ta rage.
     Elle a une cause, notre venue dans les ténèbres :
     on veut ainsi là-haut, là où Michel
12 tira vengeance du crime de rébellion. »
     Comme les voiles gonflées par le vent
     croulent enveloppées lorsque le mât se rompt,
15 ainsi tomba au sol cette bête cruelle.
     Et nous passâmes dans la quatrième fosse,
     entrant toujours plus loin dans cette triste pente
18 qui ensache le mal de tout l'univers.
     Ah ! justice de Dieu ! qui donc amasse autant
     que j'en ai vus d'étranges tourments, d'étranges peines ?
21 et pourquoi notre erreur nous détruit-elle ?
     Comme les vagues au-dessus de Charybde*
     se brisent contre les vagues qu'elles rencontrent,
24 ainsi faut-il qu'ici les morts dansent la gigue.
     Là je vis des gens, plus nombreux qu'ailleurs,
     de çà, de là, avec des hurlements,
27 pousser des fardeaux à coups de poitrine.

Percotëansi 'ncontro; e poscia pur lí
si rivolgea ciascun, voltando a retro,
30 gridando : « Perché tieni? » e « Perché burli? »
    Cosí tornavan per lo cerchio tetro
da ogne mano a l'opposito punto,
33 gridandosi anche loro ontoso metro;
    poi si volgea ciascun, quand' era giunto,
per lo suo mezzo cerchio a l'altra giostra.
36 E io, ch'avea lo cor quasi compunto,
    dissi : « Maestro mio, or mi dimostra
che gente è questa, e se tutti fuor cherci
39 questi chercuti a la sinistra nostra. »
    Ed elli a me : « Tutti quanti fuor guerci
sí de la mente in la vita primaia,
42 che con misura nullo spendio ferci.
    Assai la voce lor chiaro l'abbaia,
quando vegnono a' due punti del cerchio
45 dove colpa contraria li dispaia.
    Questi fuor cherci, che non han coperchio
piloso al capo, e papi e cardinali,
48 in cui usa avarizia il suo soperchio. »
    E io : « Maestro, tra questi cotali
dovre' io ben riconoscere alcuni
51 che furo immondi di cotesti mali. »
    Ed elli a me : « Vano pensiero aduni :
la sconoscente vita che i fé sozzi,
54 ad ogne conoscenza or li fa bruni.
    In etterno verranno a li due cozzi :
questi resurgeranno del sepulcro
57 col pugno chiuso, e questi coi crin mozzi.
    Mal dare e mal tener lo mondo pulcro
ha tolto loro, e posti a questa zuffa :
60 qual ella sia, parole non ci appulcro.
    Or puoi, figliuol, veder la corta buffa
d'i ben che son commessi a la fortuna,
63 per che l'umana gente si rabuffa;
    ché tutto l'oro ch'è sotto la luna
e che già fu, di quest' anime stanche
66 non poterebbe farne posare una. »

Ils se cognaient l'un contre l'autre ; et à ce point
chacun se retournait, repartant vers l'arrière,
30 criant « Pourquoi tiens-tu ? » et « pourquoi lâches-tu ? ».
C'est ainsi qu'ils tournaient par le cercle lugubre
sur chaque bord, vers le point opposé,
33 en criant encore leur honteux couplet ;
puis chacun se tournait, quand il était venu
par son demi-cercle à la deuxième joute.
36 Et moi qui en avais le cœur comme brisé,
je dis : « Mon maître, explique-moi
qui sont ces gens, s'ils furent tous clercs,
39 ces tonsurés à notre gauche. »
Et lui, à moi : « Tous ils furent borgnes
dans leur esprit durant la vie, de sorte
42 qu'ils n'eurent aucune mesure en leur dépense.
Leur voix l'aboie très clairement
quand ils parviennent à ces deux points du cercle
45 où le péché contraire les désassemble.
Ceux-ci furent clercs, qui n'ont pas de couvercle
de poil en tête, et papes et cardinaux,
48 en qui l'avarice montre sa démesure. »
Et moi : « Maître, chez ces gens-là
je devrais bien en reconnaître quelques-uns
51 qui furent salis par ces deux vices. »
Et lui à moi : « Tu as des pensées vaines :
la vie méconnaissante que firent ces méchants
54 les brunit à présent à la reconnaissance.
Pour toujours ils iront aux deux points de rencontre :
ceux-ci resurgiront de leur sépulcre
57 avec le poing fermé, ceux-là le poil rogné*.
Mal donner, mal tenir leur a ôté
le beau séjour, et mis en cette échauffourée :
60 ce qu'elle est n'a pas besoin de beaux discours.
Tu peux, mon fils, voir à présent le souffle court
des biens qui sont confiés à la fortune,
63 pour qui les humains se combattent ;
car tout l'or qui est sous la lune
et a été, ne pourrait donner le repos
66 à une seule de ces âmes lassées. »

« Maestro mio », diss' io, « or mi dí anche :
questa fortuna di che tu mi tocche,
69 che è, che i ben del mondo ha sí tra branche? »
    E quelli a me : « Oh creature sciocche,
quanta ignoranza è quella che v'offende!
72 Or vo' che tu mia sentenza ne 'mbocche.
    Colui lo cui saver tutto trascende,
fece li cieli e diè lor chi conduce
75 sí, ch'ogne parte ad ogne parte splende,
    distribuendo igualmente la luce.
Similemente a li splendor mondani
78 ordinò general ministra e duce
    che permutasse a tempo li ben vani
di gente in gente e d'uno in altro sangue,
81 oltre la difension d'i senni umani;
    per ch'una gente impera e l'altra langue,
seguendo lo giudicio di costei,
84 che è occulto come in erba l'angue.
    Vostro saver non ha contasto a lei :
questa provede, giudica, e persegue
87 suo regno come il loro li altri dèi.
    Le sue permutazion non hanno triegue :
necessità la fa esser veloce;
90 sí spesso vien chi vicenda consegue.
    Quest' è colei ch'è tanto posta in croce
pur da color che le dovrien dar lode,
93 dandole biasmo a torto e mala voce;
    ma ella s'è beata e ciò non ode :
con l'altre prime creature lieta
96 volve sua spera e beata si gode.
    Or discendiamo omai a maggior pieta;
già ogne stella cade che saliva
99 quand'io mi mossi, e 'l troppo star si vieta. »
    Noi ricidemmo il cerchio a l'altra riva
sovr' una fonte che bolle e riversa
102 per un fossato che da lei deriva.
    L'acqua era buia assai piú che persa;
e noi, in compagnia de l'onde bige,
105 intrammo giú per una via diversa.

« Maître », lui dis-je, « enseigne-moi encore :
cette fortune* que tu nommes, qui est-elle,
69 qui a tous les biens de la terre en ses griffes ? »
        Et lui à moi : « O stupides créatures,
quelle ignorance vous opprime !
72 Je veux que tu saisisses ma pensée.
        Celui dont le savoir surpasse tout
fit les cieux* et leur donna des guides,
75 si bien que chaque partie luit sur les autres
        en répandant une lumière égale.
Pareillement pour les splendeurs mondaines
78 il mit une intelligence ordinatrice
        qui change à temps tous les vains biens
de race à race, de l'un à l'autre sang,
81 outre l'opposition des volontés humaines.
        Ainsi un peuple règne et un autre languit,
suivant la décision de cette intelligence
84 qui est cachée comme serpent dans l'herbe.
        Votre savoir ne peut lui résister :
elle pourvoit, juge et maintient son règne
87 ainsi que font les autres dieux*.
        Ses mutations n'ont pas de trêve :
et la nécessité la rend rapide ;
90 aussi voit-on les hommes changer souvent d'état.
        C'est elle qui si souvent est mise en croix
par ceux-là mêmes qui devraient la chanter,
93 et qui lui font à tort mauvais renom ;
        mais elle est bienheureuse et n'entend rien :
et joyeuse parmi les créatures premières,
96 elle tourne sa sphère et jouit de soi.
        Descendons à présent vers plus dure angoisse ;
déjà déclinent toutes les étoiles qui montaient*
99 quand je partis, et trop s'arrêter est interdit. »
        Nous recoupâmes le cercle vers l'autre rive
au-dessus d'une source* qui bout et se reverse
102 par un canal qui dérive d'elle.
        L'eau était noire plutôt que perse*,
et nous, en compagnie de son flot trouble,
105 nous entrâmes plus bas par une voie étrange.

In la palude va c'ha nome Stige
questo tristo ruscel, quand'è disceso
108 al piè de le maligne piagge grige.

E io, che di mirare stava inteso,
vidi genti fangose in quel pantano,
111 ignude tutte, con sembiante offeso.

Queste si percotean non pur con mano,
ma con la testa e col petto e coi piedi,
114 troncandosi co' denti a brano a brano.

Lo buon maestro disse : « Figlio, or vedi
l'anime di color cui vinse l'ira;
117 e anche vo' che tu per certo credi

che sotto l'acqua è gente che sospira,
e fanno pullular quest' acqua al summo,
120 come l'occhio ti dice, u' che s'aggira.

Fitti nel limo dicon : "Tristi fummo
ne l'aere dolce che dal sol s'allegra,
123 portando dentro accidïoso fummo :

or ci attristiam ne la belletta negra."
Quest' inno si gorgoglian ne la strozza,
126 ché dir nol posson con parola integra. »

Cosí girammo de la lorda pozza
grand' arco, tra la ripa secca e 'l mézzo,
con li occhi vòlti a chi del fango ingozza.

130 Venimmo al piè d'una torre al da sezzo.

Il va dans le marais qui a nom Styx*,
le sinistre ruisseau, quand il arrive
108 au pied des affreuses berges grises.
Et moi qui regardais très fixement,
je vis des gens boueux dans ce marais,
111 tous nus, et à l'aspect meurtri.
Ils se frappaient, mais non avec la main,
avec la tête, avec la poitrine et avec les pieds,
114 tranchant leur corps par bribes, avec les dents.
Le bon maître dit : « Fils, tu vois maintenant
les âmes de ceux que la colère vainquit ;
117 et je veux encore que tu saches
qu'il y a dans l'eau des gens qui soupirent
et font pulluler cette onde jusqu'en haut,
120 comme tes yeux te montrent, où qu'ils se posent.
Plantés dans la boue ils disent : "Nous étions tristes
dans l'air doux que le soleil réjouit,
123 ayant en nous les fumées chagrines :
à présent nous nous attristons dans la boue noire."
Cet hymne ils le gargouillent dans leur gorge,
126 car ils ne peuvent le dire par mots entiers. »
Ainsi nous parcourûmes dans les marais fangeux
un grand arc entre le sec et le mouillé,
les yeux tournés vers les mangeurs de boue.
130 Enfin nous arrivâmes au pied d'une tour.

CANTO VIII

Io dico, seguitando, ch'assai prima
che noi fossimo al piè de l'alta torre,
3 li occhi nostri n'andar suso a la cima

per due fiammette che i vedemmo porre,
e un'altra da lungi render cenno,
6 tanto ch'a pena il potea l'occhio tòrre.

E io mi volsi al mar di tutto 'l senno;
dissi : « Questo che dice? e che risponde
9 quell' altro foco? e chi son quei che 'l fenno? »

Ed elli a me : « Su per le sucide onde
già scorgere puoi quello che s'aspetta,
12 se 'l fummo del pantan nol ti nasconde. »

Corda non pinse mai da sé saetta
che sí corresse via per l'aere snella,
15 com' io vidi una nave piccioletta

venir per l'acqua verso noi in quella,
sotto 'l governo d'un sol galeoto,
18 che gridava : « Or se' giunta, anima fella! »

« Flegïàs, Flegïàs, tu gridi a vòto »,
disse lo mio segnore, « a questa volta :
21 piú non ci avrai che sol passando il loto. »

Qual è colui che grande inganno ascolta
che li sia fatto, e poi se ne rammarca,
24 fecesi Flegïàs ne l'ira accolta.

Lo duca mio discese ne la barca,
e poi mi fece intrare appresso lui;
27 e sol quand' io fui dentro parve carca.

CHANT VIII

Haute tour et signal – Apparition de Phlégyas – Traversée
du Styx – Filippo Argenti – La ville de Dité – L'opposition
des diables.
(Samedi saint, 9 avril 1300, aux premières heures du matin.)

Je dis, en continuant*, que bien avant
que nous fussions au pied de la haute tour,
3 mes yeux se tournèrent vers sa cime
  car nous vîmes s'y poser deux flammèches,
  et une autre, de loin, leur faire signe,
6 telles que l'œil pouvait à peine les saisir.
  Je me tournai vers l'océan de toute science
  et je lui dis : « Que dit ce feu ? et que répond
9 cet autre ? et qui sont ceux-là qui les font ? »
  Et lui : « Là-bas sur les ondes fangeuses
  tu peux déjà voir ce qui nous attend,
12 si la brume du marais ne le couvre pas. »
  Corde jamais ne décocha de flèche
  qui volât rapide à travers les airs,
15 comme je vis venir une petite barque
  à travers l'eau vers nous en cet instant,
  avec un seul marin au gouvernail,
18 qui criait : « Te vóilà donc ici, âme damnée ! »
  « Phlégyas, Phlégyas*, tu cries en vain »,
  dit mon seigneur, « pour cette fois :
21 tu ne nous as que pour passer la boue. »
  Tel est celui qui découvre qu'un piège
  lui a été tendu, et s'en afflige,
24 tel devint Phlégias dans sa rage rentrée.
  Mon guide descendit dans la barque,
  et me fit entrer après lui ;
27 et seulement quand j'y fus elle parut chargée.

Tosto che 'l duca e io nel legno fui,
  segando se ne va l'antica prora
30 de l'acqua piú che non suol con altrui.

Mentre noi corravam la morta gora,
  dinanzi mi si fece un pien di fango,
33 e disse : « Chi se' tu che vieni anzi ora? »

E io a lui : « S'i'vegno, non rimango;
  ma tu chi se', che sí se' fatto brutto? »
36 Rispuose : « Vedi che son un che piango. »

E io a lui : « Con piangere e con lutto,
  spirito maladetto, ti rimani;
39 ch'i' ti conosco, ancor sie lordo tutto. »

Allor distese al legno ambo le mani;
  per che 'l maestro accorto lo sospinse,
42 dicendo : « Via costá con li altri cani! »

Lo collo poi con le braccia mi cinse;
  basciommi 'l volto e disse : « Alma sdegnosa,
45 benedetta colei che 'n te s'incinse!

Quei fu al mondo persona orgogliosa;
  bontà non è che sua memoria fregi :
48 cosí s'è l'ombra sua qui furïosa.

Quanti sí tegnon or là sú gran regi
  che qui staranno come porci in brago,
51 di sé lasciando orribili dispregi! »

E io : « Maestro, molto sarei vago
  di vederlo attuffare in questa broda
54 prima che noi uscissimo del lago. »

Ed elli a me : « Avante che la proda
  ti si lasci veder, tu sarai sazio :
57 di tal disïo convien che tu goda. »

Dopo ciò poco vid' io quello strazio
  far di costui a le fangose genti,
60 che Dio ancor ne lodo e ne ringrazio.

Tutti gridavano : « A Filippo Argenti! »;
  e 'l fiorentino spirito bizzarro
63 in sé medesmo si volvea co' denti.

Quivi il lasciammo, che piú non ne narro;
  ma ne l'orecchie mi percosse un duolo,
66 per ch'io avante l'occhio intento sbarro.

Dès que mon guide et moi fûmes à bord,
l'antique proue s'en va, fendant les flots,
30 plus qu'elle n'a coutume avec les autres.

Comme nous voguions sur cette eau morte,
devant moi se dressa un être plein de fange,
33 disant : « Qui es-tu, toi qui t'en viens avant le temps ? »

Et moi à lui : « Si je viens, je ne reste pas ;
mais toi qui es-tu, qui es si enlaidi ? »
36 Il répondit : « Tu le vois : un qui pleure. »

Et moi à lui : « Reste avec les pleurs,
avec le deuil, esprit maudit ;
39 je te connais, bien que tu sois tout embourbé. »

Alors il tendit ses deux mains vers la barque ;
d'où mon maître avisé le repoussa,
42 disant : « Va-t'en d'ici, avec les autres chiens ! »

Puis il m'entoura le cou de ses bras ;
baisa mon visage et me dit : « Ame altière,
45 bénie soit celle qui te porta !

Cet homme fut sur terre un orgueilleux ;
la bonté n'orne pas sa mémoire :
48 aussi son ombre est ici furieuse.

Combien se prennent là-haut pour de grands rois,
qui seront ici comme porcs dans l'ordure,
51 laissant de soi un horrible mépris. »

Et moi : « Maître je voudrais tant
le voir plonger dans le bouillon
54 avant que nous soyons sortis du lac. »

Et lui à moi : « Avant que l'autre rive
se laisse voir, tu seras satisfait :
57 d'un tel désir il convient que tu jouisses. »

Peu après je vis un tel tourment
infligé à cet homme par les êtres boueux,
60 que j'en loue encore et j'en remercie Dieu.

Tous criaient : « Sus à Filippo Argenti* ! »
et l'esprit florentin colérique
63 se tournait contre soi, avec les dents.

Nous le laissâmes ainsi, et je n'en parle plus ;
mais des lamentations frappèrent mes oreilles,
66 et je fixai mon regard vers l'avant.

Lo buon maestro disse : « Omai, figliuolo,
s'appressa la città c'ha nome Dite,
69 coi gravi cittadin, col grande stuolo. »
E io : « Maestro, già le sue meschite
là entro certe ne la valle cerno,
72 vermiglie come se di foco uscite
fossero. » Ed ei mi disse : « Il foco etterno
ch'entro l'affoca le dimostra rosse,
75 come tu vedi in questo basso inferno. »
Noi pur giugnemmo dentro a l'alte fosse
che vallan quella terra sconsolata :
78 le mura mi parean che ferro fosse.
Non sanza prima far grande aggirata,
venimmo in parte dove il nocchier forte
81 « Usciteci », gridò : « qui è l'intrata ».
Io vidi piú di mille in su le porte
da ciel piovuti, che stizzosamente
84 dicean : « Chi è costui che sanza morte
va per lo regno de la morta gente? »
E 'l savio mio maestro fece segno
87 di voler lor parlar segretamente.
Allor chiusero un poco il gran disdegno
e disser : « Vien tu solo, e quei sen vada
90 che sí ardito intrò per questo regno.
Sol si ritorni per la folle strada :
pruovi, se sa ; ché tu qui rimarrai,
93 che li ha' iscorta sí buia contrada. »
Pensa, lettor, se io mi sconfortai
nel suon de le parole maladette,
96 ché non credetti ritornarci mai.
« O caro duca mio, che piú di sette
volte m'hai sicurtà renduta e tratto
99 d'alto periglio che 'ncontra mi stette,
non mi lasciar », diss' io, « cosí disfatto ;
e se 'l passar piú oltre ci è negato,
102 ritroviam l'orme nostre insieme ratto ».
E quel segnor che lí m'avea menato,
mi disse : « Non temer ; ché 'l nostro passo
105 non ci può tòrre alcun : da tal n'è dato.

Le bon maître me dit : « A présent, mon fils,
s'approche la cité qui a nom Dité*,
69 avec ses habitants meurtris, avec sa grande armée. »
    Et moi : « Maître je vois déjà ses mosquées*
très clairement là-bas dans la vallée,
72 vermeilles, comme sorties du feu. »
    Il répondit : « C'est le feu éternel
brûlant à l'intérieur, qui les fait sembler rouges,
75 comme tu vois, dans ce bas enfer. »
    Nous parvînmes enfin dans les hautes fosses
qui entourent la cité désolée :
78 et ses murailles me paraissaient de fer.
    Nous fîmes d'abord un long détour,
et nous vînmes en un lieu où le nocher
81 cria très fort : « Sortez, voici l'entrée. »
    Je vis plus de mille diables* au-dessus des portes
précipités du ciel, qui disaient pleins de rage :
84 « Qui donc est celui-là qui sans avoir sa mort
    s'en va par le royaume des âmes mortes ? »
Mon très sage maître leur fit un signe
87 montrant qu'il voulait leur parler en secret.
    Alors ils refrénèrent un peu leur grand dédain
et dirent : « Viens seul, qu'il s'en aille, celui-là
90 qui eut l'audace d'entrer dans ce royaume.
    Qu'il s'en retourne seul par sa folle route :
qu'il essaie, s'il ose ; toi tu resteras,
93 qui l'as mené par les régions obscures. »
    Pense, lecteur, si je fus abattu
quand j'entendis ces paroles maudites ;
96 car je crus ne jamais m'en revenir sur terre.
    « O mon cher guide, toi qui plus de sept fois
m'as rendu la sécurité et m'as tiré
99 des terribles dangers qui me menaçaient,
    ne me laisse pas », lui dis-je, « si défait ;
et s'il est interdit d'aller plus loin,
102 revenons vite ensemble sur nos pas. »
    Et ce seigneur qui m'avait mené jusque-là
me dit : « N'aie crainte ; il n'est personne qui puisse
105 nous barrer le passage : trop grand est qui l'accorde.

Ma qui m'attendi, e lo spirito lasso
conforta e ciba di speranza buona,
108 ch'i' non ti lascerò nel mondo basso. »

Cosí sen va, e quivi m'abbandona
lo dolce padre, e io rimagno in forse,
111 che sí e no nel capo mi tenciona.

Udir non potti quello ch'a lor porse;
ma ei non stette là con essi guari,
114 che ciascun dentro a pruova si ricorse.

Chiuser le porte que' nostri avversari
nel petto al mio segnor, che fuor rimase
117 e rivolsesi a me con passi rari.

Li occhi a la terra e le ciglia avea rase
d'ogne baldanza, e dicea ne' sospiri :
120 « Chi m'ha negate le dolenti case! »

E a me disse : « Tu, perch' io m'adiri,
non sbigottir, ch'io vincerò la prova,
123 qual ch'a la difension dentro s'aggiri.

Questa lor tracotanza non è nova;
ché già l'usaro a men segreta porta,
126 la qual sanza serrame ancor si trova.

Sovr' essa vedestú la scritta morta :
e già di qua da lei discende l'erta,
passando per li cerchi sanza scorta,
130   tal che per lui ne fia la terra aperta. »

Mais attends-moi ici : ranime ton esprit las
et nourris-le de bonne espérance,
108 je ne te laisserai pas dans le monde d'en bas. »
Il s'en va ainsi, et là m'abandonne,
mon doux père, et moi je reste en suspens,
111 car oui et non se battent dans ma tête.
Je n'entendis pas ce qu'il leur dit ;
mais il resta peu de temps avec eux,
114 car tous se retirèrent en luttant de vitesse.
Ils fermèrent les portes, ces ennemis,
au nez de mon seigneur, qui resta dehors,
117 et s'en revint vers moi à pas lents.
Gardant les yeux à terre, le front sans assurance,
il murmurait en soupirant :
120 « Qui m'interdit les tristes demeures ! »
Et il me dit : « Toi, ne t'inquiète pas
de ce que je m'irrite, car je vaincrai l'épreuve,
123 quoiqu'ils préparent à l'intérieur pour leur défense.
Cette arrogance en eux n'est pas nouvelle ;
ils la montrèrent jadis à moins secrète porte*,
126 qui aujourd'hui encore est sans serrure.
Tu as vu sur elle les lettres de mort ;
un peu plus bas déjà descend la pente,
traversant les cercles sans escorte,
130 quelqu'un* par qui la ville sera ouverte. »

CANTO IX

Quel color che viltà di fuor mi pinse
veggendo il duca mio tornare in volta,
3 piú tosto dentro il suo novo ristrinse.

Attento si fermò com' uom ch'ascolta;
ché l'occhio nol potea menare a lunga
6 per l'aere nero e per la nebbia folta.

« Pur a noi converrà vincer la punga »,
cominciò el, « se non... Tal ne s'offerse.
9 Oh quanto tarda a me ch'altri qui giunga! »

I' vidi ben sí com' ei ricoperse
lo cominciar con l'altro che poi venne,
12 che fur parole a le prime diverse;

ma nondimen paura il suo dir dienne,
perch' io traeva la parola tronca
15 forse a peggior sentenzia che non tenne.

« In questo fondo de la trista conca
discende mai alcun del primo grado,
18 che sol per pena ha la speranza cionca? »

Questa question fec' io; e quei « Di rado
incontra », mi rispuose, « che di noi
21 faccia il cammino alcun per qual io vado.

Ver è ch'altra fïata qua giú fui,
congiurato da quella Eritón cruda
24 che richiamava l'ombre a' corpi sui.

Di poco era di me la carne nuda,
ch'ella mi fece intrar dentr' a quel muro,
27 per trarne un spirto del cerchio di Giuda.

CHANT IX

Remparts de Dité.

Peur de Dante – Apparition des trois Furies – Le messager
du ciel – Les tombeaux des hérétiques.
(Samedi saint, 9 avril 1300, aux premières heures du matin.)

    Cette couleur que lâcheté peignit sur mon visage
    quand je vis mon guide revenir sur ses pas
3 lui fit dissimuler plus tôt la sienne.
    Il s'arrêta, tendu, comme un homme qui écoute,
    ne pouvant porter son regard au-delà,
6 à travers l'air obscur et la brume épaisse.
    « Il nous faudra pourtant gagner cette bataille »,
    commença-t-il, « sinon... telle aide s'est offerte.
9 O comme j'ai hâte qu'un autre vienne ici ! »
    Je vis bien qu'il avait recouvert
    son commencement avec la suite,
12 car il dit des mots différents des premiers ;
    et néanmoins son langage me fit peur,
    car je donnais à la parole interrompue
15 un sens peut-être pire qu'il ne fallait.
    « Au fond de cette affreuse vallée
    quelqu'un descend-il jamais du premier cercle,
18 ayant pour seule peine l'espoir tronqué ? »
    lui demandai-je ; et lui : « il est très rare »,
    me répondit-il, « que l'un de nous
21 fasse le chemin que je parcours.
    Il est vrai que je fus une autre fois ici
    conjuré par Érichton* cruelle
24 qui rappelait les ombres dans leurs corps.
    Ma chair était depuis peu nue de moi
    quand elle me fit entrer dans les murailles
27 pour en tirer une âme du cercle de Judas.

Quell' è 'l piú basso loco e 'l piú oscuro,
e 'l piú lontan dal ciel che tutto gira :
30 ben so 'l cammin; però ti fa sicuro.

Questa palude che 'l gran puzzo spira
cigne dintorno la città dolente,
33 u' non potemo intrare omai sanz' ira. »

E altro disse, ma non l'ho a mente;
però che l'occhio m'avea tutto tratto
36 ver' l'alta torre a la cima rovente,

dove in un punto furon dritte ratto
tre furïe infernal di sangue tinte,
39 che membra feminine avieno e atto,

e con idre verdissime eran cinte;
serpentelli e ceraste avien per crine,
42 onde le fiere tempie erano avvinte.

E quei, che ben conobbe le meschine
de la regina de l'etterno pianto,
45 « Guarda », mi disse, « le feroci Erine.

Quest' è Megera dal sinistro canto;
quella che piange dal destro è Aletto;
48 Tesifón è nel mezzo »; e tacque a tanto.

Con l'unghie si fendea ciascuna il petto;
battiensi a palme e gridavan sí alto,
51 ch'i' mi strinsi al poeta per sospetto.

« Vegna Medusa : sí 'l farem di smalto »,
dicevan tutte riguardando in giuso;
54 « mal non vengiammo in Tesëo l'assalto ».

« Volgiti 'n dietro e tien lo viso chiuso;
ché se 'l Gorgón si mostra e tu 'l vedessi,
57 nullla sarebbe di tornar mai suso. »

Cosí disse 'l maestro; ed elli stessi
mi volse, e non si tenne a le mie mani,
60 che con le sue ancor non mi chiudessi.

O voi ch'avete li 'ntelletti sani,
mirate la dottrina che' s'asconde
63 sotto 'l velame de li versi strani.

E già venía su per le torbide onde
un fracasso d'un suon, pien di spavento,
66 per cui tremavano amendue le sponde,

C'est le lieu le plus bas et le plus obscur,
et le plus loin du ciel qui enclôt toutes choses :
30 je sais bien le chemin; sois donc tranquille.
   Ce marais qui exhale ici sa puanteur
fait tout le tour de la cité dolente
33 où nous ne pouvons plus pénétrer sans querelle. »
   Et il dit autre chose, mais je ne le sais plus;
car mes yeux m'avaient tout entier entraîné
36 vers le sommet embrasé de la tour,
   où en un point tout à coup se dressèrent
trois furies infernales*, couleur de sang;
39 elles avaient forme et gestes féminins,
   hydres très vertes pour ceintures;
pour cheveux des serpents et des guivres,
42 qui entouraient leurs fronts farouches.
   Et lui, qui avait reconnu les suivantes
de la reine des pleurs* éternels,
45 « Regarde », me dit-il, « les Érinnyes féroces.
   La première est Mégère, du côté gauche;
celle qui pleure à droite est Alecto,
48 et Tisiphone est au milieu »; puis il se tut.
   Chacune se fendait la poitrine avec les ongles;
elles se battaient à coups de paumes, criant si fort
51 que de frayeur je me serrai contre mon guide.
   « Que Méduse* vienne : nous le pétrifierons »,
disaient-elles toutes en regardant en bas,
54 « nous avons mal vengé l'attaque de Thésée*. »
   « Retourne-toi et tiens les yeux fermés;
car si Gorgone se montre, et si tu la voyais,
57 tu ne pourrais plus t'en revenir là-haut. »
   Ainsi parla mon maître; lui-même
il me tourna, sans se fier à mes mains,
60 et me ferma les yeux avec les siennes.
   O vous qui avez l'entendement sain,
voyez la doctrine qui se cache*
63 sous le voile des vers étranges.
   Déjà venait par les troubles eaux
le fracas d'un son plein d'épouvante
66 qui faisait trembler à la fois les deux rives,

non altrimenti fatto che d'un vento
impetüoso per li avversi ardori,
69 che fier la selva e sanz' alcun rattento
li rami schianta, abbatte e porta fori;
dinanzi polveroso va superbo,
72 e fa fuggir le fiere e li pastori.
Li occhi mi sciolse e disse : « Or drizza il nerbo
del viso su per quella schiuma antica
75 per indi ove quel fummo è piú acerbo. »
Come le rane innanzi a la nimica
biscia per l'acqua si dileguan tutte,
78 fin ch'a la terra ciascuna s'abbica,
vid' io piú di mille anime distrutte
fuggir cosí dinanzi ad un ch'al passo
81 passava Stige con le piante asciutte.
Dal volto rimovea quell' aere grasso,
menando la sinistra innanzi spesso;
84 e sol di quell' angoscia parea lasso.
Ben m'accorsi ch'elli era da ciel messo,
e volsimi al maestro; e quei fé segno
87 ch'i' stessi queto ed inchinassi ad esso.
Ahi quanto mi parea pien di disdegno!
Venne a la porta e con una verghetta
90 l'aperse, che non v'ebbe alcun ritegno.
« O cacciati del ciel, gente dispetta »,
cominciò elli in su l'orribil soglia,
93 « ond' esta oltracotanza in voi s'alletta?
Perché recalcitrate a quella voglia
a cui non puote il fin mai esser mozzo,
96 e che piú volte v'ha cresciuta doglia?
Che giova ne le fata dar di cozzo?
Cerbero vostro, se ben vi ricorda,
99 ne porta ancor pelato il mento e 'l gozzo. »
Poi si rivolse per la strada lorda,
e non fé motto a noi, ma fé sembiante
102 d'omo cui altra cura stringa e morda
che quella di colui che li è davante;
e noi movemmo i piedi inver' la terra,
105 sicuri appresso le parole sante.

tout semblable à celui d'un vent
impétueux, né de chaleurs contraires,
69 qui frappe la forêt et sans aucun obstacle,
  arrache, abat et emporte les branches ;
  allant de l'avant, poudreux, superbe,
72 faisant fuir les bergers et les bêtes féroces.

  Il délivra mes yeux, et dit : « Tends maintenant
  le nerf de tes regards vers cette écume antique
75 là où la fumée est la plus noire. »

  Comme devant la couleuvre leur ennemie
  les grenouilles s'enfuient à travers l'eau
78 et vont se blottir sur la terre,

  je vis plus de mille âmes détruites
  s'enfuir ainsi devant quelqu'un* qui en marchant
81 traversait le Styx à pied sec.

  De son visage il écartait l'air gras
  en agitant souvent la main gauche :
84 et ce seul tourment semblait l'incommoder.

  Je compris que c'était un envoyé du ciel,
  et je me tournai vers mon maître, qui me fit signe
87 de rester coi, et de m'incliner devant lui.

  Ah comme il me paraissait plein de mépris !
  Il alla vers la porte et d'un coup de baguette
90 l'ouvrit sans rencontrer de résistance.

  « O bannis du ciel, engeance infecte »,
  commença-t-il sur l'horrible seuil,
93 « d'où vient l'outrecuidance qui vous habite ?

  Pourquoi renâclez-vous à ce vouloir
  dont la fin ne peut jamais être évitée,
96 et qui a souvent augmenté vos peines ?

  A quoi sert de heurter contre le destin ?
  Votre Cerbère, autant qu'il vous souvienne,
99 en porte encore la gorge et le menton pelés*. »

  Puis il se retourna vers la route boueuse,
  et ne nous dit mot, mais garda l'apparence
102 de quelqu'un que mord un tout autre souci

  que celui de ceux qu'il a sur son chemin ;
  nous portâmes alors nos pas vers la cité,
105 pleins d'assurance après ce saint discours.

　　　Dentro li 'ntrammo sanz' alcuna guerra;
　　e io, ch'avea di riguardar disio
108　la condizion che tal fortezza serra,
　　　com' io fui dentro, l'occhio intorno invio :
　　e veggio ad ogne man grande campagna,
111　piena di duolo e di tormento rio.

　　　Sí come ad Arli, ove Rodano stagna,
　　sí com' a Pola, presso del Carnaro
114　ch'Italia chiude e suoi termini bagna,
　　　fanno i sepulcri tutt' il loco varo,
　　cosí facevan quivi d'ogne parte,
117　salvo che 'l modo v'era piú amaro;
　　　ché tra li avelli fiamme erano sparte,
　　per le quali eran sí del tutto accesi,
120　che ferro piú non chiede verun' arte.

　　　Tutti li lor coperchi eran sospesi,
　　e fuor n'uscivan sí duri lamenti,
123　che ben parean di miseri e d'offesi.

　　　E io : « Maestro, quai son quelle genti
　　che, seppellite dentro da quell' arche,
126　si fan sentir coi sospiri dolenti? »

　　　E quelli a me : « Qui son li eresïarche
　　con lor seguaci, d'ogne setta, e molto
129　piú che non credi son le tombe carche.

　　　Simile qui con simile è sepolto,
　　e i monimenti son piú e men caldi. »
　　E poi ch'a la man destra si fu vòlto,
133　　passammo tra i martíri e li alti spaldi.

Nous y entrâmes sans aucune guerre ;
et moi, qui avais grand désir de voir
108 le sort de ceux qu'enserre la citadelle,
dès que j'y fus je regardai tout alentour :
et je vois partout une vaste campagne
111 pleine de pleurs et de tourments cruels.
Tout comme à Arles*, où le Rhône s'attarde,
ou à Pola*, auprès du Carnaro
114 qui clôt l'Italie, baignant ses confins,
les sépulcres font le sol inégal,
ainsi en était-il ici, de tous côtés,
117 mais la façon était bien plus amère ;
des feux épars couraient entre les tombes
qui les embrasaient si fortement,
120 qu'aucun art ne requiert un fer plus brûlant.
Tous les couvercles étaient levés ;
des plaintes si violentes en sortaient
123 qu'elles semblaient bien de malheureux et d'offensés.
Et moi : « Maître, qui sont ces gens,
ensevelis dans ces tombeaux,
126 qui poussent des soupirs si douloureux ? »
Et lui à moi : « Ce sont les hérésiarques
avec leurs disciples de toutes sectes,
129 et leurs tombeaux sont plus remplis que tu ne crois.
Ici gît le semblable avec le semblable,
et les sépulcres sont plus ou moins brûlants. »
Et quand il eut tourné à main droite*,
133   nous passâmes entre les supplices et les hauts remparts.

Ora sen va per un secreto calle,
tra 'l muro de la terra e li martíri,
3 lo mio maestro, e io dopo le spalle.
« O virtú somma, che per li empi giri
mi volvi », cominciai, « com' a te piace,
6 parlami, e sodisfammi a'miei disiri,
La gente che per li sepolcri giace
potrebbesi veder? già son levati
9 tutt' i coperchi, e nessun guardia face. »
E quelli a me : « Tutti saran serrati
quando di Iosafàt, qui torneranno
12 coi corpi che là sú hanno lasciati.
Suo cimitero da questa parte hanno
con Epicuro tutti suoi seguaci,
15 che l'anima col corpo morta fanno.
Però a la dimanda che mi faci
quinc' entro satisfatto sarà tosto,
18 e al disio ancor che tu mi taci. »
E io : « Buon duca, non tegno riposto
a te mio cuor se non per dicer poco,
21 e tu m'hai non pur mo a ciò disposto. »
« O Tosco che per la città del foco
vivo ten vai cosí parlando onesto,
24 piacciati di restare in questo loco.
La tua loquela ti fa manifesto
di quella nobil patrïa natio,
27 a la qual forse fui troppo molesto. »

CHANT X

6ᵉ cercle : les Hérétiques, couchés dans des tombes brûlantes.

Les sépulcres des Épicuriens – Farinata – Cavalcante Cavalcanti – La prescience des damnés – Tristesse de Virgile.
    (Samedi saint, 9 avril 1300, vers 2 heures du matin.)

    Maintenant il s'en va par une voie secrète,
    entre les murs de la cité et les supplices,
3 mon maître, et moi je vais sur ses talons.
    « Haute vertu, toi qui me fais tourner
    comme tu veux par ces cercles impies,
6 parle-moi encore, et satisfais à mes désirs.
    Ces gens qui sont dans les tombeaux
    pourrait-on les voir ? déjà tous les couvercles
9 sont levés, et nul ne fait la garde. »
    Il répondit : « Tous seront refermés
    lorsqu'ils reviendront de Josaphat*
12 avec les corps qu'ils ont laissés sur terre.
    Avec Épicure* tous ses disciples
    ont leur cimetière de ce côté,
15 eux qui font mourir les âmes avec les corps.
    Mais à cette question que tu me poses
    il sera bientôt répondu ici,
18 et au désir aussi que tu me tais*. »
    Et moi : « Bon guide, à toi je ne cache pas
    mon cœur, sinon de peur de parler trop,
21 déjà depuis longtemps tu m'y as incité. »
    « O Toscan qui t'en vas par la ville de feu,
    vivant, et parlant de façon si honnête,
24 qu'il te plaise de faire halte en ce lieu.
    A ton langage il est bien clair
    que tu es natif de la noble patrie
27 pour qui je fus peut-être trop sévère. »

    Subitamente questo suono uscío
  d'una de l'arche; però m'accostai,
30 temendo, un poco piú al duca mio.
    Ed el mi disse : « Volgiti! Che fai?
  Vedi là Farinata che s'è dritto :
33 da la cintola in sú tutto 'l vedrai. »
    Io avea giá il mio viso nel suo fitto;
  ed el s'ergea col petto e con la fronte
36 com' avesse l'inferno a gran dispitto.
    E l'animose man del duca e pronte
  mi pinser tra le sepulture a lui,
39 dicendo : « Le parole tue sien conte. »
    Com' io al piè de la sua tomba fui,
  guardommi un poco, e poi, quasi sdegnoso,
42 mi dimandò : « Chi fuor li maggior tui? »
    Io ch'era d'ubidir disideroso,
  non gliel celai, ma tutto gliel' apersi;
45 ond' ei levò le ciglia un poco in suso;
    poi disse : « Fieramente furo avversi
  a me e a miei primi e a mia parte,
48 sí che per due fïate li dispersi. »
    « S'ei fur cacciati, ei tornar d'ogne parte »,
  rispuos' io lui, « l'una e l'altra fïata;
51 ma i vostri non appreser ben quell'arte ».
    Allor surse a la vista scoperchiata
  un'ombra, lungo questa, infino al mento :
54 credo che s'era in ginocchie levata.
    Dintorno mi guardò, come talento
  avesse di veder s'altri era meco;
57 e poi che 'l sospecciar fu tutto spento,
    piangendo disse : « Se per questo cieco
  carcere vai per altezza d'ingegno,
60 mio figlio ov' è? e perché non è teco? »
    E io a lui : « Da me stesso non vegno :
  colui ch'attende là, per qui mi mena
63 forse cui Guido vostro ebbe a disdegno. »
    Le sue parole e 'l modo de la pena
  m'avean di costui già letto il nome;
66 però fu la risposta cosí piena.

Ce son sortit soudainement
de l'une des tombes; et je me rapprochai,
30 plein de crainte, un peu plus de mon guide.
Il me dit : « Tourne-toi ! Que fais-tu ?
Vois-donc Farinata* qui s'est dressé :
33 tu le verras entier de la ceinture jusqu'à la tête. »
J'avais déjà mis mon regard dans le sien;
il redressait la poitrine et le front
36 comme s'il avait l'enfer en grand mépris.
Et les vaillantes et promptes mains du maître
me poussèrent vers lui entre les sépultures,
39 disant : « Que tes mots soient pesés. »
Lorsque je fus au pied de son tombeau,
il me regarda, puis, comme dédaigneux,
42 me demanda : « Qui furent tes parents ? »
Et moi qui désirais lui obéir,
je ne le cachai pas, je lui découvris tout;
45 alors il leva un peu les sourcils,
et dit : « Ils furent si âprement hostiles
à moi, à mes parents, à mon parti,
48 que par deux fois je dus les disperser. »
« S'ils furent chassés, ils s'en revinrent de tous côtés »,
lui répondis-je, « et l'une et l'autre fois;
51 mais les vôtres n'apprirent pas bien cet art. »
Alors je vis surgir par l'ouverture
une ombre* à son côté, jusqu'au menton :
54 je crois qu'elle se dressait sur les genoux.
Elle regarda autour de moi, comme voulant voir
si quelqu'un d'autre était là avec moi;
57 et quand son doute fut éteint,
elle dit en pleurant : « Si la hauteur de ton esprit
te fait aller par la prison aveugle,
60 où est mon fils ? pourquoi n'est-il pas avec toi ? »
Et moi : « Je ne suis pas venu par moi seul :
celui qui attend là me mène vers quelqu'un
63 que votre Guido eut peut-être en mépris*. »
Ses paroles et la nature de sa peine
m'avaient déjà fait découvrir son nom,
66 c'est pourquoi ma réponse fut si entière.

Di súbito drizzato gridò : « Come?
dicesti "elli ebbe"? non viv' elli ancora?
69 non fiere li occhi suoi lo dolce lume? »
Quando s'accorse d'alcuna dimora
ch'io facëa dinanzi a la risposta,
72 supin ricadde e piú non parve fora.

Ma quell' altro magnanimo, a cui posta
restato m'era, non mutò aspetto,
75 né mosse collo, né piegò sua costa;
e sé continüando al primo detto,
« S'elli han quell' arte », disse, « male appresa,
78 ciò mi tormenta piú che questo letto.

Ma non cinquanta volte fia raccesa
la faccia de la donna che qui regge,
81 che tu saprai quanto quell' arte pesa.

E se tu mai nel dolce mondo regge,
dimmi : perché quel popolo è sí empio
84 incontr' a' miei in ciascuna sua legge? »

Ond' io a lui : « Lo strazio e 'l grande scempio
che fece l'Arbia colorata in rosso,
87 tal orazion fa far nel nostro tempio. »

Poi ch'ebbe sospirando il capo mosso,
« A ciò non fu' io sol », disse, « né certo
90 sanza cagion con li altri sarei mosso.

Ma fu' io solo, là dove sofferto
fu per ciascun di tórre via Fiorenza,
93 colui che la difesi a viso aperto. »

« Deh, se riposi mai vostra semenza »,
prega' io lui, « solvetemi quel nodo
96 che qui ha 'nviluppata mia sentenza.

El par che voi veggiate, se ben odo,
dinanzi quel che 'l tempo seco adduce,
99 e nel presente tenete altro modo. »

« Noi veggiam, come quei c'ha mala luce,
le cose », disse, « che ne son lontano;
102 cotanto ancor ne splende il sommo duce.

Quando s'appressano o son, tutto è vano
nostro intelletto; e s'altri non ci apporta,
105 nulla sapem di vostro stato umano.

Il se dressa aussitôt et cria : « Comment?
tu as dit "il eut"? n'est-il donc plus en vie?
69 la douce lumière ne frappe donc plus ses yeux? »
Et lorsqu'il vit que je mettais
un peu de temps à lui répondre*,
72 il retomba couché, et ne reparut plus.

Mais cette autre grande âme, à la prière de qui
je m'étais arrêté, ne changea pas d'aspect,
75 ne bougea pas le col, ne plia pas le flanc;
et continuant son premier discours,
« S'ils n'ont pas bien appris cet art », dit-il,
78 « ce m'est plus grand tourment que ce lit-ci.

Mais avant que soit rallumée cinquante fois
la face de la dame qui règne ici*,
81 tu connaîtras le poids de cet art.

Et puisses-tu regagner le doux monde;
mais dis-moi : pourquoi ce peuple* est-il si cruel
84 envers les miens, dans chaque loi qu'il fait? »

Je répondis : « Le massacre et l'horreur
qui teignirent de rouge le cours de l'Arbia*
87 font faire cette oraison dans notre temple. »

Il secoua la tête en soupirant, et dit :
« Je ne fus pas seul ce jour-là, et sans raison
90 je n'aurais pas combattu avec les autres.

Mais je fus le seul, alors que chacun
acceptait la pensée de détruire Florence,
93 à la défendre à visage découvert. »

« Ah que repose un jour votre lignée »,
le priai-je, « mais déliez-moi ce nœud
96 qui a brouillé ici mon jugement.

Il semble qu'avant l'heure, si j'entends bien,
vous puissiez voir ce que le temps apporte,
99 mais que pour le présent vous ayez autre usage.

« Nous voyons, comme ceux qui n'ont pas de bons yeux »,
dit-il, « les choses qui sont lointaines;
102 c'est ainsi que Dieu nous donne sa lumière.

Notre intellect est vain pour tout ce qui est proche
ou présent; et si nul ne vient nous parler,
105 nous ignorons tout de l'état humain.

Però comprender puoi che tutta morta
fia nostra conoscenza da quel punto
108 che del futuro fia chiusa la porta. »

Allor, come di mia colpa compunto,
dissi : « Or direte dunque a quel caduto
111 che 'l suo nato è co' vivi ancor congiunto;

e s'i' fui, dianzi, a la risposta muto,
fate i saper che 'l fei perché pensava
114 giá ne l'error che m'avete soluto. »

E già 'l maestro mio mi richiamava;
per ch'i' pregai lo spirto piú avaccio
117 che mi dicesse chi con lu' istava.

Dissemi : « Qui con piú di mille giaccio :
qua dentro è 'l secondo Federico
120 e' l Cardinale; e de li altri mi taccio. »

Indi s'ascose; e io inver' l'antico
poeta volsi i passi, ripensando
123 a quel parlar che mi parea nemico.

Elli si mosse; e poi, cosí andando,
mi disse : « Perché se' tu sí smarrito? »
126 E io li sodisfeci al suo dimando.

« La mente tua conservi quel ch'udito
hai contra te », mi comandò quel saggio;
129 « e ora attendi qui », e drizzò 'l dito :

« quando sarai dinanzi al dolce raggio
di quella il cui bell' occhio tutto vede,
132 da lei saprai di tua vita il vïaggio ».

Appresso mosse a man sinistra il piede :
lasciammo il muro e gimmo inver' lo mezzo
per un sentier ch'a una valle fiede,
136   che 'nfin là sú facea spiacer suo lezzo.

Tu comprends ainsi que notre connaissance
sera toute morte à partir de l'instant
108 où sera fermée la porte du futur. »
    Alors, comme en repentir de ma faute,
je dis : « Vous direz donc à l'ombre retombée
111 que son fils est encore au nombre des vivants ;
    et si tout à l'heure je fus muet à lui répondre,
dites-lui que j'étais encore dans l'erreur
114 que vous m'avez à présent résolue. »
    Déjà mon maître me rappelait ;
alors je priai cet esprit de me dire
117 en hâte le nom de ceux qui étaient avec lui.
    Il dit : « Je repose ici avec plus de mille :
là-dedans se tient le second Frédéric★
120 avec le Cardinal★ ; des autres je me tais. »
    Ensuite il disparut ; moi je tournai mes pas
vers l'antique poète, en repensant
123 à ces paroles qui me semblaient hostiles.
    Il s'ébranla ; et puis, tout en marchant,
il dit : « Pourquoi es-tu donc si troublé ? »
126 Et moi je répondis à sa question.
    « Garde en mémoire ce que tu viens d'entendre
contre toi », me commanda ce sage,
129 « et à présent sois attentif », et il dressa le doigt :
    « quand tu seras devant le doux regard
de celle dont les beaux yeux★ voient toutes choses,
132 tu sauras d'elle tout le voyage de ta vie. »
    Puis il dirigea ses pas vers la gauche :
nous laissâmes le mur et revînmes au centre
par un sentier qui plonge dans une vallée
136   exhalant jusqu'en haut sa puanteur affreuse.

CANTO XI

In su l'estremità d'un'alta ripa
che facevan gran pietre rotte in cerchio,
3 venimmo sopra più crudele stipa;
e quivi, per l'orribile soperchio
del puzzo che 'l profondo abisso gitta,
6 ci raccostammo, in dietro, ad un coperchio
d'un grand' avello, ov' io vidi una scritta
che dicea : « Anastasio papa guardo,
9 lo qual trasse Fotin de la via dritta. »
« Lo nostro scender conviene esser tardo,
sí che s'ausi un poco in prima il senso
12 al tristo fiato; e poi no i fia riguardo. »
Cosí 'l maestro; e io « Alcun compenso »,
dissi lui, « trova che 'l tempo non passi
15 perduto ». Ed elli : « Vedi ch'a ciò penso. »
« Figliuol mio, dentro da cotesti sassi »,
cominciò poi a dir, « son tre cerchietti
18 di grado in grado, come que' che lassi.
Tutti son pien di spirti maladetti;
ma perché poi ti basti pur la vista,
21 intendi come e perché son costretti.
D'ogne malizia, ch'odio in cielo acquista,
ingiuria è 'l fine, ed ogne fin cotale
24 o con forza o con frode altrui contrista.
Ma perché frode è de l'uom proprio male,
piú spiace a Dio; e però stan di sotto
27 li frodolenti, e piú dolor li assale.

CHANT XI

6ᵉ cercle : les Hérétiques.

Puanteur du bas Enfer – Halte auprès de la tombe du pape
Anastase – Virgile explique à Dante l'ordonnance de l'Enfer
d'après Aristote.
(Samedi saint, 9 avril 1300, vers 3 heures du matin.)

    Sur le rebord d'une haute falaise
formée par des rochers brisés en cercle,
3 nous vînmes au-dessus d'un amas plus cruel ;
    et là, devant l'horrible excès
de l'odeur exhalée par cet abîme,
6 nous nous mîmes à l'abri derrière le couvercle
    d'un grand tombeau où je vis un écrit
qui disait : « Je garde le pape Anastase*,
9 que Photin* fit dévier de la voie droite. »
    « Il nous faut retarder ici notre descente
afin que nos sens s'accoutument un peu
12 au souffle infect ; et puis nous n'y prendrons plus garde. »
    Ainsi parla mon maître ; et moi : « Trouve
quelque compensation », lui dis-je, « afin que le temps
15 ne soit pas perdu. » Et lui : « Tu vois que j'y songe. »
    « Mon fils, à l'intérieur de ces rochers »,
commença-t-il, « se trouvent trois petits cercles*
18 de plus en plus étroits, comme ceux que tu quittes.
    Ils sont tous pleins d'esprits maudits ;
mais afin que plus bas leur vue te suffise,
21 sache comment et pourquoi ils y sont amassés.
    De tout le mal que le ciel déteste,
l'injustice est la fin : et toute fin pareille
24 nuit à autrui ou par la force ou par la fraude.
    Mais puisque la fraude est le mal propre à l'homme,
elle déplaît plus à Dieu : aussi les fraudeurs sont
27 tout au fond, et plus de douleur les assaille.

Di vïolenti il primo cerchio è tutto;
ma perché si fa forza a tre persone,
30 in tre gironi è distinto e costrutto.
   A Dio, a sé, al prossimo si pòne
far forza, dico in loro e in lor cose,
33 come udirai con aperta ragione.
   Morte per forza e ferute dcgliose
nel prossimo si danno, e nel suo avere
36 ruine, incendi e tollette dannose;
   onde omicide e ciascun che mal fiere,
guastatori e predon, tutti tormenta
39 lo giron primo per diverse schiere.
   Puote omo avere in sé man vïolenta
e ne' suoi beni; e però nel secondo
42 giron convien che sanza pro si penta
   qualunque priva sé del vostro mondo,
biscazza e fonde la sua facultade,
45 e piange là dov' esser de' giocondo.
   Puossi far forza ne la deïtade,
col cor negando e bestemmiando quella,
48 e spregiando natura e sua bontade;
   e però lo minor giron suggella
del segno suo e Soddoma e Caorsa
51 e chi, spregiando Dio col cor, favella.
   La frode, ond' ogne coscïenza è morsa,
può l'omo usare in colui che 'n lui fida
54 e in quel che fidanza non imborsa.
   Questo modo di retro par ch'incida
pur lo vinco d'amor che fa natura;
57 onde nel cerchio secondo s'annida
   ipocresia, lusinghe e chi affattura,
falsità, ladroneccio e simonia,
60 ruffian, baratti e simile lordura.
   Per l'altro modo quell' amor s'oblia
che fa natura, e quel ch'è poi aggiunto,
63 di che la fede spezïal si cria;
   onde nel cerchio minore, ov' è 'l punto
de l'universo in su che Dite siede,
66 qualunque trade in etterno è consunto. »

Le premier cercle appartient aux violents ;
mais comme on fait violence à trois personnes,
30 il est construit et divisé en trois enceintes.
    On peut faire force à Dieu, à soi-même, au prochain,
je veux dire à eux et à leurs biens,
33 comme tu verras par un raisonnement simple.
    On donne mort par force et par blessures graves
à son prochain, et à ses possessions
36 on cause ruine, incendie et pillage ;
    aussi les assassins et ceux qui blessent injustement,
les bandits, les pillards, sont en proie aux supplices
39 dans la première enceinte, par troupes séparées.
    On peut porter la main contre soi-même
et contre ses biens ; aussi dans la seconde enceinte
42 il faut que se repente en vain
    quiconque se prive soi-même de votre monde,
et ceux qui dissipent ou jouent leurs biens,
45 et pleurent là où ils doivent être contents.
    On peut faire violence à la divinité
en la niant ou en la blasphémant,
48 en méprisant Nature et sa bonté ;
    aussi la plus étroite enceinte
imprime son sceau sur Sodome et Cahors*,
51 et sur qui parle en méprisant Dieu dans son cœur.
    La fraude, qui blesse la conscience,
peut être usée envers qui a confiance
54 ou envers qui ne l'a pas accordée.
    Ce dernier mode rompt seulement
le lien d'amour que produit la nature ;
57 ainsi ont leur demeure au dernier cercle
    hypocrites, sorciers, adulateurs,
faussaires, voleurs et simoniaques,
60 ruffians, tricheurs et ordures semblables.
    Par l'autre mode on oublie à la fois
l'amour qui vient de la nature, et celui qui s'y joint,
63 par qui se crée la confiance ajoutée ;
    aussi dans le plus petit cercle, où est le point
de l'univers* où réside Dité,
66 qui a trahi meurt éternellement. »

E io : « Maestro, assai chiara procede
la tua ragione, e assai ben distingue
⁶⁹ questo baràtro e 'l popol ch'e' possiede.

Ma dimmi : quei de la palude pingue,
che mena il vento, e che batte la pioggia,
⁷² e che s'incontran con sí aspre lingue,
perché non dentro da la città roggia
sono ei puniti, se Dio li ha in ira?
⁷⁵ e se non li ha, perché sono a tal foggia? »

Ed elli a me : « Perché tanto delira »,
disse, « lo 'ngegno tuo da quel che sòle?
⁷⁸ o ver la mente dove altrove mira?

Non ti rimembra di quelle parole
con le quai la tua Etica pertratta
⁸¹ le tre disposizion che 'l ciel non vole,
incontenenza, malizia e la matta
bestialitade? e come incontenenza
⁸⁴ men Dio offende e men biasimo accatta?

Se tu riguardi ben questa sentenza,
e rechiti a la mente chi son quelli
⁸⁷ che sú di fuor sostegnon penitenza,
tu vedrai ben perché da questi felli
sien dipartiti, e perché men crucciata
⁹⁰ la divina vendetta li martelli. »

« O sol che sani ogne vista turbata,
tu mi contenti sí quando tu solvi,
⁹³ che, non men che saver, dubbiar m'aggrata.

Ancora in dietro un poco ti rivolvi »,
diss' io, « là dove di' ch'usura offende
⁹⁶ la divina bontade, e 'l groppo solvi. »

« Filosofia », mi disse, « a chi la 'ntende,
nota, non pure in una sola parte,
⁹⁹ come natura lo suo corso prende
dal divino 'ntelletto e da sua arte;
e se tu ben la tua Fisica note,
¹⁰² tu troverai, non dopo molte carte,
che l'arte vostra quella, quanto pote,
segue, come 'l maestro fa 'l discente;
¹⁰⁵ sí che vostr' arte a Dio quasi è nepote.

Et moi : « Maître, ton raisonnement
procède avec clarté, et m'explique très bien
69 cet abîme et les gens qu'il renferme.
    Mais dis-moi : ceux du marais fangeux
que le vent pousse, que la pluie bat,
72 et qui s'affrontent avec des mots si âpres,
    pourquoi ne sont-il pas punis
dans la ville rouge, si Dieu les hait ?
75 et s'il ne les hait pas, pourquoi sont-ils en peine ? »
    « Pourquoi, dit-il, ton esprit s'égare-t-il
si loin de sa voie habituelle ?
78 ou bien ta pensée a-t-elle un autre but ?
    Ne te souviens-tu pas de ce passage
où sont traitées dans ton Éthique*
81 les trois dispositions dont le ciel ne veut pas,
    incontinence, malice, et la folle
bestialité ? et comme l'incontinence
84 offense moins Dieu et reçoit moins de blâme ?
    Si tu médites bien cette sentence,
et si tu as en mémoire quels sont ceux-là
87 qui font pénitence hors de la ville,
    tu comprendras pourquoi de ces méchants
ils sont séparés, et pourquoi les martèle
90 avec moins de courroux la vengeance divine. »
    « O soleil qui guéris la vue troublée,
tu me rends si content quand tu résous mes doutes,
93 que le doute m'est doux autant que le savoir.
    Mais reviens encore un peu en arrière »,
lui dis-je, « là où tu me dis que l'usure
96 offense la divine bonté, et délie-moi ce nœud. »
    « La philosophie », dit-il, « à qui l'entend
enseigne, et dans plus d'un écrit,
99 comment la nature procède
    de la divine intelligence et de son art ;
et si tu lis bien ta Physique*,
102 tu trouveras, dans les premières pages,
    que l'art humain, autant qu'il peut, suit la Nature,
comme un élève suit son maître,
105 si bien que l'art est comme un petit-fils de Dieu.

Da queste due, se tu ti rechi a mente
lo Genesí dal principio, convene
108 prender sua vita e avanzar la gente;
e perché l'usuriere altra via tene,
per sé natura e per la sua seguace
111 dispregia, poi ch'in altro pon la spene.
Ma seguimi oramai che 'l gir mi piace;
ché i Pesci guizzan su per l'orizzonta,
e 'l Carro tutto sovra 'l Coro giace,
115 e 'l balzo via là oltra si dismonta. »

Des deux, Art et Nature, si tu as en mémoire
les premiers vers de la Genèse, il faut
108 que l'homme tire vie, et qu'il avance ;
    et puisque l'usurier suit d'autres voies,
il méprise Nature pour elle et pour son art,
111 puisqu'il met son espoir en autre lieu.
    Mais à présent suis-moi : il me plaît de partir,
les Poissons★ déjà brillent sur l'horizon,
le Chariot s'étend sur le Caurus★,
115 et le rivage là, un peu plus loin, s'abaisse.

Era lo loco ov' a scender la riva
venimmo, alpestro e, per quel che v'er' anco,
3 tal, ch'ogne vista ne sarebbe schiva.
    Qual è quella ruina che nel fianco
di qua da Trento l'Adice percosse,
6 o per tremoto o per sostegno manco,
    che da cima del monte, onde si mosse,
al piano è sí la roccia discoscesa,
9 ch'alcuna via darebbe a chi sú fosse :
    cotal di quel burrato era la scesa;
e 'n su la punta de la rotta lacca
12 l'infamïa di Creti era distesa
    che fu concetta ne la falsa vacca;
e quando vide noi, sé stesso morse,
15 sí come quei cui l'ira dentro fiacca.
    Lo savio mio inver' lui gridò : « Forse
tu credi che qui sia 'l duca d'Atene,
18 che sú nel mondo la morte ti porse?
    Pàrtiti, bestia, ché questi non vene
ammaestrato da la tua sorella,
21 ma vassi per veder le vostre pene. »
    Qual è quel toro che si slaccia in quella
c'ha ricevuto già 'l colpo mortale,
24 che gir non sa, ma qua e là saltella,
    vid' io lo Minotauro far cotale;
e quello accorto gridò : « Corri al varco;
27 mentre ch'e' 'nfuria, è buon che tu ti cale. »

CHANT XII

7ᵉ cercle, 1ᵉʳ giron : les Violents contre leur prochain, plongés dans un fleuve de sang bouillant.

Le Minotaure – Origine des éboulis en Enfer – Le fleuve Phlégéton et les Centaures – Rencontre avec Chiron.
(Samedi saint, 9 avril 1300, avant l'aube.)

Le lieu où nous parvînmes, pour descendre la berge,
étais abrupt, et un tel monstre s'y tenait
3 que tout regard s'en serait détourné.
Tel est cet éboulis★ qui a frappé l'Adige
droit dans le flanc, au-dessous de Trente, à cause
6 d'un tremblement de terre, ou d'un appui manquant,
si bien que de la cime d'où elle tomba
jusqu'à la plaine la roche s'est ainsi écroulée
9 qu'elle forme un chemin pour qui serait en haut,
telle était la pente de ce ravin ;
et sur le bord de la roche effondrée
12 l'infamie de Crète★ était vautrée,
celle qui fut conçue dans la fausse vache★ ;
quand il nous vit, il se mordit lui-même,
15 comme celui qui est rongé par la colère.
Mon sage lui cria : « Tu crois peut-être
qu'ici se trouve le roi d'Athènes★,
18 qui te donna la mort sur terre ?
Va-t'en, bête, cet homme-ci ne vient pas
avec les leçons de ta sœur★,
21 mais il est ici pour voir vos peines. »
Tel le taureau qui rompt ses liens, alors
qu'il a déjà reçu le coup mortel,
24 et ne sait plus marcher, mais sautille çà et là,
tel je vis sauter le Minotaure ;
et mon maître avisé cria : « Cours à la brèche ;
27 pendant qu'il rage, il est bon de descendre. »

Cosí prendemmo via giú per lo scarco
di quelle pietre, che spesso moviensi
30 sotto i miei piedi per lo novo carco.

Io gia pensando; e quei disse : « Tu pensi
forse a questa ruina, ch'è guardata
33 da quell' ira bestial ch'i' ora spensi.

Or vo' che sappi che l'altra fïata
ch'i' discesi qua giú nel basso inferno,
36 questa roccia non era ancor cascata.

Ma certo poco pria, se ben discerno,
che venisse colui che la gran preda
39 levò a Dite del cerchio superno,

da tutte parti l'alta valle feda
tremò sí, ch'i' pensai che l'universo
42 sentisse amor, per lo qual è chi creda

piú volte il mondo in caòsso converso;
e in quel punto questa vecchia roccia,
45 qui e altrove, tal fece riverso.

Ma ficca li occhi a valle, ché s'approccia
la riviera del sangue in la qual bolle
48 qual che per vïolenza in altrui noccia. »

Oh cieca cupidigia e ira folle,
che sí ci sproni ne la vita corta,
51 e ne l'etterna poi sí mal c'immolle!

Io vidi un'ampia fossa in arco torta,
come quella che tutto 'l piano abbraccia,
54 secondo ch'avea detto la mia scorta;

e tra 'l piè de la ripa ed essa, in traccia
corrien centauri, armati di saette,
57 come solien nel mondo andare a caccia.

Veggendoci calar, ciascun ristette,
e de la schiera tre si dipartiro
60 con archi e asticciuole prima elette;

e l'un gridò da lungi : « A qual martiro
venite voi che scendete la costa?
63 Ditel costinci; se non, l'arco tiro. »

Lo mio maestro disse : « La risposta
farem noi a Chirón costà di presso :
66 mal fu la voglia tua sempre sí tosta. »

Ainsi nous descendîmes par cet amas de pierres,
qui souvent remuaient sous mes pieds
30 par l'effet de la charge inhabituelle.
J'avançais tout pensif; il dit : « Tu penses
peut-être à l'éboulis, qui est gardé
33 par la colère bestiale que je viens d'éteindre.
Or je veux que tu saches que la première fois
que je descendis dans le bas enfer,
36 ce rocher n'était pas encore tombé.
Mais certes peu avant, si je discerne bien,
que ne vînt celui qui ôta à Dité*
39 la grande proie du cercle supérieur,
de tous côtés la grande vallée infecte
trembla* si fort que je pensai que l'univers
42 était frappé d'amour*, à cause duquel, selon certains
le monde est parfois retourné au chaos ;
et à ce moment la vieille falaise,
45 ici même et plus loin, s'est ainsi renversée.
Mais fiche tes yeux plus bas, car voici que s'approche
la rivière de sang* où sont bouillis
48 ceux qui ont nui aux autres par violence. »
O cupidité aveugle et colère folle,
qui nous éperonnes dans la courte vie,
51 pour nous baigner si mal dans l'éternelle !
Je vis une ample fosse tordue en arc,
car elle embrassait toute la plaine,
54 comme l'avait expliqué mon escorte ;
entre le fleuve et la falaise, en file indienne,
couraient des centaures, armés de flèches,
57 tout comme, sur terre, ils allaient à la chasse.
En nous voyant venir, ils s'arrêtèrent,
et trois d'entre eux se détachèrent du groupe
60 avec leurs arcs, et des flèches bien choisies ;
l'un d'eux cria de loin : « A quel supplice
venez-vous donc, vous qui descendez cette côte ?
63 Répondez d'où vous êtes ; sinon je tire de l'arc. »
Mon maître dit : « Notre réponse
nous la donnerons à Chiron*, et de près ;
66 mal t'en a pris d'avoir des désirs si brutaux. »

Poi mi tentò, e disse : « Quelli è Nesso,
che morí per la bella Deianira,
69 e fé di sé la vendetta elli stesso.

E quel di mezzo, ch'al petto si mira,
è il gran Chirón, il qual nodrí Achille;
72 quell' altro è Folo, che fu sí pien d'ira.

Dintorno al fosso vanno a mille a mille,
saettando qual anima si svelle
75 del sangue piú che sua colpa sortille. »

Noi ci appressammo a quelle fiere isnelle :
Chirón prese uno strale, e con la cocca
78 fece la barba in dietro a le mascelle.

Quando s'ebbe scoperta la gran bocca,
disse a' compagni : « Siete voi accorti
81 che quel di retro move ciò ch'el tocca?

Cosí non soglion far li piè d'i morti. »
E 'l mio buon duca, che già li er' al petto,
84 dove le due nature son consorti,

rispuose : « Ben è vivo, e sí soletto
mostrar li mi convien la valle buia;
87 necessità 'l ci 'nduce, e non diletto.

Tal si partí da cantare alleluia
che mi commise quest' officio novo :
90 non è ladron, né io anima fuia.

Ma per quella virtú per cu' io movo
li passi miei per sí selvaggia strada,
93 danne un de' tuoi, a cui noi siamo a provo,

e che ne mostri là dove si guada,
e che porti costui in su la groppa,
96 ché non è spirto che per l'aere vada. »

Chirón si volse in su la destra poppa,
e disse a Nesso : « Torna, e sí li guida,
99 e fa cansar s'altra schiera v'intoppa. »

Or ci movemmo con la scorta fida
lungo la proda del bollor vermiglio,
102 dove i bolliti facieno alte strida.

Io vidi gente sotto infino al ciglio;
e 'l gran centauro disse : « E' son tiranni
105 che dier nel sangue e ne l'aver di piglio.

Puis il me toucha, et dit : « Celui-ci est Nessus* »,
qui mourut pour la belle Déjanire,
69 et qui vengea lui-même sa propre mort.

Celui du milieu, qui a les yeux baissés,
est le grand Chiron qui nourrit Achille ;
72 cet autre est Pholus*, qui fut plein de rage.

Autour de la fosse ils vont par milliers,
en perçant de flèches toute âme qui sort
75 du sang plus que sa faute ne l'assigne. »

Nous approchions de ces bêtes agiles :
Chiron prit une flèche, et de la coche
78 rejeta sa barbe derrière ses mâchoires.

Quand il eut découvert sa vaste bouche,
il dit à ses pairs : « Avez-vous remarqué
81 que celui de derrière fait bouger ce qu'il touche ?

Ce n'est pas ainsi que font les pieds des morts. »
Et mon bon guide, qui était déjà près de sa poitrine,
84 là où s'épousent les deux natures,

lui répondit : « Il est bien vivant, et seul,
et je dois lui montrer la vallée obscure ;
87 nécessité nous y amène, et non plaisir.

Pour me confier cette charge nouvelle,
quelqu'un a quitté le chant d'alléluia :
90 ce n'est pas un larron, ni moi âme voleuse.

Mais par la vertu qui fait mouvoir mes pas
à travers un chemin si sauvage,
93 donne-nous un des tiens, qui nous accompagne,

pour nous enseigner par où passer le gué,
et porter celui-ci sur sa croupe :
96 ce n'est pas un esprit qui s'en va par les airs. »

Chiron se tourna sur sa droite
et dit à Nessus : « Reviens sur tes pas, et guide-les,
99 et si une autre troupe vous arrête, écarte-la. »

Nous partîmes alors avec cette sûre escorte,
le long du bord du bouillonnement rouge,
102 là où les bouillis poussaient leurs cris.

Je vis des gens qui baignaient jusqu'aux yeux ;
le grand centaure dit : « Ceux-là sont des tyrans
105 qui s'en prirent au sang et aux biens d'autrui.

Quivi si piangon li spietati danni;
quivi è Alessandro, e Dïonisio fero
108 che fé Cicilia aver dolorosi anni.

E quella fronte c'ha 'l pel cosí nero,
è Azzolino; e quell' altro ch'è biondo,
111 è Opizzo da Esti, il qual per vero
fu spento dal figliastro sú nel mondo. »
Allor mi volsi al poeta, e quei disse :
114 « Questi ti sia or primo, e io secondo. »

Poco piú oltre il centauro s'affisse
sovr' una gente che 'nfino a la gola
117 parea che di quel bulicame uscisse.

Mostrocci un'ombra da l'un canto sola,
dicendo : « Colui fesse in grembo a Dio
120 lo cor che 'n su Tamisi ancor si cola. »

Poi vidi gente che di fuor del rio
tenean la testa e ancor tutto 'l casso;
123 e di costoro assai riconobb' io.

Cosí a piú a piú si facea basso
quel sangue, sí che cocea pur li piedi;
126 e quindi fu del fosso il nostro passo.

« Sí come tu da questa parte vedi
lo bulicame che sempre si scema »,
129 disse 'l centauro, « voglio che tu credi
che da quest' altra a piú a piú giú prema
lo fondo suo, infin ch'el si raggiunge
132 ove la tirannia convien che gema.

La divina giustizia di qua punge
quell' Attila che fu flagello in terra,
135 e Pirro e Sesto; e in etterno munge
le lagrime, che col bollor diserra,
a Rinier da Corneto, a Rinier Pazzo,
che fecero a le strade tanta guerra. »
139 Poi si rivolse e ripassossi 'l guazzo.

Ici se pleurent leurs crimes sans pitié ;
ici est Alexandre*, et Denys le féroce*
108 qui fit souffrir si longtemps la Sicile.
    Et ce front aux cheveux si noirs,
c'est Azzolino*; et cet autre tout blond,
111 Opizzo* d'Asti, qui là-haut sur la terre
    fut assassiné par son beau-fils. »
Alors je me tournai vers le poète, qui me dit :
114 « Que celui-ci te guide, je serai le second. »
    Un peu plus loin le centaure s'arrêta
devant une foule qui paraissait sortir
117 jusqu'à la gorge de ce bouillon.
    Il nous montra une ombre seule dans un coin,
et dit : « Celui-ci*, dans le giron de Dieu,
120 perça le cœur qui coule encore sur la Tamise. »
    Puis je vis des gens qui tenaient la tête
et tout le buste hors du ruisseau,
123 et de ceux-là j'en reconnus plusieurs.
    Ainsi s'abaissait le sang de plus en plus,
si bien qu'il ne cuisait plus que les pieds,
126 et ce fut là que nous franchîmes la fosse.
    « De même que tu vois de ce côté
le bouillon qui diminue sans cesse »,
129 dit le centaure, « tu dois savoir aussi
    que le lit du fleuve se creuse par là
de plus en plus, jusqu'à rejoindre
132 le lieu où la tyrannie doit gémir.
    La divine justice punit par ici
cet Attila qui fut fléau sur terre,
135 et Pyrrhus et Sextus*; et elle arrache éternellement
    des larmes, qu'elle fait couler par la cuisson
à Rinier de Corneto, et à Rinier Pazzo*,
qui firent tant de guerre sur les routes. »
139   Puis il se retourna et passa le ruisseau.

CANTO XIII

Non era ancor di là Nesso arrivato,
quando noi ci mettemmo per un bosco
3 che da neun sentiero era segnato.

Non fronda verde, ma di color fosco;
non rami schietti, ma nodosi e 'nvolti;
6 non pomi v'eran, ma stecchi con tòsco.

Non han sí aspri sterpi né sí folti
quelle fiere selvagge che 'n odio hanno
9 tra Cecina e Corneto i luoghi cólti.

Quivi le brutte Arpie lor nidi fanno,
che cacciar de le Strofade i Troiani
12 con tristo annunzio di futuro danno.

Ali hanno late, e colli e visi umani,
piè con artigli, e pennuto 'l gran ventre;
15 fanno lamenti in su li alberi strani.

E 'l buon maestro « Prima che piú entre,
sappi che se' nel secondo girone »,
18 mi cominciò a dire, « e sarai mentre
che tu verrai ne l'orribil sabbione.

Però riguarda ben; sí vederai
21 cose che torrien fede al mio sermone ».

Io sentia d'ogne parte trarre guai
e non vedea persona che 'l facesse;
24 per ch'io tutto smarrito m'arrestai.

Cred' ïo ch'ei credette ch'io credesse
che tante voci uscisser, tra quei bronchi,
27 da gente che per noi si nascondesse.

CHANT XIII

7ᵉ *cercle, 2ᵉ giron : Violents contre eux-mêmes*
— *Suicidés*, changés en arbres qui parlent et se lamentent ;
— *Dissipateurs*, déchirés par des chiennes.

La forêt des suicidés — Pier delle Vigne — Le sort des
suicidés après la mort et après le Jugement universel —
Apparition des dissipateurs — Le destin de Florence.
(Samedi saint, 9 avril 1300, vers l'aube.)

Nessus n'était pas encore sur l'autre rive,
quand nous entrâmes dans un bois
3 où nul sentier n'était tracé.

Ses feuilles n'étaient pas vertes, elles étaient sombres ;
ses branches n'étaient pas droites, mais nouées et tordues ;
6 il n'avait pas de fruits, mais des épines empoisonnées.

Les bêtes sauvages qui fuient tous les lieux cultivés
entre Cecina et Corneto*,
9 n'ont pas de fourrés si touffus ni si âpres.

Là font leurs nids les affreuses Harpies*,
qui chassèrent les Troyens des Strophades
12 avec les présages de leurs malheurs futurs.

Elles ont de larges ailes, cou et visage humains,
les pieds griffus, un grand ventre emplumé ;
15 elles se lamentent sur les arbres étranges.

Et le bon maître : « Avant que tu pénètres plus avant,
sache que tu es dans la seconde enceinte »,
18 commença-t-il, « et tu y resteras jusqu'au moment
où tu viendras dans les horribles sables.

Mais regarde bien ; car tu y verras
21 des choses qui pourraient ôter foi à mon discours. »

J'entendais partout des lamentations
et ne voyais personne qui pût les faire ;
24 aussi je m'arrêtai tout éperdu.

Je crois qu'il crut que je croyais*
que toutes les voix sortaient, entre ces branches,
27 de gens qui se cachaient à nous.

Però disse 'l maestro : « Se tu tronchi
qualche fraschetta d'una d'este piante,
30 li pensier c'hai si faran tutti monchi. »
    Allor porsi la mano un poco avante
e colsi un ramicel da un gran pruno;
33 e 'l tronco suo gridò : « Perché mi schiante? »
    Da che fatto fu poi di sangue bruno,
ricominciò a dir : « Perché mi scerpi?
36 non hai tu spirto di pietade alcuno?
    Uomini fummo, e or siam fatti sterpi :
ben dovrebb' esser la tua man piú pia,
39 se state fossimo anime di serpi. »
    Come d'un stizzo verde ch'arso sia
da l'un de' capi, che da l'altro geme
42 e cigola per vento che va via,
    sí de la scheggia rotta usciva insieme
parole e sangue; ond' io lasciai la cima
45 cadere, e stetti come l'uom che teme.
    « S'elli avesse potuto creder prima »,
rispuose 'l savio mio, « anima lesa,
48 ciò c'ha veduto pur con la mia rima,
    non averebbe in te la man distesa;
ma la cosa incredibile mi fece
51 indurlo ad ovra ch'a me stesso pesa.
    Ma dilli chi tu fosti, sí che 'n vece
d'alcun' ammenda tua fama rinfreschi
54 nel mondo sú, dove tornar li lece. »
    E 'l tronco : « Sí col dolce dir m'adeschi,
ch'i' non posso tacere; e voi non gravi
57 perch' ïo un poco a ragionar m'inveschi.
    Io son colui che tenni ambo le chiavi
del cor di Federigo, e che le volsi,
60 serrando e diserrando, sí soavi,
    che dal secreto suo quasi ogn' uom tolsi;
fede portai al glorïoso offizio,
63 tanto ch'i' ne perde' li sonni e ' polsi.
    La meretrice che mai da l'ospizio
di Cesare non torse li occhi putti,
66 morte comune e de le corti vizio,

Aussi le maître dit : « Si tu casses
une petite branche d'une de ces plantes,
30 toutes tes pensées seront tronquées. »
　　Alors je tendis un peu la main devant moi
et cueillis un rameau d'une grande ronce ;
33 son tronc cria : « Pourquoi me brises-tu ? »
　　Et quand il fut tout noir de sang,
il se remit à dire : « Pourquoi me déchires-tu ?
36 N'as-tu en toi nul esprit de pitié ?
　　Nous fûmes hommes, et nous sommes broussailles :
ta main devrait nous être plus bienveillante,
39 même si nous étions âmes de serpents. »
　　Comme un tison vert, brûlé à l'un des bouts,
qui gémit par l'autre, et qui grince
42 sous l'effet du vent qui s'échappe,
　　ainsi du bois brisé sortaient à la fois
des mots et du sang ; moi je laissai la branche
45 tomber, et restai là, saisi de crainte.
　　« S'il avait pu croire dès l'abord »,
répondit mon sage, « âme blessée,
48 ce qu'il a vu seulement dans mes vers*,
　　il n'aurait pas porté la main sur toi ;
mais la chose incroyable m'a fait l'engager
51 à une action qui me pèse à moi-même.
　　Mais dis-lui qui tu fus, pour qu'en réparation
il rafraîchisse ta mémoire
54 sur terre, là-haut, où il a droit de retourner. »
　　Et le tronc : « Tu me séduis par un dire si doux
que je ne peux me taire ; et vous, qu'il ne vous pèse
57 si je m'englue un peu dans mon récit.
　　Je suis celui* qui tenais les deux clefs
du cœur de Frédéric, et qui les manœuvrais,
60 serrant et desserrant, si doucement,
　　que j'écartai de son secret presque tout autre ;
et je fus si fidèle à ce glorieux office
63 que j'en perdis le sommeil et la force.
　　La prostituée* qui jamais ne quitta
de ses yeux sans pudeur le palais de César*,
66 mort commune, et vice des cours, ·

infiammò contra me li animi tutti;
e li 'nfiammati infiammar sí Augusto,
69 che ' lieti onor tornaro in tristi lutti.

L'animo mio, per disdegnoso gusto,
credendo col morir fuggir disdegno,
72 ingiusto fece me contra me giusto.

Per le nove radici d'esto legno
vi giuro che già mai non ruppi fede
75 al mio segnor, che fu d'onor sí degno.

E se di voi alcun nel mondo riede,
conforti la memoria mia, che giace
78 ancor del colpo che 'nvidia le diede. »

Un poco attese, e poi « Da ch'el si tace »,
disse 'l poeta a me, « non perder l'ora;
81 ma parla, e chiedi a lui, se piú ti piace ».

Ond' ïo a lui : « Domandal tu ancora
di quel che credi ch'a me satisfaccia;
84 ch'i' non potrei, tanta pietà m'accora. »

Perciò ricominciò : « Se l'om ti faccia
liberamente ciò che 'l tuo dir priega,
87 spirito incarcerato, ancor ti piaccia

di dirne come l'anima si lega
in questi nocchi; e dinne, se tu puoi,
90 s'alcuna mai di tai membra si spiega. »

Allor soffiò il tronco forte, e poi
si convertí quel vento in cotal voce :
93 « Brievemente sarà risposto a voi.

Quando si parte l'anima feroce
dal corpo ond' ella stessa s'è disvelta,
96 Minòs la manda a la settima foce.

Cade in la selva, e non l'è parte scelta;
ma là dove fortuna la balestra,
99 quivi germoglia come gran di spelta.

Surge in vermena e in pianta silvestra :
l'Arpie, pascendo poi de le sue foglie,
102 fanno dolore, e al dolor fenestra.

Come l'altre verrem per nostre spoglie,
ma non però ch'alcuna sen rivesta,
105 ché non è giusto aver ciò ch'om si toglie.

enflamma contre moi toutes les âmes,
et les enflammés enflammèrent Auguste
69 si fort qu'honneur joyeux devint triste deuil.

Mon âme, par indignation dédaigneuse,
croyant fuir le dédain par la mort,
72 contre moi, juste, me fit injuste.

Par les racines étranges de cet arbre
je jure que jamais je ne rompis la foi
75 à mon seigneur, qui fut de tout honneur si digne.

Et si l'un de vous retourne sur la terre,
qu'il défende ma mémoire, qui gît encore
78 sous le coup que lui porta Envie. »

Il attendit un peu, et puis : « Puisqu'il se tait »,
dit le poète, « ne perds donc pas de temps :
81 mais parle, et questionne-le, si cela te plaît. »

Et moi : « Demande-lui encore
ce que tu crois que j'aimerais savoir,
84 car moi je ne pourrais, tant la pitié m'afflige. »

Il reprit donc : « Que te soit accordé
de bon gré ce dont ton dire nous prive,
87 esprit emprisonné, et qu'il te plaise encore
de nous dire comment l'âme s'unit
à ces troncs noueux ; et dis-nous, si tu peux,
90 si jamais une âme est sortie de tels membres. »

Alors le tronc souffla très fort, et puis
le vent se changea en une voix qui disait :
93 « Je vous répondrai brièvement.

Quand l'âme cruelle se sépare
du corps dont elle s'est elle-même arrachée,
96 Minos* l'envoie à la septième fosse.

Elle tombe dans la forêt, sans choisir sa place,
mais au lieu où fortune la jette,
99 là elle germe comme une graminée.

Elle devient tige et plante silvestre ;
les Harpies, se paissant ensuite de ses feuilles,
102 lui font douleur, et font à la douleur fenêtre.

Nous reviendrons comme les autres
vers nos dépouilles, mais nulle ne s'en revêtira,
105 car il n'est pas juste d'avoir ce qu'on jette.

Qui le strascineremo, e per la mesta
selva saranno i nostri corpi appesi,
108 ciascuno al prun de l'ombra sua molesta. »
     Noi eravamo ancora al tronco attesi,
credendo ch'altro ne volesse dire,
111 quando noi fummo d'un romor sorpresi,
     similemente a colui che venire
sente 'l porco e la caccia a la sua posta,
114 ch'ode le bestie, e le frasche stormire.
     Ed ecco due da la sinistra costa,
nudi e graffiati, fuggendo sí forte,
117 che de la selva rompieno ogne rosta.
     Quel dinanzi : « Or accorri, accorri, morte! »
E l'altro, cui pareva tardar troppo,
120 gridava : « Lano, sí non furo accorte
     le gambe tue a le giostre dal Toppo! »
E poi che forse li fallia la lena,
123 di sé e d'un cespuglio fece un groppo.
     Di rietro a loro era la selva piena
di nere cagne, bramose e correnti
126 come veltri ch'uscisser di catena.
     In quel che s'appiattò miser li denti,
e quel dilaceraro a brano a brano;
129 poi sen portar quelle membra dolenti.
     Presemi allor la mia scorta per mano,
e menommi al cespuglio che piangea
132 per le rotture sanguinenti in vano.
     « O Iacopo », dicea, « da Santo Andrea,
che t'è giovato di me fare schermo?
135 che colpa ho io de la tua vita rea? »
     Quando 'l maestro fu sovr' esso fermo,
disse : « Chi fosti, che per tante punte
138 soffi con sangue doloroso sermo? »
     Ed elli a noi : « O anime che giunte
siete a veder lo strazio disonesto
141 c'ha le mie fronde sí da me disgiunte,
     raccoglietele al piè del tristo cesto.
I' fui de la città che nel Batista
144 mutò 'l primo padrone; ond' ei per questo

Nous les traînerons ici, et nos corps
seront pendus par la triste forêt,
108 chacun à la ronce de son ombre hargneuse. »
Nous étions encore attentifs au tronc,
croyant qu'il voulait nous dire autre chose,
111 quand nous fûmes surpris par un fracas,
comme l'est celui qui entend approcher
le sanglier, et la chasse avec lui,
114 car il entend frémir les branches, et les bêtes.
Et voici deux hommes sur la pente sinistre,
nus et griffés, fuyant si vite,
117 qu'ils cassaient toutes les ramures de la forêt.
Le premier : « O accours, accours, mort ! »
L'autre, qui se voyait aller trop lentement,
120 criait : « Lano*, elles ne furent pas si agiles
tes jambes, aux joutes du Toppo* ! »
Et comme sans doute le souffle lui manquait,
123 il fit un seul nœud de soi et d'un buisson.
Derrière eux la forêt était pleine
de chiennes courantes, noires et faméliques,
126 comme lévriers qui sortent de leurs chaînes.
Elles mirent les dents sur l'accroupi,
et le déchirèrent lambeau par lambeau ;
129 puis elles emportèrent les membres dolents.
Mon compagnon alors me prit par la main
et me conduisit au buisson qui pleurait
132 à travers les blessures qui saignaient vainement.
« O Iacopo de Saint-André », disait-il,
« à quoi t'a servi de m'avoir pour écran ?
135 Quelle faute me vient de ta vie coupable ? »
Quand mon maître se fut arrêté devant lui,
il dit : « Qui étais-tu, toi qui par tant de branches
138 souffles avec ton sang un douloureux discours ? »
Et lui* à nous : « O âmes qui venez
pour voir la souffrance barbare
141 qui m'a ainsi dépouillé de mes feuilles,
recueillez-les au pied du lugubre buisson.
Je fus de la cité* qui pour Baptiste
144 a chassé son premier patron ; et par son art

    sempre con l'arte sua la farà trista;
e se non fosse che 'n sul passo d'Arno
147 rimane ancor di lui alcuna vista,
    que' cittadin che poi la rifondarno
sovra 'l cener che d'Attila rimase,
avrebber fatto lavorare indarno.
151   Io fei gibetto a me de le mie case. »

il la rendra pour toujours malheureuse ;
et si ce n'était que sur le pont d'Arno
147 il reste encore une trace de son image,
    les citoyens qui la refondèrent par la suite
sur les cendres laissées par Attila
l'auraient fait reconstruire vainement.
154 Moi je fis un gibet de ma propre maison. »

Poi che la carità del natio loco
mi strinse, raunai le fronde sparte
3 e rende'le a colui, ch'era già fioco.
     Indi venimmo al fine ove si parte
lo secondo giron dal terzo, e dove
6 si vede di giustizia orribil arte.
     A ben manifestar le cose nove,
dico che arrivammo ad una landa
9 che dal suo letto ogne pianta rimove.
     La dolorosa selva l'è ghirlanda
intorno, come 'l fosso tristo ad essa;
12 quivi fermammo i passi a randa a randa.
     Lo spazzo era una rena arida e spessa,
non d'altra foggia fatta che colei
15 che fu da' piè di Caton già soppressa.
     O vendetta di Dio, quanto tu dei
esser temuta da ciascun che legge
18 ciò che fu manifesto a li occhi mei!
     D'anime nude vidi molte gregge
che piangean tutte assai miseramente,
21 e parea posta lor diversa legge.
     Supin giacea in terra alcuna gente,
alcuna si sedea tutta raccolta,
24 e altra andava continüamente.
     Quella che giva 'ntorno era piú molta,
e quella men che giacëa al tormento,
27 ma piú al duolo avea la lingua sciolta.

CHANT XIV

7ᵉ cercle, 3ᵉ giron : Violents contre Dieu, couchés sur le sable
sous une pluie de feu.

Le désert de sable et la pluie de flammes – Capaneo – Le
fleuve de sang – Origine des fleuves infernaux – Le vieillard
de Crète.
      (Samedi saint, 9 avril 1300, vers l'aube.)

    Ému par l'amour du pays natal,
  je rassemblai les feuilles éparses, et les rendis
3 à celui qui était déjà sans voix.
    Puis nous arrivâmes au bord où se sépare
  le second cercle du troisième, et où l'on voit
6 régner un art horrible de justice.
    Pour éclairer ces choses si étranges,
  je dis que nous arrivâmes à une terre
9 qui refuse toute plante en son lit.
    La forêt douloureuse est sa guirlande,
  comme le fossé triste à la forêt;
12 là nous nous arrêtâmes, tout près du bord.
    Le sol était un sable aride,
  épais, tout semblable à celui
15 que les pieds de Caton* foulèrent jadis.
    O vengeance de Dieu, combien tu dois
  inspirer de crainte à ceux qui lisent
18 ce qui alors apparut à mes yeux !
    Je vis plusieurs troupeaux d'âmes nues
  qui pleuraient toutes misérablement
21 et semblaient soumises à diverses lois.
    Les unes gisaient étendues sur le sol,
  d'autres étaient assises, toutes blotties,
24 et d'autres marchaient continuellement.
    Celles qui tournaient étaient les plus nombreuses,
  et moins celles qui gisaient dans leur tourment,
27 mais elles avaient la langue plus prompte aux plaintes.

Sovra tutto 'l sabbion, d'un cader lento,
piovean di foco dilatate falde,
30 come di neve in alpe sanza vento.
    Quali Alessandro in quelle parti calde
d'Indïa vide sopra 'l süo stuolo
33 fiamme cadere infino a terra salde,
    per ch'ei provide a scalpitar lo suolo
con le sue schiere, acciò che lo vapore
36 mei si stingueva mentre ch'era solo :
    tale scendeva l'etternale ardore;
onde la rena s'accendea, com' esca
39 sotto focile, a doppiar lo dolore.
    Sanza riposo mai era la tresca
de le misere mani, or quindi or quinci
42 escotendo da sé l'arsura fresca.
    I' cominciai : « Maestro, tu che vinci
tutte le cose, fuor che ' demon duri
45 ch'a l'intrar de la porta incontra uscinci,
    chi è quel grande che non par che curi
lo 'ncendio e giace dispettoso e torto,
48 sí che la pioggia non par che 'l marturi? »
    E quel medesmo, che si fu accorto
ch'io domandava il mio duca di lui,
51 gridò : « Qual io fui vivo, tal son morto.
    Se Giove stanchi 'l suo fabbro da cui
crucciato prese la folgore aguta
54 onde l'ultimo dí percosso fui;
    o s'elli stanchi li altri a muta a muta
in Mongibello a la focina negra,
57 chiamando "Buon Vulcano, aiuta, aiuta!",
    sí com' el fece a la pugna di Flegra,
e me saetti con tutta sua forza :
60 non ne potrebbe aver vendetta allegra. »
    Allora il duca mio parlò di forza
tanto, ch'i' non l'avea sí forte udito :
63 « O Capaneo, in ciò che non s'ammorza
    la tua superbia, se' tu piú punito;
nullo martiro, fuor che la tua rabbia,
66 sarebbe al tuo furor dolor compito. »

Sur tout le sable, en chute lente,
pleuvaient de grands flocons de feu,
30 comme neige sur l'alpe un jour sans vent.
　　Ainsi qu'Alexandre* dans les chaudes régions
de l'Inde vit que tombaient sur son armée
33 des flammes qui brûlaient jusqu'à terre,
　　et décida de piétiner le sol
avec ses troupes, afin que les vapeurs
36 s'éteignent mieux en restant séparées :
　　ainsi descendait cette éternelle ardeur ;
elle allumait le sable, comme amadou
39 sous pierre à feu, redoublant la douleur.
　　Et sans repos était la danse
des pauvres mains, deçà delà,
42 écartant de soi la brûlure plus fraîche.
　　Je commençai : « Maître, toi qui sais vaincre
tous les obstacles, hors les méchants démons
45 qui sortirent contre nous sur le seuil de la porte,
　　qui est ce grand* qui semble n'avoir cure
de l'incendie, et qui gît si torve et si farouche
48 que la pluie ne semble pas le tourmenter ? »
　　Mais celui-là, lorsqu'il s'aperçut
que je m'enquérais de lui à mon guide,
51 cria : « Tel je fus vivant, tel je suis mort.
　　Même si Jupiter lassait son forgeron
auquel il prit la foudre aiguë dans sa colère
54 pour me blesser à mon dernier jour,
　　ou s'il éreintait les autres tour à tour
à Montgibel* dans la forge noire,
57 en appelant : "Bon Vulcain, à l'aide, à l'aide !"
　　comme il fit à la bataille de Phlégrée*
quand il tira sur moi de toute sa force,
60 il ne pourrait jouir de sa vengeance. »
　　Alors mon guide parla si fort
que je ne l'avais pas encore entendu ainsi :
63 « O Capanée, du fait que ton orgueil
　　ne s'éteint pas, ta punition augmente ;
et nul martyre, sinon ta rage,
66 ne pourrait être égal à ta fureur. »

    Poi si rivolse a me con miglior labbia,
    dicendo : « Quei fu l'un d'i sette regi
69 ch'assiser Tebe; ed ebbe e par ch'elli abbia
    Dio in disdegno, e poco par che 'l pregi;
    ma, com' io dissi lui, li suoi dispetti
72 sono al suo petto assai debiti fregi.
    Or mi vien dietro, e guarda che non metti,
    ancor, li piedi ne la rena arsiccia;
75 ma sempre al bosco tien li piedi stretti. »
    Tacendo divenimmo là 've spiccia
    fuor de la selva un picciol fiumicello,
78 lo cui rossore ancor mi raccapriccia.
    Quale del Bulicame esce ruscello
    che parton poi tra lor le peccatrici,
81 tal per la rena giú sen giva quello.
    Lo fondo suo e ambo le pendici
    fatt' era 'n pietra, e ' margini dallato;
84 per ch'io m'accorsi che 'l passo era lici.
    « Tra tutto l'altro ch'i' t'ho dimostrato,
    poscia che noi intrammo per la porta
87 lo cui sogliare a nessuno è negato,
    cosa non fu da li tuoi occhi scorta
    notabile com' è 'l presente rio,
90 che sovra sé tutte fiammelle ammorta. »
    Queste parole fuor del duca mio;
    per ch'io 'l pregai che mi largisse 'l pasto
93 di cui largito m'avëa il disio.
    « In mezzo mar siede un paese guasto »,
    diss' elli allora, « che s'appella Creta,
96 sotto 'l cui rege fu già 'l mondo casto.
    Una montagna v'è che già fu lieta
    d'acqua e di fronde, che si chiamò Ida;
99 or è diserta come cosa vieta.
    Rëa la scelse già per cuna fida
    del suo figliuolo, e per celarlo meglio,
102 quando piangea, vi facea far le grida.
    Dentro dal monte sta dritto un gran veglio,
    che tien volte le spalle inver' Dammiata
105 e Roma guarda come süo speglio.

Puis il se retourna vers moi d'un air plus doux,
et dit : « Il fut l'un des sept rois
69 qui assiégèrent Thèbes ; il eut et semble encore
avoir Dieu en mépris, et en petite estime,
mais ses affronts, comme je lui ai dit,
72 sont une parure qui convient à son cœur.

A présent suis-moi, et garde-toi encore
de mettre les pieds dans le sable brûlant ;
75 garde toujours tes pas du côté du bois. »

Sans parler nous parvînmes en un lieu où jaillit
hors de la forêt une mince rivière*,
78 dont la rougeur me fait encore trembler.

Tel ce ruisseau qui sort du Bulicame*
et que les courtisanes se partagent ensuite,
81 tel celui-ci s'en allait dans les sables.

Le fond du lit et les deux berges
étaient de pierre, comme les côtés ;
84 je compris ainsi que le passage était par là.

« Dans toutes les choses que je t'ai montrées,
depuis que nous avons franchi la porte
87 dont l'entrée ne se nie à personne,

tes yeux n'ont rien vu jusqu'ici
de comparable à ce cours d'eau
90 qui éteint sur soi* toutes les flammes. »

Ainsi parla mon guide ; aussi je le priai
de m'accorder cette nourriture
93 dont il m'avait donné le désir.

« Au milieu de la mer est un pays détruit »,
dit-il alors, « qui s'appelle Crète,
96 et sous son roi le monde jadis fut innocent.

Une montagne s'y trouve, autrefois riante
d'eaux et de plantes, qui avait nom Ida,
99 déserte à présent, comme chose passée.

Rhéa* la choisit autrefois pour berceau
de son enfant, et pour mieux le cacher
102 quand il pleurait, elle y faisait pousser des cris.

Debout dans la montagne est un grand vieillard*,
qui tourne le dos à Damiette*
105 et regarde Rome, comme son miroir.

La sua testa è di fin oro formata,
e puro argento son le braccia e 'l petto,
108 poi è di rame infino a la forcata;
da indi in giuso è tutto ferro eletto,
salvo che 'l destro piede è terra cotta;
111 e sta 'n su quel, piú che 'n su l'altro, eretto.
Ciascuna parte, fuor che l'oro, è rotta
d'una fessura che lagrime goccia,
114 le quali, accolte, fóran quella grotta.
Lor corso in questa valle si diroccia;
fanno Acheronte, Stige e Flegetonta;
117 poi sen van giú per questa stretta doccia,
infin, là ove piú non si dismonta,
fanno Cocito; e qual sia quello stagno
120 tu lo vedrai, però qui non si conta. »
E io a lui : « Se 'l presente rigagno
si diriva cosí dal nostro mondo,
123 perché ci appar pur a questo vivagno? »
Ed elli a me : « Tu sai che 'l loco è tondo;
e tutto che tu sie venuto molto,
126 pur a sinistra, giú calando al fondo,
non se' ancor per tutto 'l cerchio vòlto;
per che, se cosa n'apparisce nova,
129 non de' addur maraviglia al tuo volto. »
E io ancor : « Maestro, ove si trova
Flegetonta e Letè? ché de l'un taci,
132 e l'altro di' che si fa d'esta piova. »
« In tutte tue question certo mi piaci »,
rispuose, « ma 'l bollor de l'acqua rossa
135 dovea ben solver l'una che tu faci.
Letè vedrai, ma fuor di questa fossa,
là dove vanno l'anime a lavarsi
138 quando la colpa pentuta è rimossa. »
Poi disse : « Omai è tempo da scostarsi
dal bosco; fa che di retro a me vegne :
li margini fan via, che non son arsi,
142 e sopra loro ogne vapor si spegne. »

Sa tête est façonnée d'or fin*,
ses bras et sa poitrine sont en pur argent,
108 puis il est de bronze jusqu'à la fourche ;
de là jusqu'en bas il est de fer trempé,
sinon que son pied droit est de terre cuite ;
111 et il s'appuie* sur celui-là plus que sur l'autre.
Chaque partie, à part l'or, est percée
d'une blessure par où coulent des larmes*,
114 lesquelles, en s'amassant, trouent cette grotte.
Leur cours descend de roche en roche dans la vallée ;
elles forment l'Achéron, le Styx, le Phlégéton ;
117 puis elles s'en vont en bas par un étroit canal,
jusqu'à ce point d'où on ne descend plus,
elles font le Cocyte* ; et quel est cet étang,
120 tu le verras, n'en parlons pas ici. »
Et moi à lui : « Si le présent ruisseau
dérive ainsi de notre monde,
123 pourquoi le voit-on seulement sur ces bords ? »
Et lui à moi : « Tu sais que cet espace est rond,
et bien que tu aies fait déjà un long chemin,
126 prenant toujours à gauche, dans la descente,
tu n'as pas encore fait tout le tour du cercle ;
si donc nous apparaît une chose nouvelle,
129 elle ne doit pas frapper tes yeux d'étonnement. »
Et moi, encore : « Maître, où se trouvent donc
Phlégéton et Léthé ? de l'un tu ne parles pas,
132 et de l'autre tu dis qu'il est fait de cette pluie. »
« En toutes tes questions, certes, tu me plais »,
répondit-il, « mais le bouillonnement de l'eau rouge
135 devait résoudre une de celles que tu poses.
Tu verras Léthé*, mais hors de cette fosse,
là où vont les âmes pour se laver,
138 quand la faute s'efface par repentir. »
Puis il dit : « Il est temps à présent
de s'éloigner du bois ; viens derrière moi,
les bords qui ne sont pas brûlés font une route,
142 et sur eux toute flamme s'éteint. »

CANTO XV

Ora cen porta l'un de' duri margini;
e 'l fummo del ruscel di sopra aduggia,
3 sí che dal foco salva l'acqua e li argini.
    Quali Fiamminghi tra Guizzante e Bruggia,
temendo 'l fiotto che 'nver' lor s'avventa,
6 fanno lo schermo perché 'l mar si fuggia;
    e quali Padoan lungo la Brenta,
per difender lor ville e lor castelli,
9 anzi che Carentana il caldo senta :
    a tale imagine eran fatti quelli,
tutto che né sí alti né sí grossi,
12 qual che si fosse, lo maestro félli.
    Già eravam da la selva rimossi
tanto, ch'i' non avrei visto dov' era,
15 perch' io in dietro rivolto mi fossi,
    quando incontrammo d'anime una schiera
che venian lungo l'argine, e ciascuna
18 ci riguardava come suol da sera
    guardare uno altro sotto nuova luna;
e sí ver' noi aguzzavan le ciglia
21 come 'l vecchio sartor fa ne la cruna.
    Cosí adocchiato da cotal famiglia,
fui conosciuto da un, che mi prese
24 per lo lembo e gridò : « Qual maraviglia! »
    E io, quando 'l suo braccio a me distese,
ficcaï li occhi per lo cotto aspetto,
27 sí che 'l viso abbrusciato non difese

CHANT XV

7ᵉ cercle, 3ᵉ giron : Violents contre la Nature (Sodomites); ils courent sous la pluie de feu.

La première troupe des sodomites — Rencontre avec Brunetto Latini — Florence et le destin de Dante — Quelques clercs célèbres.

(Samedi saint, 9 avril 1300, à l'aube.)

A présent nous porte une des dures berges
et la brume du ruisseau la recouvre,
3 sauvant ainsi du feu l'eau et ses bords.
   Comme les Flamands entre Wissaut et Bruges,
craignant le flot qui s'élance contre eux
6 font un rempart pour que la mer s'en aille;
   et comme les Padouans le long de la Brenta
pour défendre leurs villes et leurs châteaux
9 avant que la chaleur touche la Carinthie;
   ainsi, à telle image, étaient ces remparts-ci
sinon que l'architecte, quel qu'il fût*,
12 ne les avait faits ni si hauts ni si grands.
   Nous étions déjà si loin de la forêt
que je n'aurais pu voir où elle était
15 en me retournant vers l'arrière,
   quand nous rencontrâmes une foule d'ombres
qui s'en venaient près de la rive, et chacune
18 nous regardait ainsi que font le soir
   ceux qui se croisent à la nouvelle lune;
elles clignaient des yeux vers nous
21 comme le vieux tailleur au chas de son aiguille.
   Regardé ainsi par semblable famille,
je fus reconnu par l'un d'eux, qui me prit
24 par le pan de ma robe et cria : « Merveille! »
   Et moi, quand il tendit le bras,
je fixai mes regards sur sa figure cuite,
27 si fort que le visage brûlé n'empêcha pas

    la conoscenza süa al mio 'ntelletto;
    e chinando la mano a la sua faccia,
30 rispuosi : « Siete voi qui, ser Brunetto? »
    E quelli : « O figliuol mio, non ti dispiaccia
    se Brunetto Latino un poco teco
33 ritorna 'n dietro e lascia andar la traccia. »
    I' dissi lui : « Quanto posso, ven preco;
    e se volete che con voi m'asseggia,
36 faròl, se piace a costui che vo seco. »
    « O figliuol », disse, « qual di questa greggia
    s'arresta punto, giace poi cent' anni
39 sanz' arrostarsi quando 'l foco il feggia.
    Però va oltre : i' ti verrò a' panni;
    e poi rigiugnerò la mia masnada,
42 che va piangendo i suoi etterni danni. »
    Io non osava scender de la strada
    per andar par di lui; ma 'l capo chino
45 tenea com' uom che reverente vada.
    El cominciò : « Qual fortuna o destino
    anzi l'ultimo dí qua giú ti mena?
48 e chi è questi che mostra 'l cammino? »
    « Là sú di sopra, in la vita serena »,
    rispuos' io lui, « mi smarri' in una valle,
51 avanti che l'età mia fosse piena.
    Pur ier mattina le volsi le spalle :
    questi m'apparve, tornand' ïo in quella,
54 e reducemi a ca per questo calle. »
    Ed elli a me : « Se tu segui tua stella,
    non puoi fallire a glorïoso porto,
57 se ben m'accorsi ne la vita bella;
    e s'io non fossi sí per tempo morto,
    veggendo il cielo a te cosí benigno,
60 dato t'avrei a l'opera conforto.
    Ma quello ingrato popolo maligno
    che discese di Fiesole *ab* antico,
63 e tiene ancor del monte e del macigno,
    ti si farà, per tuo ben far, nimico;
    ed è ragion, ché tra li lazzi sorbi
66 si disconvien fruttare al dolce fico.

à mon esprit de le connaître;
et tendant la main vers sa face,
30 je répondis : « Est-ce vous ici, ser Brunetto* ? »
Et lui : « O mon fils, qu'il ne te déplaise
si Brunetto Latino retourne sur ses pas
33 un peu avec toi, et laisse aller la file. »
Je lui dis : « Je vous en prie tant que je peux,
et si vous voulez que je m'assoie auprès de vous,
36 je le ferai, s'il plaît à celui-ci que j'accompagne. »
« O fils », dit-il, « quiconque s'arrête un peu
dans ce troupeau gît ensuite pour cent ans
39 sans pouvoir s'abriter quand le feu le blesse.
Poursuis donc ta route : moi j'irai sur tes pas;
et puis je rejoindrai ma compagnie
42 qui va pleurant ses peines éternelles. »
Je n'osais pas descendre de la berge
pour aller près de lui; mais je tenais la tête
45 baissée, comme qui chemine avec respect.
Il commença : « Quelle fortune, ou quel destin
t'amène ici avant ton dernier jour?
48 et qui est celui-ci qui te mène ici-bas ? »
« Là-haut sur terre, dans la vie sereine »,
lui répondis-je, « je me perdis dans une vallée,
51 avant que mon âge fût à sa plénitude.
Hier matin seulement je lui tournai le dos :
celui-ci m'apparut, comme j'y retombais,
54 et me ramène chez moi par ces voies-ci. »
Et lui à moi : « Si tu suis ton étoile,
tu ne pourras faillir au port glorieux,
57 si j'ai bien vu dans la belle vie :
et si je n'étais pas mort trop tôt,
voyant le ciel t'être si bienveillant,
60 je t'aurais aidé dans ton ouvrage.
Mais ce peuple ingrat et méchant*
qui descendit de Fiesole autrefois,
63 et qui tient encore du mont et du rocher,
sera ton ennemi, pour tes bonnes actions;
et c'est justice : parmi les âpres sorbiers
66 le doux figuier ne peut donner de fruits.

Vecchia fama nel mondo li chiama orbi;
gent' è avara, invidiosa e superba :
69 dai lor costumi fa che tu ti forbi.

La tua fortuna tanto onor ti serba,
che l'una parte e l'altra avranno fame
72 di te; ma lungi fia dal becco l'erba.

Faccian le bestie fiesolane strame
di lor medesme, e non tocchin la pianta,
75 s'alcuna surge ancora in lor letame,

in cui riviva la sementa santa
di que' Roman che vi rimaser quando
78 fu fatto il nido di malizia tanta. »

« Se fosse tutto pieno il mio dimando »,
rispuos' io lui, « voi non sareste ancora
81 de l'umana natura posto in bando;

ché 'n la mente m'è fitta, e or m'accora,
la cara e buona imagine paterna
84 di voi quando nel mondo ad ora ad ora

m'insegnavate come l'uom s'etterna :
e quant' io l'abbia in grado, mentr' io vivo
87 convien che ne la mia lingua si scerna.

Ciò che narrate di mio corso scrivo,
e serbolo a chiosar con altro testo
90 a donna che saprà, s'a lei arrivo.

Tanto vogl' io che vi sia manifesto,
pur che mia coscïenza non mi garra,
93 ch'a la Fortuna, come vuol, son presto.

Non è nuova a li orecchi miei tal arra :
però giri Fortuna la sua rota
96 come le piace, e 'l villan la sua marra. »

Lo mio maestro allora in su la gota
destra si volse in dietro e riguardommi;
99 poi disse : « Bene ascolta chi la nota. »

Né per tanto di men parlando vommi
con ser Brunetto, e dimando chi sono
102 li suoi compagni piú noti e piú sommi.

Ed elli a me : « Saper d'alcuno è buono;
de li altri fia laudabile tacerci,
105 ché 'l tempo saria corto a tanto suono.

Un ancien dicton sur terre les nomme aveugles ;
c'est gent avare, envieuse, orgueilleuse ;
69 fais que leurs mœurs ne t'atteignent pas.

Ta fortune te prépare tant d'honneur
que les deux partis auront faim de toi* ;
72 mais il y aura loin du bec à l'herbe.

Que les bêtes fiesolanes fassent litière
d'elles-mêmes et ne touchent pas la plante,
75 si quelqu'une pousse encore dans leur fumier,

en qui revit la semence sacrée
de ces Romains qui y restèrent
78 lorsque tant de malice vint s'y loger. »

« Si ma demande était comblée »,
lui répondis-je, « vous ne seriez pas encore
81 mis au ban de la vie humaine ;

car dans ma mémoire est gravée, et me navre à présent,
la chère et bonne image paternelle
84 de vous quand sur la terre vous m'enseigniez

heure après heure comment l'homme se rend éternel ;
quel gré je vous en sais, durant toute ma vie,
87 il faut que dans ma langue on le discerne.

Ce que vous avez dit de mon sort, je l'écris ;
et je le garde à commenter avec un autre texte
90 pour celle* qui saura lire, si je vais jusqu'à elle.

Je veux seulement qu'il vous soit clair,
pour que ma conscience ne me remorde pas,
93 que pour la fortune, comme elle veut, je suis prêt.

Telle prédiction n'est pas nouvelle à mon oreille :
mais que Fortune tourne sa roue
96 comme il lui plaît, et le vilain sa pelle. »

Mon maître alors se retourna
vers le côté droit, me regarda,
99 et dit : « Bon entendeur qui comprend bien. »

Cependant je m'en vais en causant
avec ser Brunetto, lui demandant qui sont
102 ses compagnons les plus connus et les plus grands.

Et lui à moi : « Il est bon d'en connaître certains ;
et sur les autres il vaudra mieux se taire :
105 le temps serait trop court pour tant de noms.

In somma sappi che tutti fur cherci
e litterati grandi e di gran fama,
108 d'un peccato medesmo al mondo lerci.

Priscian sen va con quella turba grama,
e Francesco d'Accorso anche; e vedervi,
111 s'avessi avuto di tal tigna brama,

colui potei che dal servo de' servi
fu trasmutato d'Arno in Bacchiglione,
114 dove lasciò li mal protesi nervi.

Di piú direi; ma 'l venire e 'l sermone
piú lungo esser non può, però ch'i' veggio
117 là surger nuovo fummo del sabbione.

Gente vien con la quale esser non deggio.
Sieti raccomandato il mio Tesoro,
120 nel qual io vivo ancora, e piú non cheggio. »

Poi si rivolse, e parve di coloro
che corrono a Verona il drappo verde
per la campagna; e parve di costoro
124 quelli che vince, non colui che perde.

Sache en un mot qu'ils furent tous clercs
et grands lettrés, de grand renom,
108 et tous souillés sur terre d'un même péché.

Priscien* s'en va avec cette pauvre troupe,
et avec Francesco d'Accorso*; et tu pouvais y voir,
111 si tu avais envie d'une pareille teigne,

celui* qui par le serviteur des serviteurs*
fut transporté d'Arno en Bacchiglione,
114 où il laissa ses nerfs trop mal tendus*.

Je parlerais encore; mais je ne puis aller
ni parler longuement; là-bas je vois déjà
117 une fumée nouvelle surgir du sable.

D'autres gens viennent, avec qui je ne dois pas être.
Je te recommande mon Trésor*,
120 en qui je vis encore, et ne veux rien de plus. »

Puis il se retourna, et sembla l'un de ceux
qui à Vérone, par la campagne,
courent le drap vert*; et, parmi eux, il sembla
124 celui qui gagne, non celui qui perd.

Già era in loco onde s'udia 'l rimbombo
de l'acqua che cadea ne l'altro giro,
3 simile a quel che l'arnie fanno rombo,

quando tre ombre insieme si partiro,
correndo, d'una torma che passava
6 sotto la pioggia de l'aspro martiro.

Venian ver' noi, e ciascuna gridava :
« Sòstati tu ch'a l'abito ne sembri
9 essere alcun di nostra terra prava. »

Ahimè, che piaghe vidi ne' lor membri,
ricenti e vecchie, da le fiamme incese!
12 Ancor men duol pur ch'i' me ne rimembri.

A le lor grida il mio dottor s'attese;
volse 'l viso ver' me, e « Or aspetta »,
15 disse, « a costor si vuole esser cortese.

E se non fosse il foco che saetta
la natura del loco, i' dicerei
18 che meglio stesse a te che a lor la fretta ».

Ricominciar, come noi restammo, ei
l'antico verso; e quando a noi fuor giunti,
21 fenno una rota di sé tutti e trei.

Qual sogliono i campion far nudi e unti,
avvisando lor presa e lor vantaggio,
24 prima che sien tra lor battuti e punti,

cosí rotando, ciascuno il visaggio
drizzava a me, sí che 'n contraro il collo
27 faceva ai piè continüo vïaggio.

CHANT XVI

7ᵉ cercle, 3ᵉ giron : Violents contre la Nature (Sodomites).

Colloque avec trois Florentins — Décadence de la ville — La corde de Dante et l'arrivée de Géryon.
(Samedi saint, 9 avril 1300, à l'aube.)

J'étais déjà là où s'entendait le bruit
de l'eau qui tombait dans l'autre cercle,
3 pareil au bourdonnement que font les ruches,
    quand trois ombres s'échappèrent ensemble
en courant, d'une foule qui passait
6 sous la pluie de l'âpre martyre.

    Et chacune criait, en venant vers nous :
« Attends, toi qui parais à ton habit
9 être quelqu'un de notre terre impure. »
    Hélas que de plaies je vis sur leurs corps,
anciennes et récentes, inscrites par les flammes !
12 J'en souffre encore, lorsque je m'en souviens.

    A leurs cris mon docteur s'arrêta ;
il tourna son visage, et : « Attends un peu »,
15 dit-il, « il faut être courtois envers eux.
    Et si ce n'était le feu que jette
la nature du lieu, je dirais que la hâte
18 conviendrait mieux à toi qu'à eux. »

    Ils reprirent, quand nous nous arrêtâmes,
leur plainte ; et quand ils furent auprès de nous,
21 ils firent tous trois une roue d'eux-mêmes.
    Comme on voit les lutteurs nus et frottés d'huile,
quand ils cherchent leur prise et leur avantage,
24 avant de se combattre et de se blesser,
    ainsi, tout en tournant, chacun dressait la face
vers moi, si bien qu'à chaque fois leur cou
27 faisait un voyage opposé à leurs pieds.

    E « Se miseria d'esto loco sollo
rende in dispetto noi e nostri prieghi »,
30 cominciò l'uno, « e 'l tinto aspetto e brollo,
    la fama nostra il tuo animo pieghi
a dirne chi tu se', che i vivi piedi
33 cosí sicuro per lo 'nferno freghi.

    Questi, l'orme di cui pestar mi vedi,
tutto che nudo e dipelato vada,
36 fu di grado maggior che tu non credi :
    nepote fu de la buona Gualdrada;
Guido Guerra ebbe nome, e in sua vita
39 fece col senno assai e con la spada.

    L'altro, ch'appresso me la rena trita,
è Tegghiaio Aldobrandi, la cui voce
42 nel mondo sú dovria esser gradita.

    E io, che posto son con loro in croce,
Iacopo Rusticucci fui, e certo
45 la fiera moglie piú ch'altro mi nuoce ».

    S'i' fossi stato dal foco coperto,
gittato mi sarei tra lor di sotto,
48 e credo che 'l dottor l'avria sofferto;
    ma perch' io mi sarei brusciato e cotto,
vinse paura la mia buona voglia
51 che di loro abbracciar mi facea ghiotto.

    Poi cominciai : « Non dispetto, ma doglia
la vostra condizion dentro mi fisse,
54 tanta che tardi tutta si dispoglia,
    tosto che questo mio segnor mi disse
parole per le quali i' mi pensai
57 che qual voi siete, tal gente venisse.

    Di vostra terra sono, e sempre mai
l'ovra di voi e li onorati nomi
60 con affezion ritrassi e ascoltai.

    Lascio lo fele e vo per dolci pomi
promessi a me per lo verace duca;
63 ma 'nfino al centro pria convien ch'i' tomi. »

    « Se lungamente l'anima conduca
le membra tue », rispuose quelli ancora,
66 « e se la fama tua dopo te luca,

« Si la misère de ce lieu ensablé
te fait mépriser et nous et nos prières »,
30 dit l'un, « et nos visages noirs et pelés,
    que notre renommée incline ton âme
    à nous dire qui tu es, toi qui si tranquille
33 poses tes pieds vivants sur le sol d'enfer.
    Celui-ci, dont tu me vois suivre les pas,
    bien qu'il aille tout nu et tout écorché,
36 était d'un rang plus haut que tu ne crois :
    il fut petit-fils de la bonne Gualdrada*;
    il s'appelait Guido Guerra*, et dans sa vie
39 il fit des prouesses de sagesse et d'épée.
    L'autre, qui presse le sable derrière moi,
    est Tegghiaio Aldobrandi*, dont la voix
42 aurait dû être entendue là-haut sur terre.
    Et moi, qui me suis mis avec eux sur la croix,
    je suis Jacopo Rusticucci*, et sans doute
45 plus que tout m'a perdu ma cruelle épouse. »
    Si j'avais été à l'abri du feu,
    je me serais jeté à côté d'eux;
48 je crois que mon docteur l'aurait permis;
    mais comme je m'y serais brûlé et cuit,
    la peur vainquit la bonne envie
51 qui me donnait désir de les embrasser.
    « Ce n'est pas mépris, mais souffrance »,
    lui dis-je, « que votre condition a gravé en moi,
54 telle qu'elle tardera longtemps à s'éteindre,
    depuis que mon seigneur que voici m'a dit
    des paroles qui m'ont fait penser que venaient
57 par ici des gens tels que vous êtes.
    Je suis de votre terre, et depuis toujours
    j'ai répété et écouté avec amour
60 vos actions et vos noms honorés.
    Je laisse le fiel et vais vers les doux fruits
    que m'a promis mon guide véridique;
63 mais il faut d'abord que j'aille jusqu'au fond. »
    Il répondit : « Puisse ton âme
    conduire longtemps encore tes membres,
66 et puisse ton renom luire après toi,

cortesia e valor dí se dimora
ne la nostra città sí come suole,
69 o se del tutto se n'è gita fora;
    ché Guiglielmo Borsiere, il qual si duole
con noi per poco e va là coi compagni,
72 assai ne cruccia con le sue parole. »
    « La gente nuova e i súbiti guadagni
orgoglio e dismisura han generata,
75 Fiorenza, in te, sí che tu già ten piagni. »
    Cosí gridai con la faccia levata;
e i tre, che ciò inteser per risposta,
78 guardar l'un l'altro com' al ver si guata.
    « Se l'altre volte sí poco ti costa »,
rispuoser tutti, « il satisfare altrui,
81 felice te se sí parli a tua posta!
    Però, se campi d'esti luoghi bui
e torni a riveder le belle stelle,
84 quando ti gioverà dicere "I' fui",
    fa che di noi a la gente favelle. »
Indi rupper la rota, e a fuggirsi
87 ali sembiar le gambe loro isnelle.
    Un amen non saria possuto dirsi
tosto cosí com' e' fuoro spariti;
90 per ch'al maestro parve di partirsi.
    Io lo seguiva, e poco eravam iti,
che 'l suon de l'acqua n'era sí vicino,
93 che per parlar saremmo a pena uditi.
    Come quel fiume c'ha proprio cammino
prima dal Monte Viso 'nver' levante,
96 da la sinistra costa d'Apennino,
    che si chiama Acquacheta suso, avante
che si divalli giú nel basso letto,
99 e a Forlí di quel nome è vacante,
    rimbomba là sovra San Benedetto
de l'Alpe per cadere ad una scesa
102 ove dovea per mille esser recetto;
    cosí, giú d'una ripa discoscesa,
trovammo risonar quell' acqua tinta,
105 sí che 'n poc' ora avria l'orecchia offesa.

    mais dis-nous si la courtoisie et la valeur
    demeurent dans notre ville comme autrefois,
69 ou si elles en sont à jamais disparues ;
    car Guglielmo Borsiere*, qui se lamente
    depuis peu avec nous et va dans notre bande,
72 nous tourmente fort par ses propos. »
    « La gent nouvelle et les gains trop soudains
    ont engendré orgueil et démesure,
75 Florence, en toi, et déjà tu en pleures. »
    Je criai ainsi, le visage levé,
    et les trois qui entendirent ma réponse
78 se regardèrent entre eux comme on regarde au vrai.
    « Si à chaque fois il t'en coûte aussi peu
    de satisfaire autrui », répondirent-ils,
81 « heureux es-tu d'avoir ce franc-parler !
    Mais si tu sors un jour de ces lieux obscurs
    et retournes voir les belles étoiles,
84 lorsqu'il te plaira de dire : "J'y fus",
    fais que les vivants aient souvenir de nous. »
    Puis ils rompirent le cercle, et dans la fuite
87 leurs jambes agiles semblèrent des ailes.
    Jamais un amen n'aurait pu se dire
    à la vitesse qu'ils mirent à disparaître ;
90 alors il parut bon au maître de partir.
    Je le suivais ; nous n'avions fait que quelques pas
    quand le bruit de l'eau nous devint si proche
93 que nous aurions eu peine à entendre nos voix.
    Comme le fleuve qui suit son propre cours
    avant le mont Viso, vers le levant,
96 sur le flanc gauche de l'Apennin,
    et qui en haut s'appelle Acquacheta*
    avant de dévaler dans son lit inférieur,
99 mais qui à Forli n'a déjà plus ce nom,
    et retentit là-bas vers san Benedetto,
    pour tomber de l'Alpe en une cascade
102 dans un lieu où mille pourraient trouver place,
    ainsi, en contrebas d'un rocher abrupt,
    nous trouvâmes résonner cette eau obscure,
105 qui aurait blessé l'oreille en peu de temps.

Io avea una corda intorno cinta,
e con essa pensai alcuna volta
108 prender la lonza a la pelle dipinta.

Poscia ch'io l'ebbi tutta da me sciolta,
sí come 'l duca m'avea comandato,
111 porsila a lui aggroppata e ravvolta.

Ond' ei si volse inver' lo destro lato,
e alquanto di lunge da la sponda
114 la gittò giuso in quell' alto burrato.

« E' pur convien che novità risponda »,
dicea fra me medesmo, « al novo cenno
117 che 'l maestro con l'occhio sí seconda. »

Ahi quanto cauti li uomini esser dienno
presso a color che non veggion pur l'ovra,
120 ma per entro i pensier miran col senno!

El disse a me : « Tosto verrà di sovra
ciò ch'io attendo e che il tuo pensier sogna;
123 tosto convien ch'al tuo viso si scovra. »

Sempre a quel ver c'ha faccia di menzogna
de' l'uom chiuder le labbra fin ch'el puote,
126 però che sanza colpa fa vergogna;

ma qui tacer nol posso; e per le note
di questa comedía, lettor, ti giuro,
129 s'elle non sien di lunga grazia vòte,

ch'i' vidi per quell' aere grosso e scuro
venir notando una figura in suso,
132 maravigliosa ad ogne cor sicuro,

sí come torna colui che va giuso
talora a solver l'àncora ch'aggrappa
o scoglio o altro che nel mare è chiuso,
136 che 'n sú si stende e da piè si rattrappa.

J'avais une corde* autour de la ceinture,
avec laquelle je pensai un moment
108 prendre la panthère à la peau tachetée.

Lorsque je l'eus dénouée tout entière
comme mon guide me l'avait commandé,
111 je la lui tendis rassemblée et roulée.

Alors il se tourna vers le côté droit,
et un peu loin encore de la berge,
114 il la jeta dans le ravin profond.

« Il faut pourtant qu'une chose étrange réponde »,
me disais-je en moi-même, « à ce signal étrange
117 que mon maître suit ainsi du regard. »

Ah comme les hommes doivent être prudents
auprès de ceux qui voient plus que les actes,
120 et dont l'esprit pénètre les pensées !

« Bientôt », dit-il, « parviendra jusqu'en haut
ce que j'attends et que ton esprit songe ;
123 il faudra bientôt qu'il se montre à ta vue. »

En face du vrai qui a visage de mensonge,
l'homme doit fermer la bouche autant qu'il peut,
126 car sans avoir de faute il peut se faire honte ;

mais je ne puis le taire ici ; et sur les vers
de cette comédie, mon lecteur, je te jure
129 — puissent-ils avoir longue faveur —

que je vis par l'air lourd et obscur
monter en nageant vers nous une figure
132 stupéfiante à voir pour tout cœur vaillant ;

elle allait comme revient celui qui plonge
pour libérer l'ancre accrochée
à quelque rocher caché dans la mer,

136   et se tend vers le haut en repliant les jambes.

« Ecco la fiera con la coda aguzza,
che passa i monti e rompe i muri e l'armi!
3 Ecco colei che tutto 'l mondo appuzza! »
    Sí cominciò lo mio duca a parlarmi;
e accennolle che venisse a proda,
6 vicino al fin d'i passeggiati marmi.
    E quella sozza imagine di froda
sen venne, e arrivò la testa e 'l busto,
9 ma 'n su la riva non trasse la coda.
    La faccia sua era faccia d'uom giusto,
tanto benigna avea di fuor la pelle,
12 e d'un serpente tutto l'altro fusto;
    due branche avea pilose insin l'ascelle;
lo dosso e 'l petto e ambedue le coste
15 dipinti avea di nodi e di rotelle.
    Con piú color, sommesse e sovraposte
non fer mai drappi Tartari né Turchi,
18 né fuor tai tele per Aragne imposte.
    Come talvolta stanno a riva i burchi,
che parte sono in acqua e parte in terra,
21 e come là tra li Tedeschi lurchi
    lo bivero s'assetta a far sua guerra,
cosí la fiera pessima si stava
24 su l'orlo ch'è di pietra e 'l sabbion serra.
    Nel vano tutta sua coda guizzava,
torcendo in sú la venenosa forca
27 ch'a guisa di scorpion la punta armava.

CHANT XVII

7ᵉ cercle, 3ᵉ giron : Violents contre l'Art (Usuriers) ; assis sous la
pluie de feu avec leurs armoiries pendues au cou.

Le démon Géryon — Dante seul va voir les usuriers —
Descente dans le gouffre sur la croupe de Géryon.
(Samedi saint, 9 avril 1300, à l'aube.)

« Voici venir la bête* à la queue aiguë,
qui passe les monts, qui brise armes et murs*,
3 voici celle qui infecte le monde ! »
Ainsi se mit mon guide à me parler ;
puis il lui fit signe de venir vers la berge,
6 près du bord des rochers où nous marchions.
Et cette hideuse image de fraude
s'en vint et hissa la tête avec le buste,
9 mais sans traîner sa queue jusqu'à la berge.
Sa face était celle d'un homme juste,
tant elle avait l'apparence bénigne,
12 et le reste du corps était d'un serpent ;
elle avait deux pattes velues jusqu'aux aisselles ;
le dos et la poitrine et les deux flancs
15 étaient peints de nœuds et de roues.
Jamais Turcs ni Tartares* ne firent d'étoffes
ou tissées ou brodées de plus vives couleurs,
18 et jamais Arachné* n'en tissa de semblables.
Comme parfois sont amarrées les barques
qui sont moitié dans l'eau et moitié à terre,
21 et comme là-bas chez les Germains gloutons
le castor s'installe pour faire sa guerre,
ainsi se tenait la détestable bête
24 sur le bord de pierre qui entoure le sable.
Toute sa queue s'agitait dans le vide,
en tordant vers le haut la fourche vénéneuse
27 qui en armait la pointe comme d'un scorpion

Lo duca disse : « Or convien che si torca
la nostra via un poco insino a quella
30 bestia malvagia che colà si corca. »

Però scendemmo a la destra mammella,
e diece passi femmo in su lo stremo,
33 per ben cessar la rena e la fiammella.

E quando noi a lei venuti semo,
poco piú oltre veggio in su la rena
36 gente seder propinqua al loco scemo.

Quivi 'l maestro « Acciò che tutta piena
esperïenza d'esto giron porti »,
39 mi disse, « va, e vedi la lor mena.

Li tuoi ragionamenti sian là corti;
mentre che torni, parlerò con questa,
42 che ne conceda i suoi omeri forti ».

Cosí ancor su per la strema testa
di quel settimo cerchio tutto solo
45 andai, dove sedea la gente mesta.

Per li occhi fora scoppiava lor duolo;
di qua, di là soccorrien con le mani
48 quando a' vapori, e quando al caldo suolo :

non altrimenti fan di state i cani
or col ceffo or col piè, quando son morsi
51 o da pulci o da mosche o da tafani.

Poi che nel viso a certi li occhi porsi,
ne' quali 'l doloroso foco casca,
54 non ne conobbi alcun; ma io m'accorsi

che dal collo a ciascun pendea una tasca
ch'avea certo colore e certo segno,
57 e quindi par che 'l loro occhio si pasca.

E com' io riguardando tra lor vegno,
in una borsa gialla vidi azzurro
60 che d'un leone avea faccia e contegno.

Poi, procedendo di mio sguardo il curro,
vidine un'altra come sangue rossa,
63 mostrando un'oca bianca piú che burro.

E un che d'una scrofa azzurra e grossa
segnato avea lo suo sacchetto bianco,
66 mi disse : « Che fai tu in questa fossa?

« Maintenant », dit mon guide, « il faut que s'incline
un peu notre chemin jusqu'à cette bête
30 mauvaise qui se vautre par-là. »

Aussi nous descendîmes sur le flanc droit,
et fîmes dix pas sur le bord extrême
33 pour fuir le sable et les flammèches.

Et quand nous fûmes arrivés jusqu'à elle,
je vois sur le sable un peu plus loin
36 des gens* assis au bord du précipice.

Et là mon maître : « Afin que tu emportes
une pleine connaissance de ce cercle »,
39 dit-il, « va, et regarde leur peine.

Et là que tes discours soient brefs ;
en t'attendant je parlerai à cette bête,
42 pour qu'elle nous prête ses fortes épaules. »

Ainsi encore plus loin sur le rebord extrême
de ce septième cercle, tout seul, j'allai
45 là où étaient assis ces affligés.

Par les yeux la douleur éclatait au-dehors ;
deçà, delà, ils s'aidaient de leurs mains
48 contre les flammes ou le sol embrasé :

les chiens ne font pas autrement en été
des pattes ou du museau, lorsque les puces
51 les mordent, ou les mouches, ou les taons.

Quand je fixai mes yeux sur le visage
de ceux sur qui descend ce feu douloureux,
54 je n'en reconnus aucun ; mais je vis

que du cou de chacun pendait une bourse
d'une certaine couleur, portant un certain signe
57 dont il semblait que leur œil se repût.

Et lorsqu'en regardant je vins auprès d'eux,
je vis de l'azur* sur une bourse jaune
60 qui avait la forme et la face d'un lion.

Puis en suivant le cours de mon regard,
j'en vis une autre rouge comme le sang*,
63 qui montrait une oie plus blanche que le beurre.

Et un damné qui avait un sac blanc
marqué d'une grosse truie couleur d'azur*,
66 me dit : « Que fais-tu dans cette fosse ?

Or te ne va; e perché se' vivo anco,
sappi che 'l mio vicin Vitalïano
69 sederà qui dal mio sinistro fianco.

Con questi Fiorentin son padoano:
spesse fïate mi 'ntronan li orecchi
72 gridando: "Vegna 'l cavalier sovrano,

che recherà la tasca con tre becchi!" »
Qui distorse la bocca e di fuor trasse
75 la lingua, come bue che 'l naso lecchi.

E io, temendo no 'l piú star crucciasse
lui che di poco star m'avea 'mmonito,
78 torna'mi in dietro da l'anime lasse.

Trova' il duca mio ch'era salito
già su la groppa del fiero animale,
81 e disse a me: « Or sie forte e ardito.

Omai si scende per sí fatte scale;
monta dinanzi, ch'i' voglio esser mezzo,
84 sí che la coda non possa far male. »

Qual è colui che sí presso ha 'l riprezzo
de la quartana, c'ha già l'unghie smorte,
87 e triema tutto pur guardando 'l rezzo,

tal divenn' io a le parole porte;
ma vergogna mi fé le sue minacce,
90 che innanzi a buon segnor fa servo forte.

I' m'assettai in su quelle spallacce;
sí volli dir, ma la voce non venne
93 com' io credetti: "Fa che tu m'abbracce."

Ma esso, ch'altra volta mi sovvenne
ad altro forse, tosto ch'i' montai
96 con le braccia m'avvinse e mi sostenne;

e disse: « Gerïon, moviti omai:
le rote larghe, e lo scender sia poco;
99 pensa la nova soma che tu hai. »

Come la navicella esce di loco
in dietro in dietro, sí quindi si tolse,
102 e poi ch'al tutto si sentí a gioco,

là 'v' era 'l petto, la coda rivolse,
e quella tesa, come anguilla, mosse;
105 e con le branche l'aere a sé raccolse.

Va-t'en donc; et comme tu es encore vivant,
sache que mon cousin Vitaliano*
69 viendra s'asseoir ici, à mon flanc gauche.

Je suis Padouan parmi ces Florentins :
et souvent ils me cassent les oreilles
72 en criant : "Vienne le roi des chevaliers*,
qui portera la bourse avec trois becs!" ».

Puis il tordit la bouche et tira la langue
75 comme un bœuf qui se lèche le nez.

Et moi qui craignais de fâcher, en restant plus,
celui qui m'avait dit de ne pas m'attarder,
78 je m'en revins, loin des âmes lassées.

Je trouvai que mon guide était déjà monté
sur les reins de l'animal farouche;
81 il me dit alors : « A présent, sois fort et hardi.

Nous irons désormais par de telles échelles;
monte devant, je veux être au milieu,
84 pour que sa queue ne puisse te blesser. »

Tel est celui qui sent le premier frisson
de la fièvre quarte, qui a déjà les ongles blancs,
87 et tremble tout entier en regardant l'ombre,

tel je devins à ces paroles dites;
mais la honte me fit ses menaces,
90 elle qui rend le courage au valet d'un bon maître.

Je m'assis donc sur cette affreuse échine;
et voulus dire, mais la voix ne vint pas
93 comme je croyais : « Serre-moi dans tes bras. »

Mais lui, qui d'autres fois m'avait tiré déjà
d'autres dangers, sitôt que je montai,
96 m'entoura de ses bras et me soutint.

« Pars maintenant, Géryon », dit-il;
« que tes tours soient larges, et la descente douce;
99 pense au nouveau fardeau que tu emportes. »

Comme un petit bateau qui s'éloigne du port
à reculons, ainsi il s'éloigna;
102 et quand il sentit qu'il avait libre jeu,

il mit sa queue là où se trouvait sa poitrine,
et la tendit puis la bougea comme une aiguille,
105 et ramena l'air à soi de ses pattes.

Maggior paura non credo che fosse
quando Fetonte abbandonò li freni,
108 per che 'l ciel, come pare ancor, si cosse;
    né quando Icaro misero le reni
    sentí spennar per la scaldata cera,
111 gridando il padre a lui « Mala via tieni! »
    che fu la mia, quando vidi ch'i' era
    ne l'aere d'ogne parte, e vidi spenta
114 ogne veduta fuor che de la fera.

    Ella sen va notando lenta lenta;
    rota e discende, ma non me n'accorgo
117 se non che al viso e di sotto mi venta.

    Io sentia già da la man destra il gorgo
    far sotto noi un orribile scroscio,
120 per che con li occhi 'n giú la testa sporgo.

    Allor fu' io piú timido a la stoscio,
    però ch'i' vidi fuochi e senti' pianti;
123 ond' io tremando tutto mi raccoscio.

    E vidi poi, ché nol vedea davanti,
    lo scendere e 'l girar per li gran mali
126 che s'appressavan da diversi canti.

    Come 'l falcon ch'è stato assai su l'ali,
    che sanza veder logoro o uccello
129 fa dire al falconiere « Omè, tu cali! »,
    discende lasso onde si move isnello,
    per cento rote, e da lunge si pone
132 dal suo maestro, disdegnoso e fello;
    cosí ne puose al fondo Gerïone
    al piè al piè de la stagliata rocca,
    e, discarcate le nostre persone,
136 si dileguò come da corda cocca.

Je ne crois pas que la peur fut plus grande,
quand Phaéton* abandonna les rênes,
108 ce qui brûla le ciel, comme on le voit encore;
ni quand le malheureux Icare* sentit ses reins
se déplumer, tandis que s'échauffait la cire,
111 et que son père lui criait « Tu fais fausse route! »,
que ne fut ma frayeur quand je vis que j'étais
dans l'air de tous côtés, et que s'était éteinte
114 tout autre vue que celle de la bête.

Elle s'en va, nageant tout doucement;
tourne et descend, mais je ne le saisis
117 qu'au vent sur mon visage et par-dessous.

J'entendais déjà la cascade à main droite
faire en dessous de nous un horrible fracas;
120 aussi je penchai mes regards vers le bas.

Alors j'eus encore plus peur de la chute :
car je vis des feux et j'entendis des plaintes;
123 et tout tremblant je resserrai les jambes.

Puis je vis, car jusqu'alors je ne les voyais pas,
la descente et les tours par les grands supplices
126 qui se rapprochaient de tous côtés.

Comme le faucon qui a longtemps plané
et qui, sans avoir vu ni appeau ni proie,
129 faire dire au fauconnier : « Tu descends, hélas! »,
revient harassé là d'où il part tout vif,
après cent tours et se pose à l'écart
132 de son maître, dédaigneux et rageur;
ainsi Géryon nous déposa au fond
juste au pied de la roche escarpée,
et dès qu'il se fut déchargé de nous,
136 il disparut, comme un dard décoché par un arc.

CANTO XVIII

Luogo è in inferno detto Malebolge,
tutto di pietra di color ferrigno,
3 come la cerchia che dintorno il volge.

Nel dritto mezzo del campo maligno
vaneggia un pozzo assai largo e profondo,
6 di cui *suo loco* dicerò l'ordigno.

Quel cinghio che rimane adunque è tondo
tra 'l pozzo e 'l piè de l'alta ripa dura,
9 e ha distinto in dieci valli il fondo.

Quale, dove per guardia de le mura
piú e piú fossi cingon li castelli,
12 la parte dove son rende figura,

tale imagine quivi facean quelli;
e come a tai fortezze da' lor sogli
15 a la ripa di fuor son ponticelli,

cosí da imo de la roccia scogli
movien che ricidien li argini e ' fossi
18 infino al pozzo che i tronca e raccogli.

In questo luogo, de la schiena scossi
di Gerïon, trovammoci; e 'l poeta
21 tenne a sinistra, e io dietro mi mossi.

A la man destra vidi nova pieta,
novo tormento e novi frustatori,
24 di che la prima bolgia era repleta.

Nel fondo erano ignudi i peccatori;
dal mezzo in qua ci venien verso 'l volto,
27 di là con noi, ma con passi maggiori,

CHANT XVIII

(Samedi saint, 9 avril 1300, au lever du soleil.)

Il est en enfer un lieu dit Malebolge*
tout fait de pierre, couleur du fer,
3 comme le cercle de roche qui l'entoure.
    Juste au milieu de cet enclos maudit
s'ouvre un puits très large et très profond
6 dont en son lieu je dirai l'ordonnance.
    L'enceinte qui reste est de forme arrondie
entre le puits et la dure falaise
9 et le fond se divise en dix vallées.
    Tels on peut voir, pour protéger les murs,
des fossés nombreux entourant les châteaux,
12 formant ensemble une figure :
    telle image formaient ici tous les fossés ;
et comme aux forteresses on voit de petits ponts
15 allant de leur seuil à la rive,
    ainsi des rochers partaient de la falaise
qui coupaient la digue et les fossés,
18 jusqu'au puits qui les arrête et les reçoit.
    C'est en ce lieu, descendus de l'échine
de Géryon, que nous nous retrouvâmes ;
21 le Poète prit à gauche, et moi je le suivis.
    A droite je vis une pitié nouvelle,
nouveaux tourments et nouveaux tourmenteurs,
24 dont la première bolge était emplie.
    Dans le fond les pécheurs étaient nus :
du milieu jusqu'à nous ils arrivaient de face ;
27 au-delà ils allaient avec nous mais plus vite ;

come i Roman per l'essercito molto,
l'anno del giubileo, su per lo ponte
30 hanno a passar la gente modo colto,
    che da l'un lato tutti hanno la fronte
verso 'l castello e vanno a Santo Pietro,
33 da l'altra sponda vanno verso 'l monte.
    Di qua, di là, su per lo sasso tetro
vidi demon cornuti con gran ferze,
36 che li battien crudelmente di retro.
    Ahi come facean lor levar le berze
a le prime percosse! già nessuno
39 le seconde aspettava né le terze.
    Mentr' io andava, li occhi miei in uno
furo scontrati; e io sí tosto dissi:
42 « Già di veder costui non son digiuno. »
    Per ch'ïo a figurarlo i piedi affissi;
e 'l dolce duca meco si ristette,
45 e assentio ch'alquanto in dietro gissi.
    E quel frustato celar si credette
bassando 'l viso; ma poco li valse,
48 ch'io dissi: « O tu che l'occhio a terra gette,
    se le fazion che porti non son false,
Venedico se' tu Caccianemico.
51 Ma che ti mena a sí pungenti salse? »
    Ed elli a me: « Mal volontier lo dico;
ma sforzami la tua chiara favella,
54 che mi fa sovvenir del mondo antico.
    I' fui colui che la Ghisolabella
condussi a far la voglia del marchese,
57 come che suoni la sconcia novella.
    E non pur io qui piango bolognese;
anzi n'è questo loco tanto pieno,
60 che tante lingue non son ora apprese
    a dicer "sipa'" tra Sàvena e Reno;
e se di ciò vuoi fede o testimonio,
63 rècati a mente il nostro avaro seno. »
    Cosí parlando il percosse un demonio
de la sua scurïada, e disse: « Via,
66 ruffian! qui non son femmine da conio. »

de même les Romains, l'année du Jubilé,
ont trouvé ce moyen, pour la grande foule,
30 afin que les gens puissent passer le pont*,
que d'un côté tous tournent leur visage
vers le château, pour aller à Saint-Pierre,
33 et que de l'autre ils aillent vers la colline*.

De çà de là sur le rocher noirâtre
je vis des démons cornus avec de grands fouets,
36 qui les battaient cruellement par-derrière.

Ah comme ils leur faisaient lever les talons
dès les premiers coups! jamais aucun
39 n'attendait les seconds, ni les troisièmes.

Comme je marchais, mes yeux se rencontrèrent
avec l'un d'eux; et je dis aussitôt:
42 « De voir cet homme je ne suis pas à jeun. »

Aussi je m'arrêtai pour le dévisager:
le doux guide s'arrêta avec moi,
45 et me permit de faire quelques pas en arrière.

Et ce flagellé crut alors se cacher*
en baissant le visage, mais n'y réussit guère,
48 car je dis: « O toi qui jettes les yeux à terre,
si les traits que tu as ne me trompent pas,
tu es Venedico* Caccianemico:
51 mais qui t'amène à ces sauces* piquantes? »

Et lui: « Je te le dis à contrecœur,
mais ton clair langage m'y contraint,
54 qui me fait souvenir du monde ancien.

Je fus celui qui fit que Ghisolabella*
céda au désir du marquis,
57 quel que soit le récit de cette honteuse histoire.

Mais je ne suis pas seul à parler bolonais
ici: car ce lieu en est si rempli
60 qu'il n'y a pas, entre Reno et Savena,
autant de langues ayant appris à dire "sipa*";
si tu en veux la preuve ou le témoignage,
63 rappelle-toi la convoitise de notre cœur. »

Comme il parlait ainsi un démon le frappa
de sa lanière et dit: « Allons, ruffian,
66 il n'y a pas ici de femmes à vendre. »

I' mi raggiunsi con la scorta mia;
poscia con pochi passi divenimmo
69 là 'v' uno scoglio de la ripa uscia.

Assai leggeramente quel salimmo;
e vòlti a destra su per la sua scheggia,
72 da quelle cerchie etterne ci partimmo.

Quando noi fummo là dov' el vaneggia
di sotto per dar passo a li sferzati,
75 lo duca disse : « Attienti, e fa che feggia
lo viso in te di quest' altri mal nati,
ai quali ancor non vedesti la faccia
78 però che son con noi insieme andati. »

Del vecchio ponte guardavam la traccia
che venía verso noi da l'altra banda,
81 e che la ferza similmente scaccia.

E 'l buon maestro, sanza mia dimanda,
mi disse : « Guarda quel grande che vene,
84 e per dolor non par lagrime spanda :
quanto aspetto reale ancor ritene!
Quelli è Iasón, che per cuore e per senno
87 li Colchi del monton privati féne.

Ello passò per l'isola di Lenno
poi che l'ardite femmine spietate
90 tutti li maschi loro a morte dienno.

Ivi con segni e con parole ornate
Isifile ingannò, la giovinetta
93 che prima avea tutte l'altre ingannate.

Lasciolla quivi, gravida, soletta;
tal colpa a tal martiro lui condanna;
96 e anche di Medea si fa vendetta.

Con lui sen va chi da tal parte inganna;
e questo basti de la prima valle
99 sapere e di color che 'n sé assanna. »

Già eravam là 've lo stretto calle
con l'argine secondo s'incrocicchia,
102 e fa di quello ad un altr' arco spalle.

Quindi sentimmo gente che si nicchia
ne l'altra bolgia e che col muso scuffa,
105 e sé medesma con le palme picchia.

Je rejoignis celui qui m'escortait :
et quelques pas plus loin nous arrivâmes
69 là où un rocher sortait de la rive.

Nous y montâmes légèrement ;
et tournant à droite* sur sa crête,
72 nous quittâmes ces cercles éternels.

Quand nous fûmes là où il s'évide
par-dessous pour faire passer les flagellés,
75 le guide me dit : « Arrête-toi et laisse

que tombent sur toi les yeux de ces autres mal nés
dont tu n'as pas encore vu le visage,
78 parce qu'ils marchaient dans le même sens que nous. »

Du haut de ce vieux pont nous regardions la file
qui venait vers nous de l'autre côté,
81 et que le fouet pourchasse pareillement.

Le bon maître, sans que je le questionne,
me dit : « Regarde ce grand-là qui vient
84 et par douleur ne semble pas verser de larmes :

quel aspect royal il conserve encore !
C'est Jason*, qui par ruse et par courage
87 priva les Colchidiens de la toison.

Il passa par l'île de Lemnos,
après que les femmes hardies et sans pitié
90 avaient mis à mort tous leurs mâles.

Là par astuce et paroles ornées
il trompa Hysippyle*, la jeune fille
93 qui avait d'abord trompé toutes les autres.

Là il l'abandonna, enceinte et seule ;
cette faute le condamne au martyre ;
96 Médée aussi y trouva sa punition.

Avec lui s'en vont ceux qui trompent ainsi ;
ce savoir te suffise pour le premier vallon,
99 et pour ceux qu'il déchire en son champ. »

Nous étions déjà là où l'étroit sentier
se croise avec la deuxième digue*
102 sur laquelle une autre arche s'appuie.

Alors nous entendîmes les gens qui se lamentent
dans l'autre bolge, en soufflant du museau,
105 et se frappent eux-mêmes avec leurs paumes.

Le ripe eran grommate d'una muffa,
per l'alito di giú che vi s'appasta,
108 che con li occhi e col naso facea zuffa.

Lo fondo è cupo sí, che non ci basta
loco a veder sanza montare al dosso
111 de l'arco, ove lo scoglio piú sovrasta.

Quivi venimmo; e quindi giú nel fosso
vidi gente attuffata in uno sterco
114 che da li uman privadi parea mosso.

E mentre ch'io là giú con l'occhio cerco,
vidi un col capo sí di merda lordo,
117 che non parëa s'era laico o cherco.

Quei mi sgridò : « Perché se' tu sí gordo
di riguardar piú me che li altri brutti? »
120 E io a lui : « Perché, se ben ricordo,
    già t'ho veduto coi capelli asciutti,
    e se' Alessio Interminei da Lucca :
123 però t'adocchio piú che li altri tutti. »

Ed elli allor, battendosi la zucca :
« Qua giú m'hanno sommerso le lusinghe
126 ond' io non ebbi mai la lingua stucca. »

Appresso ciò lo duca « Fa che pinghe »,
mi disse, « il viso un poco piú avante,
129 sí che la faccia ben con l'occhio attinghe
    di quella sozza e scapigliata fante
    che là si graffia con l'unghie merdose,
132 e or s'accoscia e ora è in piedi stante.

Taïde è, la puttana che rispuose
al drudo suo quando disse "Ho io grazie
grandi apo te?" : "Anzi maravigliose!"
136   E quinci sian le nostre viste sazie ».

Les rives étaient encroûtées de moisi,
car les relents d'en bas s'y empâtent,
108 offensant à la fois les yeux et l'odorat.

Le fond est si obscur qu'on ne peut y voir
de nulle part sans monter sur la cime
111 de l'arc, là où la roche est en surplomb.

Nous vînmes là; et de là dans la fosse
je vis des gens plongés dans une fiente
114 qui semblait tirée des latrines humaines.

Et comme des yeux je scrutais le fond,
j'en vis un à la tête si souillée de merde
117 qu'on ne savait s'il était laïc ou bien clerc.

Il me cria : « Pourquoi es-tu donc si friand
de me regarder moi, plus que tous ces affreux ? »
120 Et moi à lui : « Parce que, si je m'en souviens bien,
Je t'ai déjà vu avec les cheveux secs :
tu es Alessio Interminei* de Lucques;
123 c'est pourquoi je te reluque plus que les autres. »

Et lui alors, en se battant la courge :
« Dans ce fond m'ont noyé les flagorneries
126 dont ma langue n'était jamais lassée. »

Alors mon guide : « Tâche donc, me dit-il,
de porter tes regards un peu plus loin,
129 pour que tes yeux atteignent bien la face
de cette souillon échevelée
qui se griffe là de ses ongles merdeux,
132 et tantôt s'accroupit et tantôt se redresse.

C'est Thaïs*, la putain qui répondit
à son amant quand il lui demanda :
"Ai-je des grâces pour toi ?" : "De merveilleuses !"
136   Et que nos yeux ici soient assouvis. »

CANTO XIX

O Simon mago, o miseri seguaci
che le cose di Dio, che di bontate
3 deon essere spose, e voi rapaci
    per oro e per argento avolterate,
or convien che per voi suoni la tromba,
6 però che ne la terza bolgia state.
    Già eravamo, a la seguente tomba,
montati de lo scoglio in quella parte
9 ch'a punto sovra mezzo 'l fosso piomba.
    O somma sapïenza, quanta è l'arte
che mostri in cielo, in terra e nel mal mondo,
12 e quanto giusto tua virtú comparte!
    Io vidi per le coste e per lo fondo
piena la pietra livida di fóri,
15 d'un largo tutti e ciascun era tondo.
    Non mi parean men ampi né maggiori
che que' che son nel mio bel San Giovanni,
18 fatti per loco d'i battezzatori;
    l'un de li quali, ancor non è molt' anni,
rupp' io per un che dentro v'annegava :
21 e questo sia suggel ch'ogn' omo sganni.
    Fuor de la bocca a ciascun soperchiava
d'un peccator li piedi e de le gambe
24 infino al grosso, e l'altro dentro stava.
    Le piante erano a tutti accese intrambe;
per che sí forte guizzavan le giunte,
27 che spezzate averien ritorte e strambe.

CHANT XIX

8ᵉ cercle, 3ᵉ bolge : Simoniaques; plongés la tête en bas, dans des trous circulaires, la plante des pieds brûlée par des flammes.

Rencontre avec le pape Nicolas III — Invective contre les papes avides — Virgile ramène Dante sur le pont.
    (Samedi saint, 9 avril 1300, vers 6 heures du matin.)

   O Simon mage*, ô malheureux disciples,
  et vous rapaces, qui rendez adultères,
 3 pour or et pour argent, les choses de Dieu
    qui aux seuls bons devraient servir d'épouses,
  il faut qu'à présent pour vous sonne la trompe,
 6 puisque vous êtes dans la troisième bolge.
    Nous étions montés à la tombe* suivante,
  déjà sur le rocher de ce côté
 9 qui surplombe la fosse en son milieu.
    O suprême Sagesse, quel art tu montres
  au ciel, sur terre et dans le monde mauvais,
12 et comme ta vertu s'exerce avec justice!
    Je vis sur les parois et sur le fond
  la pierre livide criblée de trous,
15 de largeur égale, et tous de forme ronde.
    Ils ne me semblaient ni moins grands ni plus
  que ceux qu'on a creusés dans mon beau Saint-Jean*
18 pour y recevoir les baptisés;
    je brisai l'un d'eux il y a quelque temps
  pour en tirer quelqu'un qui s'y noyait;
21 que ces mots soient le sceau qui détrompe tout homme.
    De la bouche de chacun on voyait surgir
  les pieds d'un pécheur, avec les jambes
24 jusqu'au mollet; le corps était dedans.
    A tous flambaient les plantes des deux pieds;
  et les jointures s'agitaient si fort
27 qu'elles auraient rompu liens d'osier ou de corde.

Qual suole il fiammeggiar de le cose unte
muoversi pur su per la strema buccia,
30 tal era lí dai calcagni a le punte.

« Chi è colui, maestro, che si cruccia
guizzando piú che li altri suoi consorti »,
33 diss' io, « e cui piú roggia fiamma succia? »

Ed elli a me : « Se tu vuo' ch'i' ti porti
là giú per quella ripa che piú giace,
36 da lui saprai di sé e de' suoi torti. »

E io : « Tanto m'è bel, quanto a te piace :
tu se' segnore, e sai ch'i' non mi parto
39 dal tuo volere, e sai quel che si tace. »

Allor venimmo in su l'argine quarto;
volgemmo e discendemmo a mano stanca
42 là giú nel fondo foracchiato e arto.

Lo buon maestro ancor de la sua anca
non mi dipuose, sí mi giunse al rotto
45 di quel che si piangeva con la zanca.

« O qual che se' che 'l di sú tien di sotto,
anima trista come pal commessa »,
48 comincia' io a dir, « se puoi, fa motto. »

Io stava come 'l frate che confessa
lo perfido assessin, che, poi ch'è fitto,
51 richiama lui per che la morte cessa.

Ed el gridò : « Se' tu già costí ritto,
se' tu già costí ritto, Bonifazio?
54 Di parecchi anni mi mentí lo scritto.

Se' tu sí tosto di quell' aver sazio
per lo qual non temesti tòrre a 'nganno
57 la bella donna, e poi di farne strazio? »

Tal mi fec' io, quai son color che stanno,
per non intender ciò ch'è lor risposto,
60 quasi scornati, e risponder non sanno.

Allor Virgilio disse : « Dilli tosto :
"Non son colui, non son colui che credi" »;
63 e io rispuosi come a me fu imposto.

Per che lo spirto tutti storse i piedi;
poi, sospirando e con voce di pianto,
66 mi disse : « Dunque che a me richiedi?

Comme une flamme sur un objet huilé
glisse vers le haut le long de la surface,
30 tel était là le feu des talons aux pointes.
    « Quel est celui, maître, qui se courrouce
en remuant plus fort que ses autres confrères »,
33 dis-je, « et qui est sucé par un feu plus rouge ? »
    Et lui : « Si tu veux que je te porte
jusque là-bas, par la pente plus douce,
36 tu auras de lui son nom et ses crimes. »
    Et moi : « Tout ce qui te plaît m'est agréable,
tu es mon seigneur, tu sais que de ta loi
39 je ne m'écarte pas, et tu sais même ce que je tais. »
    Nous passâmes alors sur la septième digue,
en tournant et en descendant vers la gauche,
42 là dans le fond étroit et percé de trous.
    Le bon maître ne m'écarta pas encore
de son flanc, et me conduisit jusqu'à celui
45 qui pleurait si fort avec ses jambes.
    « O qui que tu sois, qui te tiens là-dessous,
âme souffrante et plantée comme un pieu »,
48 commençai-je à dire, « si tu peux, parle-moi. »
    J'étais là comme le moine qui confesse
un perfide assassin déjà mis dans la fosse,
51 et qui l'appelle pour retarder la mort.
    Il me cria★ : « Est-ce toi déjà, là debout,
est-ce toi déjà, là debout, Boniface★ ?
54 L'écrit m'a menti de plusieurs années.
    T'es-tu si vite rassasié de cet or
pour qui tu n'as pas craint de prendre par traîtrise
57 la belle Dame★, et de lui faire outrage★ ? »
    Je devins pareil alors à ceux qui restent
comme étourdis, parce qu'ils n'ont pas saisi
60 ce qu'on leur a dit, et ne savent répondre.
    Alors Virgile : « Dis-lui vite : "Je ne suis pas,
je ne suis pas celui que tu crois" » ;
63 et je répondis comme il m'était prescrit.
    Alors l'esprit tordit ses pieds très fort,
puis en soupirant, d'une voix plaintive,
66 il dit : « Que demandes-tu donc ?

Se di saper ch'i' sia ti cal cotanto,
che tu abbi però la ripa corsa,
69 sappi ch'i' fui vestito del gran manto;
  e veramente fui figliuol de l'orsa,
cupido sí per avanzar li orsatti,
72 che sú l'avere e qui me misi in borsa.
  Di sotto al capo mio son li altri tratti
che precedetter me simoneggiando,
75 per le fessure de la pietra piatti.
  Là giú cascherò io altresí quando
verrà colui ch'i' credea che tu fossi,
78 allor ch'i' feci 'l súbito dimando.
  Ma piú è 'l tempo già che i piè mi cossi
e ch'i' son stato cosí sottosopra,
81 ch'el non starà piantato coi piè rossi :
  ché dopo lui verrà di piú laida opra,
di ver' ponente, un pastor sanza legge,
84 tal che convien che lui e me ricuopra.
  Nuovo Iasón sarà, di cui si legge
ne' Maccabei; e come a quel fu molle
87 suo re, cosí fia lui chi Francia regge. »
  Io non so s'i' mi fui qui troppo folle,
ch'i' pur rispuosi lui a questo metro :
90 « Deh, or mi dí : quanto tesoro volle
  Nostro Segnore in prima da san Pietro
ch'ei ponesse le chiavi in sua balía?
93 Certo non chiese se non "Viemmi retro".
  Né Pier né li altri tolsero a Matia
oro od argento, quando fu sortito
96 al loco che perdé l'anima ria.
  Però ti sta, ché tu se' ben punito;
e guarda ben la mal tolta moneta
99 ch'esser ti fece contra Carlo ardito.
  E se non fosse ch'ancor lo mi vieta
la reverenza de le somme chiavi
102 che tu tenesti ne la vita lieta,
  io userei parole ancor piú gravi;
ché la vostra avarizia il mondo attrista,
105 calcando i buoni e sollevando i pravi.

S'il t'importe tant de savoir qui je suis
que tu as pour cela descendu la pente,
69 sache que je fus vêtu du grand manteau*,
    et que je fus vraiment le fils de l'ourse*,
si cupide à pousser mes oursons que là-haut
72 je mis de l'or, ici moi-même en sac.
    Sous ma tête sont couchés tous les autres
qui me précédèrent dans la simonie,
75 tapis dans les fissures des pierres.
    Et moi aussi je tomberai lorsque viendra
celui que je croyais que tu étais
78 quand je t'ai posé ma question trop prompte.
    Mais je me suis brûlé plus longtemps les pieds,
plus longtemps j'ai été sens dessus dessous
81 qu'il ne sera planté avec les pieds rouges :
    car après lui, chargé d'actions plus laides,
viendra de l'ouest un pasteur sans loi*,
84 tel qu'il recouvrira et lui et moi.
    Il sera le nouveau Jason des Macchabées* :
et comme son roi fut docile au premier,
87 ainsi sera celui qui règne en France. »
    Je ne sais si je fus un peu trop insensé
à lui répondre sur ce ton :
90 « Hé, dis-moi donc: quel trésor prétendit
    notre seigneur tout d'abord de Saint Pierre,
avant de lui donner les clefs en son pouvoir ?
93 Il ne demanda rien, certes, sinon : "Suis-moi".
    Ni Pierre ni les autres ne prirent à Matthieu*
de l'or ou de l'argent, quand il fut désigné
96 à ce lieu que perdit l'âme coupable.
    Prends-en donc ton parti, car tu es bien puni ;
et garde bien la monnaie* mal ôtée,
99 qui t'a rendu si hardi contre Charles.
    Et si ce n'était que même ici me le défend
la révérence des saintes clefs
102 que tu as tenues dans la vie heureuse,
    j'userais d'un langage encore beaucoup plus dur,
car votre avarice attriste le monde,
105 opprimant les bons, exaltant les méchants.

   Di voi pastor s'accorse il Vangelista,
  quando colei che siede sopra l'acque
108 puttaneggiar coi regi a lui fu vista;
   quella che con le sette teste nacque,
  e da le diece corna ebbe argomento,
111 fin che virtute al suo marito piacque.
   Fatto v'avete dio d'oro e d'argento;
  e che altro è da voi a l'idolatre,
114 se non ch'elli uno, e voi ne orate cento?
   Ahi, Costantin, di quanto mal fu matre,
  non la tua conversion, ma quella dote
117 che da te prese il primo ricco patre! »
   E mentr' io li cantava cotai note,
  o ira o coscïenza che 'l mordesse,
120 forte spingava con ambo le piote.
   I' credo ben ch'al mio duca piacesse,
  con sí contenta labbia sempre attese
123 lo suon de le parole vere espresse.
   Però con ambo le braccia mi prese;
  e poi che tutto su mi s'ebbe al petto,
126 rimontò per la via onde discese.
   Né si stancó d'avermi a sé distretto,
  sí men portò sovra 'l colmo de l'arco
129 che dal quarto al quinto argine è tragetto.
   Quivi soavemente spuose il carco,
  soave per lo scoglio sconcio ed erto
  che sarebbe a le capre duro varco.
133   Indi un altro vallon mi fu scoperto.

C'est vous pasteurs* qu'eut sous les yeux l'Évangéliste
lorsqu'il vit celle qui siège sur les eaux
108 se prostituer avec les rois :
   celle qui naquit avec sept têtes
   et tira sa force de dix cornes
111 tant que la vertu plut à son époux*.
   Vous vous êtes fait un dieu d'or et d'argent;
en quoi différez-vous de l'idolâtre,
114 sinon qu'il en prie un, et vous en priez cent?
   Ah Constantin*, de quels maux fut mère
non pas ta conversion, mais cette dot
117 que reçut de toi le premier pape riche! »
   Et pendant que je lui chantais cette antienne,
mordu par la colère ou par la conscience,
120 il ruait très fort de ses deux pieds.
   Je crois que tout cela plut à mon guide,
tant il écoutait d'un visage content
123 le son des paroles vraies que je disais.
   C'est pourquoi il me saisit de ses deux bras,
et quand il m'eut tout contre sa poitrine,
126 il remonta par le chemin qu'il avait descendu.
   Et il ne cessa pas de me serrer à lui,
me portant ainsi jusqu'au sommet de l'arc
129 qui joint la quatrième à la cinquième digue.
   Là doucement il déposa sa charge
doucement sur la roche abrupte et inégale,
qui serait dur passage aux chèvres mêmes.
133   Là un autre vallon se découvrit à moi.

Di nova pena mi conven far versi
e dar matera al ventesimo canto
3 de la prima canzon, ch'è d'i sommersi.
   Io era già disposto tutto quanto
a riguardar ne lo scoperto fondo,
6 che si bagnava d'angoscioso pianto;
   e vidi gente per lo vallon tondo
venir, tacendo e lagrimando, al passo
9 che fanno le letane in questo mondo.
   Come 'l viso mi scese in lor piú basso
mirabilmente apparve esser travolto
12 ciascun tra 'l mento e 'l principio del casso,
   ché da le reni era tornato 'l volto,
e in dietro venir li convenia,
15 perché 'l veder dinanzi era lor tolto.
   Forse per forza già di parlasia
si travolse cosí alcun del tutto;
18 ma io nol vidi, né credo che sia.
   Se Dio ti lasci, lettor, prender frutto
di tua lezione, or pensa per te stesso
21 com' io potea tener lo viso asciutto,
   quando la nostra imagine di presso
vidi sí torta, che 'l pianto de li occhi
24 le natiche bagnava per lo fesso.
   Certo io piangea, poggiato a un de' rocchi
del duro scoglio, sí che la mia scorta
27 mi disse : « Ancor se' tu de li altri sciocchi?

CHANT XX

8ᵉ cercle, 4ᵉ bolge : Mages et Devins ; ils marchent à rebours, la tête à l'envers.

Devins et jeteurs de sorts – Quelques devins anciens (Tirésias, etc.) – Origine de Mantoue – Astrologues et sorciers.
(Samedi saint, 9 avril 1300, vers 6 heures du matin.)

Il me faut mettre en vers une peine nouvelle
et donner matière à ce vingtième chant
3 du premier cantique*, celui des enfouis.
    J'étais déjà tout entier attentif
à regarder le fond qui m'était découvert
6 et qu'arrosaient des pleurs d'angoisse :
    et je vis venir par la vallée ronde
des gens qui pleuraient en silence, marchant au pas
9 qu'on a sur terre au chant des litanies.
    Quand mon regard glissa plus bas sur eux,
chacun m'apparut étrangement tordu
12 entre le menton et le haut du buste :
    car vers les reins leur face était tournée,
et ils devaient marcher à reculons
15 puisqu'ils étaient privés de la vue vers l'avant.
    Peut-être par l'effet de la paralysie
des corps ont-ils été tournés ainsi ;
18 mais je ne l'ai pas vu, et je ne le crois pas.
    Que Dieu, lecteur, te laisse prendre fruit
de ta lecture, et à présent juge par toi-même
21 comment je pouvais garder les yeux secs,
    lorsque je vis de tout près notre image
si tordue que les larmes des yeux
24 baignaient les fesses entre les reins.
    Certes, je pleurais tant, appuyé à la roche
du dur écueil, que mon guide me dit :
27 « Es-tu toi aussi de ces insensés ?

Qui vive la pietà quand' è ben morta;
chi è piú scellerato che colui
30 che al giudicio divin passion comporta?

Drizza la testa, drizza, e vedi a cui
s'aperse a li occhi d'i Teban la terra;
33 per ch'ei gridavan tutti : "Dove rui,

Anfïarao? perché lasci la guerra?"
E non restò di ruinare a valle
36 fino a Minòs che ciascheduno afferra.

Mira c'ha fatto petto de le spalle;
perché volse veder troppo davante,
39 di retro guarda e fa retroso calle.

Vedi Tiresia, che mutò sembiante
quando di maschio femmina divenne,
42 cangiandosi le membra tutte quante;

e prima, poi, ribatter li convenne
li duo serpenti avvolti, con la verga,
45 che rïavesse le maschili penne.

Aronta è quel ch'al ventre li s'atterga,
che ne' monti di Luni, dove ronca
48 lo Carrarese che di sotto alberga,

ebbe tra' bianchi marmi la spelonca
per sua dimora; onde a guardar le stelle
51 e 'l mar non li era la veduta tronca.

E quella che ricuopre le mammelle,
che tu non vedi, con le trecce sciolte,
54 e ha di là ogne pilosa pelle,

Manto fu, che cercò per terre molte;
poscia si puose là dove nacqu' io;
57 onde un poco mi piace che m'ascolte.

Poscia che 'l padre suo di vita uscío
e venne serva la città di Baco,
60 questa gran tempo per lo mondo gio.

Suso in Italia bella giace un laco,
a piè de l'Alpe che serra Lamagna
63 sovra Tiralli, c'ha nome Benaco.

Per mille fonti, credo, e piú si bagna
tra Garda e Val Camonica e Pennino
66 de l'acqua che nel detto laco stagna.

Ici vit la pitié quand elle est bien morte ;
qui est plus scélérat que celui-là
30 qui compatit lorsque Dieu a jugé ?

Lève la tête, lève-la, et regarde celui
pour qui s'ouvrit la terre des Thébains ;
33 ils lui criaient tous : "Où tombes-tu
Amphiaros★ ? pourquoi laisses-tu la guerre ?"
Il ne cessa pourtant de rouler dans l'abîme
36 jusqu'à Minos, qui s'empare de tous.

Vois comme il a fait de son dos sa poitrine ;
et parce qu'il voulut voir trop loin en avant,
39 il regarde en arrière et marche à reculons.

Vois Tirésias★ qui changea d'apparence,
lorsque de mâle il devint femme,
42 tous ses membres se transformant ;

puis il lui fallut frapper de nouveau,
avec sa verge, les serpents enlacés,
45 avant de retrouver le plumage viril.

Aruns le suit, adossé à son ventre,
qui, dans les monts de Luni★ où va piocher
48 le Carrarais qui vit un peu plus bas,

eut pour demeure parmi les marbres blancs
une grotte où pour voir la mer et les étoiles
51 sa vue pouvait s'étendre librement.

Et celle-ci★, qui couvre ses mamelles
que tu ne vois pas, de ses cheveux flottants,
54 et tient du même côté toute sa peau poilue,

c'est Mantô qui erra par les terres,
puis s'arrêta au lieu où je naquis ;
57 je veux te parler un peu d'elle.

Lorsque son père quitta la vie
et que la ville de Bacchus devint esclave,
60 elle erra longtemps par le monde.

Là-haut dans la belle Italie, il est un lac
au pied de l'Alpe qui ferme l'Allemagne
63 à hauteur du Tyrol, son nom est Benaco★.

Mille ruisseaux, et plus, je crois, arrosent
les Apennins, de Garde au val Camonica,
66 avec l'eau qui se tient dans ce lac.

Loco è nel mezzo là dove 'l trentino
pastore e quel di Brescia e 'l veronese
69 segnar poria, s'e' fesse quel cammino.

Siede Peschiera, bello e forte arnese
da fronteggiar Bresciani e Bergamaschi,
72 ove la riva 'ntorno piú discese.

Ivi convien che tutto quanto caschi
ciò che 'n grembo a Benaco star non può,
75 e fassi fiume giú per verdi paschi.

Tosto che l'acqua a correr mette co,
non piú Benaco, ma Mencio si chiama
78 fino a Governol, dove cade in Po.

Non molto ha corso, ch'el trova una lama,
ne la qual si distende e la 'mpaluda;
81 e suol di state talor esser grama.

Quindi passando la vergine cruda
vide terra, nel mezzo del pantano,
84 sanza coltura e d'abitanti nuda.

Lí, per fuggire ogne consorzio umano,
ristette con suoi servi a far sue arti,
87 e visse, e vi lasciò suo corpo vano.

Li uomini poi che 'ntorno erano sparti
s'accolsero a quel loco, ch'era forte
90 per lo pantan ch'avea da tutte parti.

Fer la città sovra quell' ossa morte;
e per colei che 'l loco prima elesse,
93 Mantüa l'appellar sanz'altra sorte.

Già fuor le genti sue dentro piú spesse,
prima che la mattia da Casalodi
96 da Pinamonte inganno ricevesse.

Però t'assenno che, se tu mai odi
originar la mia terra altrimenti,
99 la verità nulla menzogna frodi. »

E io : « Maestro, i tuoi ragionamenti
mi son sí certi e prendon sí mia fede,
102 che li altri mi sarien carboni spenti.

Ma dimmi, de la gente che procede,
se tu ne vedi alcun degno di nota;
105 ché solo a ciò la mia mente rifiede. »

Là est un point, au milieu, où l'évêque de Trente
et celui de Brescia et celui de Vérone
69 pourraient bénir, s'ils faisaient ce chemin.

Peschiera s'y élève, beau et puissant rempart,
capable d'affronter Brescians et Bergamasques,
72 là où la rive est la plus basse.

Il faut que par là s'écoule toute l'eau
qui ne peut séjourner dans le Benaco,
75 et prenne son cours dans les verts pâturages.

Dès que l'eau commence à couler,
elle n'a plus nom Benaco, mais Mincio
78 jusqu'à Governal, où le Pô la reçoit.

Elle n'a pas coulé loin qu'elle trouve une plaine
où elle s'étend, et forme un marécage;
81 et parfois l'été elle y devient malsaine.

Passant par ces lieux la vierge sauvage
vit une terre au milieu du marais
84 inculte et privée d'habitants.

Là pour fuir tout commerce humain elle se fixa,
pour exercer son art avec ses serviteurs;
87 elle y vécut, et y laissa son corps inanimé.

Plus tard les hommes épars aux environs
se rassemblèrent en ce lieu protégé
90 par le marais, qui s'étendait de toutes parts.

Ils firent la ville sur les os de la morte,
et pour celle qui la première l'avait élue,
93 l'appelèrent Mantoue sans consulter les sorts.

Ses habitants jadis furent plus nombreux,
avant que la folie de Casalodi★
96 se laissât tromper par Pinamonte.

Je t'avise donc pour que, si tu entends
qu'on décrit autrement la naissance de ma ville,
99 aucun mensonge n'altère la vérité. »

« Tes raisonnements, Maître, sont si certains,
et s'emparent si bien de ma foi », lui dis-je,
102 « que les autres seraient pour moi charbons éteints.

Mais dis-moi, parmi ceux qui s'avancent,
en vois-tu quelques-uns qui soient dignes de note;
105 car ma pensée revient sans cesse à ce seul point. »

Allor mi disse : « Quel che da la gota
porge la barba in su le spalle brune,
108 fu — quando Grecia fu di maschi vòta,
    sí ch'a pena rimaser per le' cune—
augure, e diede 'l punto con Calcanta
111 in Aulide a tagliar la prima fune.

Euripilo ebbe nome, e cosí 'l canta
l'alta mia tragedía in alcun loco :
114 ben lo sai tu che la sai tutta quanta.

Quell' altro che ne' fianchi è cosí poco,
Michele Scotto fu, che veramente
117 de le magiche frode seppe 'l gioco.

Vedi Guido Bonatti; vedi Asdente,
ch'avere inteso al cuoio e a lo spago
120 ora vorrebbe, ma tardi si pente.

Vedi le triste che lasciaron l'ago,
la spuola e 'l fuso, e fecersi 'ndivine;
123 fecer malie con erbe e con imago.

Ma vienne omai, ché già tiene 'l confine
d'amendue li emisperi e tocca l'onda
126 sotto Sobilia Caino e le spine;
    e già iernotte fu la luna tonda :
ben ten de' ricordar, ché non ti nocque
alcuna volta per la selva fonda. »
130   Sí mi parlava, e andavamo introcque.

Il dit alors : « Celui dont la barbe descend
en flot des joues jusqu'aux épaules brunes,
108 – quand la Grèce fut vidée de ses mâles,
    si bien qu'à peine il en resta dans les berceaux –,
était augure et donna le signal en Aulide
111 avec Calcas de couper la première amarre.

Il eut nom Eurypyle*, c'est ainsi que le chante
ma haute tragédie* en quelque endroit ;
114 tu le sais bien, toi qui la connais toute.

Et celui-ci, qui a les flancs si amaigris
fut Michel Scott*, qui a vraiment connu
117 tout le grand jeu des ruses magiques.

Vois Guido Bonatti, vois Asdente*,
qui voudrait à présent n'avoir connu
120 que le cuir et le fil, mais se repent trop tard.

Vois les infortunées qui laissèrent aiguille
et navette et fuseau, pour se faire voyantes ;
123 elles jetèrent des sorts par herbes et images.

Mais viens donc à présent, Caïn* chargé d'épines
se tient déjà au bord des deux hémisphères
126 et touche la mer au-dessous de Séville*.

Déjà la nuit dernière la lune était ronde :
tu dois t'en souvenir, car elle t'aida
plus d'une fois, dans la forêt profonde. »
130 Il me parlait ainsi, et nous allions tous deux.

CANTO XXI

Cosí di ponte in ponte, altro parlando
che la mia comedía cantar non cura,
3 venimmo; e tenavamo 'l colmo, quando
restammo per veder l'altra fessura
di Malebolge e li altri pianti vani;
6 e vidila mirabilmente oscura.

Quale ne l'arzanà de' Viniziani
bolle l'inverno la tenace pece
9 a rimpalmare i legni lor non sani,
ché navicar non ponno — in quella vece
chi fa suo legno novo e chi ristoppa
12 le coste a quel che piú vïaggi fece;
chi ribatte da proda e chi da poppa;
altri fa remi e altri volge sarte;
15 chi terzeruolo e artimon rintoppa — :
tal, non per foco ma per divin' arte,
bollia là giuso una pegola spessa,
18 che 'nviscava la ripa d'ogne parte.

I' vedea lei, ma non vedëa in essa
mai che le bolle che 'l bollor levava,
21 e gonfiar tutta, e riseder compressa.

Mentr' io là giú fisamente mirava,
lo duca mio, dicendo « Guarda, guarda! »,
24 mi trasse a sé del loco dov' io stava.

Allor mi volsi come l'uom cui tarda
di veder quel che li convien fuggire
27 e cui paura súbita sgagliarda,

8ᵉ cercle, 5ᵉ bolge : Trafiquants et Concussionnaires; trempés
dans la poix brûlante et harponnés par les démons.

Un pécheur de Lucques — Virgile parlemente avec les diables
— Dante a peur — Les mensonges de Malacoda — Dante et
Virgile accompagnés par les diables.
(Samedi saint, 9 avril 1300, vers 7 heures du matin.)

Ainsi de pont en pont en parlant d'autre chose
que ma Comédie n'a souci de chanter,
3 nous allâmes : et nous étions au sommet de l'arche
quand nous nous arrêtâmes pour voir l'autre crevasse
de Malebolge, avec ses plaintes vaines.
6 Et je la vis étrangement obscure.
Comme chez les Vénitiens, dans l'arsenal,
bout en hiver la poix tenace
9 pour calfater les bateaux avariés
qui ne peuvent plus naviguer — et pendant ce temps
l'un remet son bateau à neuf, et l'autre étoupe
12 les flancs de ceux qui ont beaucoup vogué;
qui cloue la proue, qui radoube la poupe;
un autre fait des rames, un autre tord des cordes;
15 qui rapièce les voiles, et de misaine, et d'artimon :
ainsi, non par le feu, mais par un art divin,
bouillait là-dessous une poix épaisse
18 qui engluait la rive de tous côtés.
Je la voyais, mais ne voyais en elle
rien d'autre que les bulles bouillant à grand bouillon;
21 elle se gonflait toute, puis retombait à plat.
Comme je regardais fixement vers le bas,
mon guide me dit : « Prends garde, prends garde! »
24 en me tirant à lui hors du lieu où j'étais.
Je me tournai alors comme un homme anxieux
de voir le danger qu'il doit fuir
27 et que la peur soudaine désarçonne,

    che, per veder, non indugia 'l partire :
e vidi dietro a noi un diavol nero
30 correndo su per lo scoglio venire.

    Ahi quant' elli era ne l'aspetto fero!
e quanto mi parea ne l'atto acerbo,
33 con l'ali aperte e sovra i piè leggero!

    L'omero suo, ch'era aguto e superbo,
carcava un peccator con ambo l'anche,
36 e quei tenea de' piè ghermito 'l nerbo.

    Del nostro ponte disse : « O Malebranche,
ecco un de li anzïan di Santa Zita!
39 Mettetel sotto, ch'i' torno per anche

    a quella terra, che n'è ben fornita :
ogn' uom v'è barattier, fuor che Bonturo;
42 del no, per li denar, vi si fa *ita*. »

    Là giú 'l buttò, e per lo scoglio duro
si volse; e mai non fu mastino sciolto
45 con tanta fretta a seguitar lo furo.

    Quel s'attuffò, e tornò sú convolto;
ma i demon che del ponte avean coperchio,
48 gridar : « Qui non ha loco il Santo Volto!

    qui si nuota altrimenti che nel Serchio!
Però, se tu non vuo' di nostri graffi,
51 non far sopra la pegola soverchio. »

    Poi l'addentar con più di cento raffi,
disser : « Coverto convien che qui balli,
54 sí che, se puoi, nascosamente accaffi. »

    Non altrimenti i cuoci a' lor vassalli
fanno attuffare in mezzo la caldaia
57 la carne con li uncin, perché non galli.

    Lo buon maestro « Acciò che non si paia
che tu ci sia », mi disse, « giú t'acquatta
60 dopo uno scheggio, ch'alcun schermo t'aia;

    e per nulla offension che mi sia fatta,
non temer tu, ch'i' ho le cose conte,
63 per ch'altra volta fui a tal baratta ».

    Poscia passò di là dal co del ponte;
e com' el giunse in su la ripa sesta,
66 mestier li fu d'aver sicura fronte.

     mais qui, pour voir, ne prend pas de retard :
     et je vis derrière nous un diable noir
30 qui venait en courant sur le rocher.
     Ah comme il avait l'aspect féroce !
     et que son air me semblait cruel,
33 les pieds légers, les ailes déployées !
     Sur ses épaules aiguës et relevées
     il portait un pécheur tenu par ses deux hanches,
36 et lui tenait serré le nerf des pieds.
     Il dit de notre pont : « O Malebranches,
     voici un ancien de Santa Zita★ !
39 Mettez-le dans le fond, moi je retourne encore
     à cette ville, qui en est bien fournie :
     tout le monde y trafique, excepté Bonturo★ ;
42 d'un non, pour de l'argent, on fait un oui. »
     Il le jeta au fond, et puis s'en retourna
     par le roc abrupt ; jamais mâtin lâché
45 ne fut si prompt à poursuivre un voleur.
     L'autre plongea, et revint tout souillé,
     mais les démons qui étaient sous le pont
48 crièrent : « Ici le Saint Voult★ n'a pas cours !
     Ici on nage autrement qu'au Serchio★ !
     Si tu ne veux pas tâter de nos griffes,
51 ne te montre plus au-dessus de la poix. »
     Puis ils le mordirent avec cent harpons,
     et dirent : « Il te faut ici danser à couvert,
54 pour frauder, si tu peux, en cachette. »
     Ainsi les cuisiniers font par leurs aides
     enfoncer la viande avec des crochets
57 pour qu'elle ne flotte pas dans la marmite.
     Le bon maître alors : « Afin qu'on ne voie pas
     que tu es ici », dit-il, « accroupis-toi
60 derrière un rocher qui te fasse écran ;
     et quelle que soit l'offense qu'on te fasse,
     n'aie crainte, car je connais leurs tours,
63 je suis déjà venu dans cette bagarre. »
     Puis il dépassa l'extrémité du pont,
     et quand il arriva sur la sixième rive,
66 il lui fallut montrer un front bien assuré.

Con quel furore e con quella tempesta
ch'escono i cani a dosso al poverello
69 che di súbito chiede ove s'arresta,
     usciron quei di sotto al ponticello,
e volser contra lui tutt' i runcigli;
72 mal el gridò : « Nessun di voi sia fello!
     Innanzi che l'uncin vostro mi pigli,
traggasi avante l'un di voi che m'oda,
75 e poi d'arruncigliarmi si consigli. »
     Tutti gridaron : « Vada Malacoda! »;
per ch'un si mosse — e li altri stetter fermi —
78 e venne a lui dicendo : « Che li approda? »
     « Credi tu, Malacoda, qui vedermi
esser venuto », disse 'l mio maestro,
81 « sicuro già da tutti vostri schermi,
     sanza voler divino e fato destro?
Lascian' andar, ché nel cielo è voluto
84 ch'i' mostri altrui questo cammin silvestro. »
     Allor li fu l'orgoglio sí caduto,
ch'e' si lasciò cascar l'uncino a' piedi,
87 e disse a li altri : « Omai non sia feruto. »
     E 'l duca mio a me : « O tu che siedi
tra li scheggion del ponte quatto quatto,
90 sicuramente omai a me ti riedi. »
     Per ch'io mi mossi e a lui venni ratto;
e i diavoli si fecer tutti avanti,
93 sí ch'io temetti ch'ei tenesser patto;
     cosí vid' ïo già temer li fanti
ch'uscivan patteggiati di Caprona,
96 veggendo sé tra nemici cotanti.
     I' m'accostai con tutta la persona
lungo 'l mio duca, e non torceva li occhi
99 da la sembianza lor ch'era non buona.
     Ei chinavan li raffi e « Vuo' che 'l tocchi »,
diceva l'un con l'altro, « in sul groppone? ».
102 E rispondien : « Sí, fa che gliel' accocchi. »
     Ma quel demonio che tentea sermone
col duca mio, si volse tutto presto
105 e disse : « Posa, posa, Scarmiglione! »

Avec la fureur et l'impétuosité
qu'ont les chiens s'élançant contre un pauvre
69 qui se met à mendier quand il s'arrête,
les démons sortirent de dessous le pont
et tournèrent contre lui toutes leurs fourches;
72 mais il cria : « Ne soyez pas félons !
Avant que vos harpons me prennent,
que l'un de vous s'avance pour m'entendre,
75 puis vous jugerez s'il faut me harponner. »
Ils crièrent tous : « Vas-y, Malacoda* ! » ;
l'un s'ébranla alors – les autres s'arrêtèrent,
78 et vint vers lui en disant : « Pour quoi faire ? »
« Crois-tu, Malacoda », lui dit mon maître,
« que tu me voies être venu ici
81 déjà bien assuré contre tous vos assauts,
sans un vouloir divin, sans un décret propice ?
Laisse-nous aller, car on veut dans les cieux
84 que je montre à quelqu'un ce chemin sauvage. »
Alors son orgueil en fut si rabattu
qu'il laissa tomber son harpon à ses pieds
87 et dit aux autres : « Qu'on ne le touche plus. »
Et mon guide : « O toi qui es assis
dans les rochers du pont, tout blotti,
90 reviens vers moi avec tranquillité. »
Alors je me levai et j'allai vite à lui ;
et tous les diables firent un pas en avant,
93 si bien que je craignis qu'ils rompissent le pacte ;
ainsi je vis jadis prendre peur les soldats
qui sur parole sortaient de Caprona*,
96 en se voyant parmi tant d'ennemis.
Je me serrai de tout mon corps
contre mon maître, et ne détournai pas les yeux
99 de leur visage, qui n'avait rien de bon.
Ils baissaient leurs harpons : « Veux-tu que je le touche »,
disaient-ils entre eux, « là sur la croupe ? »
102 Ils répondaient : « Oui, accroche-le par là. »
Mais le démon qui discourait
avec mon guide, se retourna bien vite
105 et dit : « Paix, paix, Scarmiglione ! »

Poi disse a noi : « Piú oltre andar per questo
iscoglio non si può, però che giace
108 tutto spezzato al fondo l'arco sesto.

E se l'andare avante pur vi piace,
andatevene su per questa grotta;
111 presso è un altro scoglio che via face.

Ier, piú oltre cinqu' ore che quest' otta,
mille dugento con sessanta sei
114 anni compié che qui la via fu rotta.

Io mando verso là di questi miei
a riguardar s'alcun se ne sciorina;
117 gite con lor, che non saranno rei. »

« Tra'ti avante, Alichino, e Calcabrina »,
cominciò elli a dire, « e tu, Cagnazzo;
120 e Barbariccia guidi la decina.

Libicocco vegn' oltre e Draghignazzo,
Cirïatto sannuto e Graffiacane
123 e Farfarello e Rubicante pazzo.

Cercate 'ntorno le boglienti pane;
costor sian salvi infino a l'altro scheggio
126 che tutto intero va sovra le tane. »

« Omè, maestro, che è quel ch'i' veggio? »,
diss' io, « deh, sanza scorta andianci soli,
129 se tu sa' ir; ch'i' per me non la cheggio.

Se tu se' sí accorto come suoli,
non vedi tu ch'e' digrignan li denti
132 e con le ciglia ne minaccian duoli? ».

Ed elli a me : « Non vo' che tu paventi;
lasciali digrignar pur a lor senno,
135 ch'e' fanno ciò per li lessi dolenti. »

Per l'argine sinistro volta dienno;
ma prima avea ciascun la lingua stretta
coi denti, verso lor duca, per cenno;
139 ed elli avea del cul fatto trombetta.

Puis il nous dit : « On ne peut pas aller plus loin
par ce rocher, à cause du sixième arc
108 qui est tout cassé, là-bas au fond.

Mais si vous voulez continuer malgré tout,
allez-vous-en le long de ce rebord :
111 un autre éboulis, non loin, fait un passage.

Hier, cinq heures plus tard que cette heure-ci,
mille deux cent soixante et six années*
114 s'accomplissaient, depuis que la voie fut coupée.

J'envoie de ce côté un peu des miens
pour voir si quelqu'un se montre sur la poix ;
117 allez avec eux, ils ne vous feront rien. »

« Va devant, Alichino*, et Calcabrina »,
commença-t-il, « et toi, Cagnazzo ;
120 et que Barbariccia conduise les dix.

Que vienne aussi Libicocco, et Draghignazzo,
Ciriatto griffu et Graffiacan,
123 et Farfarello et Rubicante le fou.

Fouillez, en faisant le tour de la poix bouillante ;
que ces deux-ci soient saufs jusqu'à l'autre rocher
126 qui couvre entièrement les tanières. »

« Hélas, mon maître, qu'est-ce que je vois ? »,
lui dis-je, « écoute, allons seuls, sans escorte,
129 si tu sais y aller ; pour moi je n'y tiens pas.

Si tu fais attention comme tu fais d'habitude,
ne vois-tu pas qu'ils grincent des dents,
132 et que leurs sourcils sont menaçants ? »

Et lui : « Je ne veux pas que tu t'effraies ;
laisse-les grincer des dents tout à leur aise,
135 car ils le font pour les pauvres bouillis. »

Ils tournèrent à gauche sur la digue ;
mais chacun avait d'abord tiré la langue
en la mordant, pour saluer, vers leur chef ;
139   Et lui, il avait fait un clairon de son cul.

CANTO XXII

Io vidi già cavalier muover campo,
e cominciare stormo e far lor mostra,
3 e talvolta partir per loro scampo;
    corridor vidi per la terra vostra,
o Aretini, e vidi gir gualdane,
6 fedir torneamenti e correr giostra;
    quando con trombe, e quando con campane,
con tamburi e con cenni di castella,
9 e con cose nostrali e con istrane;
    né già con sí diversa cennamella
cavalier vidi muover né pedoni,
12 né nave a segno di terra o di stella.
    Noi andavam con li diece demoni.
Ahi fiera compagnia! ma ne la chiesa
15 coi santi, e in taverna coi ghiottoni.
    Pur a la pegola era la mia 'ntesa,
per veder de la bolgia ogne contegno
18 e de la gente ch'entro v'era incesa.
    Come i dalfini, quando fanno segno
a' marinar con l'arco de la schiena
21 che s'argomentin di campar lor legno,
    talor cosí, ad alleggiar la pena,
mostrav' alcun de' peccatori 'l dosso
24 e nascondea in men che non balena.
    E come a l'orlo de l'acqua d'un fosso
stanno i ranocchi pur col muso fuori,
27 sí che celano i piedi e l'altro grosso,

CHANT XXII

8ᵉ cercle, 5ᵉ bolge : Trafiquants dans la poix.

La troupe des diables — Ciampolo et d'autres — Les démons joués.
(Samedi saint, 9 avril 1300, à 8 heures du matin.)

J'ai déjà vu des cavaliers lever le camp,
et commencer l'assaut et faire parade,
3 et s'enfuir parfois pour sauver leur vie ;
    j'ai vu des coureurs par votre contrée,
    ô Arétins*, j'ai vu des cavalcades,
6 j'ai vu des joutes et des tournois ;
    avec tantôt des trompettes, et tantôt des cloches,
    avec des tambours, avec des feux de forteresses,
9 selon nos usages ou des usages étrangers ;
    mais jamais je n'ai vu marcher cavaliers ni piétons
    avec un si étrange chalumeau,
12 ni un navire avec signaux de terre ou d'astre.
    Nous faisions route avec les dix démons.
    Ah féroce compagnie ! mais à l'église
15 avec les saints, et à la taverne avec les gloutons.
    Mes yeux se fixaient encore sur la poix,
    pour voir tous les aspects de cette bolge,
18 et des gens qui brûlaient là-dedans.
    Comme les dauphins, quand ils font signe
    aux mariniers en arquant leur échine,
21 pour qu'ils essaient de sauver leur bateau,
    ainsi parfois, pour alléger sa peine,
    quelque damné montrait le dos,
24 puis disparaissait en moins d'un éclair.
    Et comme sur le bord de l'eau d'un fossé
    on voit les grenouilles, le museau à l'air,
27 mais cachant leurs pattes et le gros de leur corps,

sí stavan d'ogne parte i peccatori;
ma come s'appressava Barbariccia,
30 cosí si ritraén sotto i bollori.

I' vidi, e anco il cor me n'accapriccia,
uno aspettar cosí, com' elli 'ncontra
33 ch'una rana rimane e l'altra spiccia;

e Graffiacan, che li era piú di contra,
li arrunciglió le 'mpegolate chiome
36 e trassel sú, che mi parve una lontra.

I' sapea già di tutti quanti 'l nome,
sí li notai quando fuorono eletti,
39 e poi ch'e' si chiamaro, attesi come.

« O Rubicante, fa che tu li metti
li unghioni a dosso, sí che tu lo scuoi! »,
42 gridavan tutti insieme i maladetti.

E io : « Maestro mio, fa, se tu puoi,
che tu sappi chi è lo sciagurato
45 venuto a man de li avversari suoi. »

Lo duca mio li s'accostò allato;
domandollo ond' ei fosse, e quei rispuose :
48 « I' fui del regno di Navarra nato.

Mia madre a servo d'un segnor mi puose,
che m'avea generato d'un ribaldo,
51 distruggitor di sé e di sue cose.

Poi fui famiglia del buon re Tebaldo;
quivi mi misi a far baratteria,
54 di ch'io rendo ragione in questo caldo. »

E Cirïatto, a cui di bocca uscia
d'ogne parte una sanna come a porco,
57 li fé sentir come l'una sdruscia.

Tra male gatte era venuto 'l sorco;
ma Barbariccia il chiuse con le braccia
60 e disse : « State in là, mentr' io lo 'nforco. »

E al maestro mio volse la faccia;
« Domanda », disse, « ancor, se piú disii
63 saper da lui, prima ch'altri 'l disfaccia. »

Lo duca dunque : « Or dí : de li altri rii
conosci tu alcun che sia latino
66 sotto la pece? » E quelli : « I' mi partii,

ainsi de tous côtés se tenaient les pécheurs ;
mais dès que s'approchait Barbariccia,
30 ils replongeaient sous les bouillons.

Je vis, et mon cœur en frémit encore,
un qui attendait, tout comme il arrive
33 qu'une grenouille reste et que l'autre plonge,

et Graffiacan, qui était juste en face,
lui accrocha les cheveux englués
36 et le tira dehors : je crus voir une loutre.

Je savais déjà le nom de tous les diables :
je les notai quand ils furent choisis,
39 et je les écoutai quand ils s'appelèrent.

« O Rubicante, enfonce-lui donc
tes crochets dans la chair, écorche-le ! »,
42 criaient ces maudits tous ensemble.

Et moi : « Mon maître, si tu peux,
essaie donc de savoir qui est ce malheureux
45 tombé entre les mains de ses ennemis. »

Mon guide se rapprocha de lui,
lui demanda qui il était, et l'autre répondit :
48 « Je naquis au royaume de Navarre*.

Ma mère, qui m'avait engendré d'un ribaud,
destructeur de soi-même, et de ses biens,
51 me mit au service d'un seigneur.

Puis je fus valet du bon roi Thibaud ;
c'est là que je me mis aux malversations
54 dont je rends compte en cette fournaise. »

Et Ciriatto, à qui des deux côtés
sortait de la bouche un croc de sanglier,
57 lui fit sentir comme un seul peut découdre.

Le rat était auprès de chattes très cruelles ;
mais Barbariccia l'entoura de ses bras
60 et dit : « Restez là où vous êtes, pendant que je l'enfourche. »

Puis il tourna ses regards vers mon maître :
« Demande », dit-il, « une autre chose, si tu désires
63 la savoir de lui, avant qu'on le dépèce. »

Mon guide alors : « Dis : de ces autres pécheurs,
en connais-tu quelqu'un qui soit latin
66 là sous la poix ? » Et lui : « J'en ai quitté un,

poco è, da un che fu di là vicino.
Cosí foss' io ancor con lui coperto,
69 ch'i' non temerei unghia né uncino! »
  E Libicocco « Troppo avem sofferto »,
disse; e preseli 'l braccio col runciglio,
72 sí che, stracciando, ne portò un lacerto.
  Draghignazzo anco i volle dar di piglio
giuso a le gambe; onde 'l decurio loro
75 si volse intorno intorno con mal piglio.
  Quand' elli un poco rappaciati fuoro,
a lui, ch'ancor mirava sua ferita,
78 domandò 'l duca mio sanza dimoro
  « Chi fu colui da cui mala partita
di' che facesti per venire a proda? »
81 Ed ei rispuose : « Fu frate Gomita,
  quel di Gallura, vasel d'ogne froda,
ch'ebbe i nemici di suo donno in mano,
84 e fé sí lor, che ciascun se ne loda.
  Danar si tolse e lasciolli di piano,
sí com' e' dice; e ne li altri offici anche
87 barattier fu non picciol, ma sovrano.
  Usa con esso donno Michel Zanche
di Logodoro; e a dir di Sardigna
90 le lingue lor non si sentono stanche.
  Omè, vedete l'altro che digrigna;
i' direi anche, ma i' temo ch'ello
93 non s'apparecchi a grattarmi la tigna. »
  E 'l gran proposto, vòlto a Farfarello
che stralunava li occhi per fedire,
96 disse : « Fatti 'n costà, malvagio uccello! »
  « Se voi volete vedere o udire »,
ricominciò lo spaürato appresso,
99 « Toschi o Lombardi, io ne farò venire;
  ma stieno i Malebranche un poco in cesso,
sí ch'ei non teman de le lor vendette;
102 e io, seggendo in questo loco stesso,
  per un ch'io son, ne farò venir sette
quand' io suffolerò, com' è nostro uso
105 di fare allor che fori alcun si mette. »

il y a un instant, qui venait de par là ;
que ne suis-je encore avec lui à couvert,
69 je ne craindrais ni ongles ni harpons. »

Alors Libicocco : « Nous en avons trop supporté »,
dit-il ; il lui prit le bras avec son crochet,
72 le déchira, et en emporta un morceau.

Draghignazzo voulut encore le saisir plus bas
par les mollets ; alors leur décurion
75 lança autour de lui des regards menaçants.

Quand ils se furent un peu calmés,
mon guide, sans retard, demanda à celui
78 qui regardait encore sa plaie :

« Qui est celui que tu as eu tort, disais-tu,
de quitter pour venir à la rive ? »
81 Il répondit : « C'est frère Gomita*,

de Gallura, vaisseau de toute fraude,
qui eut en main les ennemis de son seigneur,
84 et les traita si bien que tous en sont contents.

Il leur prit de l'argent, les laissant *de plano*,
comme il disait, et dans ses autres charges
87 il ne fut pas petit fripon, mais grand escroc.

Avec lui converse don Michel Zanche
de Logoduro ; à parler de Sardaigne
90 leurs langues ne se lassent jamais.

Hélas, voyez cet autre qui grince des dents ;
je parlerais encore, mais j'ai trop peur
93 qu'il ne s'apprête à me gratter la teigne. »

Et leur grand prévôt dit à Farfarello
qui roulait des yeux louches, prêt à frapper :
96 « Écarte-toi, méchant oiseau ! »

« Si vous voulez voir ou entendre,
reprit le damné plein d'effroi,
99 quelques Toscans ou des Lombards, j'en ferai venir ;

mais que les Malebranches se retirent un peu
pour qu'ils n'aient pas à craindre leur vengeance ;
102 et moi, restant assis en ce lieu même,

pour un seul que je suis, j'en ferai venir sept,
dès que je sifflerai, comme c'est notre usage,
105 quand l'un de nous se met dehors. »

Cagnazzo a cotal motto levò 'l muso,
crollando 'l capo, e disse : « Odi malizia
108 ch'elli ha pensata per gittarsi giuso! »
   Ond' ei, ch'avea lacciuoli a gran divizia,
rispuose : « Malizioso son io troppo,
111 quand' io procuro a' mia maggior trestizia. »
   Alichin non si tenne e, di rintoppo
a li altri, disse a lui : « Se tu ti cali,
114 io non ti verrò dietro di gualoppo,
   ma batterò sovra la pece l'ali.
Lascisi 'l collo, e sia la ripa scudo,
117 a veder se tu sol piú di noi vali. »
   O tu che leggi, udirai nuovo ludo :
ciascun da l'altra costa li occhi volse,
120 quel prima, ch'a ciò fare era piú crudo.
   Lo Navarrese ben suo tempo colse ;
fermò le piante a terra, e in un punto
123 saltò e dal proposto lor si sciolse.
   Di che ciascun di colpa fu compunto,
ma quei piú che cagion fu del difetto ;
126 però si mosse e gridò : « Tu se' giunto! »
   Ma poco i valse : ché l'ali al sospetto
non potero avanzar ; quelli andò sotto,
129 e quei drizzò volando suso il petto :
   non altrimenti l'anitra di botto,
quando 'l falcon s'appressa, giú s'attuffa,
132 ed ei ritorna sú crucciato e rotto.
   Irato Calcabrina de la buffa,
volando dietro li tenne, invaghito
135 che quei campasse per aver la zuffa ;
   e come 'l barattier fu disparito,
cosí volse li artigli al suo compagno,
138 e fu con lui sopra 'l fosso ghermito.
   Ma l'altro fu bene sparvier grifagno
ad artigliar ben lui, e amendue
141 cadder nel mezzo del bogliente stagno.
   Lo caldo sghermitor súbito fue ;
ma però di levarsi era neente,
144 sí avieno inviscate l'ali sue.

A ces mots Cagnazzo leva le museau
en secouant la tête, et dit : « Vois la malice
108 qu'il a pensée pour se lancer en bas ! »
    Mais l'autre qui avait plus d'un tour dans son sac,
lui répondit : « De malice j'en ai trop,
111 quand je donne aux miens un surplus de peine. »
    Alichino ne put se retenir, et s'opposant alors
aux autres diables il dit : « Si tu plonges,
114 je ne te suivrai pas au galop,
    mais d'un coup d'aile je serai sur la poix.
Laissons le bord, et que la rive soit ton refuge,
117 pour voir si à toi seul tu vaux plus que nous tous. »
    O toi qui lis tu entendras un jeu inouï :
chacun tourna les yeux vers l'autre rive
120 et le premier était le plus récalcitrant.
    Le Navarrais choisit bien son moment :
il assura ses pieds à terre, et tout à coup
123 sauta, se délivrant ainsi de leur dessein.
    Chacun fut contrit de sa faute,
mais surtout celui qui causa le dommage ;
126 il s'élança aussitôt en criant : « Tu es pris ! »
    Ce fut en vain : les ailes ne peuvent aller
plus vite que la peur : l'un plongea à couvert
129 et l'autre redressa la poitrine en volant :
    ce n'est pas autrement que le canard s'enfonce
d'un coup, quand le faucon s'approche,
132 et puis remonte, irrité et déçu.
    Calcabrina, furieux du méchant tour,
les suivit à tire d'aile, désirant
135 qu'il réchappe, pour en venir aux mains ;
    et dès que le voleur eut disparu,
il tourna ses griffes sur son compagnon,
138 et ils s'empoignèrent au-dessus de la fosse.
    Mais l'autre était un épervier aux yeux perçants :
il le griffa lui-même, et tous deux
141 ils tombèrent au milieu de l'étang bouillonnant.
    Aussitôt la chaleur leur fit lâcher la prise ;
mais pour se relever leurs efforts étaient vains,
144 tant ils avaient les ailes engluées.

Barbariccia, con li altri suoi dolente,
quattro ne fé volar da l'altra costa
147 con tutt' i raffi, e assai prestamente
di qua, di là discesero a la posta;
porser li uncini verso li 'mpaniati,
ch'eran già cotti dentro da la crosta.
151 E noi lasciammo lor cosí 'mpacciati.

Barbariccia, navré avec ses compagnons,
en fit s'envoler quatre sur l'autre rive
147 avec tous leurs harpons ; en grande hâte
ici et là ils se mirent à leur poste ;
ils tendirent leurs crochets vers les deux englués
qui étaient déjà cuits dans la croûte.
151 Nous les laissâmes ainsi tout empêtrés.

Taciti, soli, sanza compagnia
n'andavam l'un dinanzi e l'altro dopo,
3 come frati minor vanno per via.
    Vòlt' era in su la favola d'Isopo
lo mio pensier per la presente rissa,
6 dov' el parlò de la rana e del topo;
    ché piú non si pareggia « mo » e « issa »
che l'un con l'altro fa, se ben s'accoppia
9 principio e fine con la mente fissa.
    E come l'un pensier de l'altro scoppia,
cosí nacque di quello un altro poi,
12 che la prima paura mi fé doppia.
    Io pensava cosí : « Questi per noi
sono scherniti con danno e con beffa
15 sí fatta, ch'assai credo che lor nòi.
    Se l'ira sovra 'l mal voler s'aggueffa,
ei ne verranno dietro piú crudeli
18 che 'l cane a quella lievre ch'elli acceffa. »
    Già mi sentia tutti arricciar li peli
de la paura e stava in dietro intento,
21 quand' io dissi : « Maestro, se non celi
    te e me tostamente, i' ho pavento
d'i Malebranche. Noi li avem già dietro;
24 io li 'magino sí, che già li sento. »
    E quei : « S'i' fossi di piombato vetro,
l'imagine di fuor tua non trarrei
27 piú tosto a me, che quella dentro 'mpetro.

CHANT XXIII

8ᵉ *cercle*, 6ᵉ *bolge* : *Hypocrites*, vêtus de chapes dorées doublées de plomb.

Fuite des deux poètes vers la 6ᵉ bolge – Cortège des hypocrites – Deux frères joyeux – La peine de Caïphas.
  (Samedi saint, 9 avril 1300, vers 9 heures du matin.)

> Silencieux, seuls, sans compagnie,
> nous allions l'un devant, l'autre derrière
> 3 comme les frères mineurs s'en vont par les chemins.
>   A cause de la rixe des diables
> ma pensée se tournait vers la fable d'Ésope*,
> 6 là où il peint le rat et la grenouille ;
>   car *ores* et *sur-le-champ** se ressemblent autant
> que l'une à l'autre histoire, si on compare,
> 9 d'un esprit appliqué, le début et la fin.
>   Et comme d'une idée une autre idée surgit,
> ainsi de la première naquit une seconde,
> 12 qui redoubla la peur que je sentais déjà.
>   Car je pensais : « Ces diables, à cause de nous,
> ont été bernés et joués à tel point
> 15 que je suis sûr qu'il leur en cuit.
>   Si la colère s'ajoute à leur mauvais vouloir,
> ils vont se mettre à nous poursuivre, plus cruels
> 18 que n'est un chien au lièvre qu'il attrape. »
>   Déjà je sentais se hérisser mes poils
> de peur, et je restais en arrière, attentif :
> 21 « Si tu ne nous caches pas, Maître », lui dis-je,
>   « bien vite, et toi et moi, j'ai peur
> des Malebranches. Nous les avons déjà aux trousses ;
> 24 déjà je les entends, tant je les imagine. »
>   Et lui : « Si j'étais de verre étamé,
> je ne refléterais pas ton image extérieure
> 27 plus vite que je n'accueille celle de ton âme.

Pur mo venieno i tuo' pensier tra ' miei,
con simile atto e con simile faccia,
30 sí che d'intrambi un sol consiglio fei.
S'elli è che sí la destra costa giaccia,
che noi possiam ne l'altra bolgia scendere,
33 noi fuggirem l'imaginata caccia. »
Già non compié di tal consiglio rendere,
ch'io li vidi venir con l'ali tese
36 non molto lungi, per volerne prendere.
Lo duca mio di súbito mi prese,
come la madre ch'al romore è desta
39 e vede presso a sé le fiamme accese,
che prende il figlio e fugge e non s'arresta,
avendo piú di lui che di sé cura,
42 tanto che solo una camiscia vesta;
e giú dal collo de la ripa dura
supin si diede a la pendente roccia,
45 che l'un de' lati a l'altra bolgia tura.
Non corse mai sí tosto acqua per doccia
a volger ruota di molin terragno,
48 quand' ella piú verso le pale approccia,
come 'l maestro mio per quel vivagno,
portandosene me sovra 'l suo petto,
51 come suo figlio, non come compagno.
A pena fuoro i piè suoi giunti al letto
del fondo giú, ch'e' furon in sul colle
54 sovresso noi; ma nón lí era sospetto :
ché l'alta provedenza che lor volle
porre ministri de la fossa quinta,
57 poder di partirs' indi a tutti tolle.
Là giú trovammo una gente dipinta
che giva intorno assai con lenti passi,
60 piangendo e nel sembiante stanca e vinta.
Elli avean cappe con cappucci bassi
dinanzi a li occhi, fatte de la taglia
63 che in Clugní per li monaci fassi.
Di fuor dorate son, sí ch'elli abbaglia;
ma dentro tutte piombo, e gravi tanto,
66 che Federigo le mettea di paglia.

Car tes pensées venaient parmi les miennes,
si pareilles de geste et de visage,
30 que j'ai fait de toutes un seul dessein.
Si la berge à main droite est assez douce
pour que nous puissions passer dans l'autre bolge,
33 nous éviterons la chasse imaginée. »
Il n'avait pas fini d'expliquer ce projet
que je les vis venir, les ailes déployées,
36 non loin de nous, pour nous saisir.
Mon guide me prit aussitôt dans ses bras,
comme une mère éveillée par le bruit
39 qui, voyant tout près les flammes allumées,
prend son enfant et fuit sans s'arrêter,
ayant plus soin de lui que d'elle,
42 à peine vêtue d'une seule chemise ;
et du haut de la dure falaise,
il se laissa glisser sur le rocher en pente
45 qui ferme un des côtés de l'autre bolge.
Jamais l'eau ne coula si vite par un canal
pour faire tourner sur terre une roue de moulin,
48 quand elle approche le plus près de ses aubes,
que ne fit mon maître sur ce rebord
en me portant sur sa poitrine,
51 comme son enfant, non comme un compagnon.
Dès que ses pieds eurent touché le lit
de ce bas-fond, ils furent sur la crête,
54 au-dessus de nous ; mais rien n'était à craindre ;
car la haute providence qui les a voulus
pour ministres de la cinquième fosse
57 leur ôte à tous le pouvoir d'en sortir.
Là nous rencontrâmes une troupe peinte
qui faisait le tour à pas très lents,
60 en pleurant, l'air las et abattu.
Ils portaient des capes aux capuchons baissés
devant les yeux, taillées sur le modèle
63 de celles qu'on fait à Cluny* pour les moines.
Dehors elles sont dorées, éblouissantes,
mais dedans tout en plomb, si lourdes qu'auprès d'elles
66 celles de Frédéric* auraient semblé de paille.

Oh in etterno faticoso manto!

Noi ci volgemmo ancor pur a man manca
69 con loro insieme, intenti al tristo pianto;

ma per lo peso quella gente stanca
venía sí pian, che noi eravam nuovi
72 di compagnia ad ogne mover d'anca.

Per ch'io al duca mio : « Fa che tu trovi
alcun ch'al fatto o al nome si conosca,
75 e li occhi, sí andando, intorno movi. »

E un che 'ntese la parola tosca,
di retro a noi gridò : « Tenete i piedi,
78 voi che correte sí per l'aura fosca!

Forse ch'avrai da me quel che tu chiedi. »
Onde 'l duca si volse e disse : « Aspetta,
81 e poi secondo il suo passo procedi. »

Ristetti, e vidi due mostrar gran fretta
de l'animo, col viso, d'esser meco;
84 ma tardavali 'l carco e la via stretta.

Quando fuor giunti, assai con l'occhio bieco
mi rimiraron sanza far parola;
87 poi si volsero in sé, e dicean seco :

« Costui par vivo a l'atto de la gola;
e s'e' son morti, per qual privilegio
90 vanno scoperti de la grave stola? »

Poi disser me : « O Tosco, ch'al collegio
de l'ipocriti tristi se' venuto,
93 dir chi tu se' non avere in dispregio. »

E io a loro : « I' fui nato e cresciuto
sovra 'l bel fiume d'Arno a la gran villa,
96 e son col corpo ch'i' ho sempre avuto.

Ma voi chi siete, a cui tanto distilla
quant' i' veggio dolor giú per le guance?
99 e che pena è in voi che sí sfavilla? »

E l'un rispuose a me : « Le cappe rance
son di piombo sí grosse, che li pesi
102 fan cosí cigolar le lor bilance.

Frati godenti fummo, e bolognesi;
io Catalano e questi Loderingo
105 nomati, e da tua terra insieme presi

O manteau écrasant pour l'éternité !
Nous tournâmes nous aussi à main gauche,
69 avec eux, attentifs à leurs tristes plaintes ;
mais sous le poids tous ces gens épuisés
allaient si lentement, que nous changions
72 de compagnie à chaque tour de hanche.
« Tâche de trouver », dis-je alors à mon guide,
quelqu'un dont les actions ou le nom soient connus,
75 et en marchant jette les yeux autour de toi. »
L'un d'eux, qui entendit parler toscan,
s'écria derrière nous : « Ralentissez le pas,
78 vous qui courez ainsi par l'air obscur !
Tu auras de moi, peut-être, ce que tu cherches. »
Alors mon guide se retourna et dit : « Attends-le,
81 et marche ensuite selon son pas. »
Je m'arrêtai, et j'en vis deux qui avaient l'air
d'avoir grand hâte, en l'âme, d'être avec moi.
84 Mais le poids les retarde, et le chemin étroit.
Quand ils furent près de nous, ils me regardèrent
longuement, de côté, sans un mot ;
87 puis se tournèrent l'un vers l'autre, et dirent :
« Celui-là est vivant, à voir battre sa gorge ;
et s'ils sont morts, avec quelle permission
90 vont-ils sans porter la lourde étole ? »
Puis ils me dirent : « Toscan, qui es venu
à ce couvent des tristes hypocrites,
93 ne dédaigne pas de nous dire qui tu es. »
Je leur répondis : « Je suis né, et j'ai grandi
sur le beau fleuve Arno, dans la grande cité,
96 et suis avec mon corps que je n'ai pas quitté.
Mais vous qui êtes-vous, dont les joues
ruissellent comme je vois d'une telle douleur ?
99 Quelle peine produit en vous tant d'étincelles ? »
L'un d'eux me répondit : « Ces chapes dorées
sont de plomb, si épaisses, que leur poids
102 fait ainsi grincer les balances.
Nous fûmes joyeux frères*, et bolonais ;
je m'appelais Catalano, et lui Loderingo*,
105 élus ensemble par ta ville,

come suole esser tolto un uom solingo,
per conservar sua pace; e fummo tali,
108 ch'ancor si pare intorno dal Gardingo. »

Io cominciai : « O frati, i vostri mali... »;
ma piú non dissi, ch'a l'occhio mi corse
111 un, crucifisso in terra con tre pali.

Quando mi vide, tutto si distorse,
soffiando ne la barba con sospiri;
114 e 'l frate Catalan, ch'a ciò s'accorse,

mi disse : « Quel confitto che tu miri,
consigliò i Farisei che convenia
117 porre un uom per lo popolo a' martíri.

Attraversato è, nudo, ne la via,
come tu vedi, ed è mestier ch'el senta
120 qualunque passa, come pesa, pria.

E a tal modo il socero si stenta
in questa fossa, e li altri dal concilio
123 che fu per li Giudei mala sementa. »

Allor vid' io maravigliar Virgilio
sovra colui ch'era disteso in croce
126 tanto vilmente ne l'etterno essilio.

Poscia drizzò al frate cotal voce :
« Non vi dispiaccia, se vi lece, dirci
129 s'a la man destra giace alcuna foce

onde noi amendue possiamo uscirci,
sanza costrigner de li angeli neri
132 che vegnan d'esto fondo a dipartirci. »

Rispuose adunque : « Piú che tu non speri
s'appressa un sasso che da la gran cerchia
135 si move e varca tutt' i vallon feri,

salvo che 'n questo è rotto e nol coperchia;
montar potrete su per la ruina,
138 che giace in costa e nel fondo soperchia. »

Lo duca stette un poco a testa china;
poi disse : « Mal contava la bisogna
141 colui che i peccator di qua uncina. »

E 'l frate : « Io udi' già dire a Bologna
del diavol vizi assai, tra' quali udi'
144 ch'elli è bugiardo e padre di menzogna. »

bien qu'un seul d'habitude soit pris,
pour maintenir la paix; et nous fîmes si bien
108 qu'on voit encore la trace autour du Gardingo. »
    Je commençai : « O frères vos méfaits... »;
mais je ne dis plus rien, car mes yeux découvrirent
111 un damné mis en croix par terre sur trois poteaux.
    Quand il me vit, il se tordit de tous ses membres,
en soufflant dans sa barbe et en soupirant;
114 le frère Catalano, qui s'en aperçut,
    me dit : « Cet homme cloué* que tu regardes
donna aux Pharisiens le conseil d'envoyer,
117 pour le peuple, un homme au martyre.
    Il est placé nu en travers du chemin,
comme tu vois, et il lui faut sentir
120 aussitôt, quand quelqu'un passe, comme il pèse.
    Et son beau-père* a le même supplice
dans cette fosse, avec ceux du concile
123 qui fut pour les juifs semence de malheur.
    Je vis alors Virgile s'étonner*
devant cet homme étendu en croix
126 si vilement dans l'exil éternel.
    Puis il adressa la parole au moine :
« S'il est permis, dites, ne vous déplaise,
129 si à main droite on rencontre une issue
    par où nous pourrions tous deux sortir d'ici
sans obliger les anges noirs
132 à venir nous tirer de ce gouffre. »
    Il répondit : « Plus près que tu n'espères
est un rocher qui part du grand cercle
135 et qui franchit tous les affreux vallons,
    sinon qu'ici il est brisé, et ne le couvre plus;
vous pourrez monter sur l'éboulis
138 qui est en pente, et qui s'élève sur le fond. »
    Mon guide resta un peu la tête baissée,
et dit : « Il nous contait mal cette affaire
141 celui qui harponne ici les pécheurs. »
    Et le moine : « J'ai entendu jadis dire à Bologne
que le diable a beaucoup de vices et, entre autres,
144 qu'il est menteur et père de mensonge. »

Appresso il duca a gran passi sen gí,
turbato un poco d'ira nel sembiante;
ond' io da li 'ncarcati mi parti'
148 dietro a le poste de le care piante.

Mon guide à ces mots s'en alla à grands pas,
un peu troublé par la colère, en son visage;
et je quittai alors ces accablés,
148   suivant la trace de ses pieds bien-aimés.

CANTO XXIV

   In quella parte del giovanetto anno
che 'l sole i crin sotto l'Aquario tempra
3 e già le notti al mezzo dí sen vanno,
   quando la brina in su la terra assempra
l'imagine di sua sorella bianca,
6 ma poco dura a la sua penna tempra,
   lo villanello a cui la roba manca,
si leva, e guarda, e vede la campagna
9 biancheggiar tutta; ond'ei si batte l'anca,
   ritorna in casa, e qua e là si lagna,
come 'l tapin che non sa che si faccia;
12 poi riede, e la speranza ringavagna,
   veggendo 'l mondo aver cangiata faccia
in poco d'ora, e prende suo vincastro
15 e fuor le pecorelle a pascer caccia.
   Cosí mi fece sbigottir lo mastro
quand' io li vidi sí turbar la fronte,
18 e cosí tosto al mal giunse lo 'mpiastro:
   ché, come noi venimmo al guasto ponte,
lo duca a me si volse con quel piglio
21 dolce ch'io vidi prima a piè del monte.
   Le braccia aperse, dopo alcun consiglio
eletto seco riguardando prima
24 ben la ruina, e diedemi di piglio.
   E come quei ch'adopera ed estima,
che sempre par che 'nnanzi si proveggia,
27 cosí, levando me sú ver' la cima

CHANT XXIV

8ᵉ *cercle*, 7ᵉ *bolge : Voleurs* — Les *Voleurs des choses de Dieu*
sont mordus par des serpents, ils tombent en cendre, puis
reprennent forme humaine.

Trouble de Dante — Difficile escalade — **La bolge des
voleurs** — Vanni Fucci.
(Samedi saint, 9 avril 1300, vers 11 heures du matin.)

En cette époque de l'année toute jeune
où le soleil trempe ses cheveux dans le verseau,
3 et les nuits sont déjà la moitié du jour,
    quand le givre transcrit sur la terre
    l'image de sa très blanche sœur,
6 mais l'encre dure peu à sa plume,
    le villageois qui n'a plus de fourrage
    se lève et regarde, et voit la campagne
9 toute blanchie ; alors il bat ses flancs,
    rentre dans sa maison, çà et là se lamente,
    comme un pauvret qui ne sait que faire ;
12 puis il ressort, et l'espoir vient dans son panier,
    quand il voit que le monde a changé de visage
    en quelques heures, et il prend son bâton
15 pour mener ses brebis au pâturage.
    Ainsi mon maître me fit m'abasourdir
    quand je vis son front se troubler de la sorte,
18 mais aussitôt il mit un baume sur le mal :
    car quand nous arrivâmes au pont brisé,
    il se tourna vers moi, mon guide, avec cet air
21 très doux que je lui vis d'abord au pied du mont.
    Il ouvrit les bras, après avoir tenu
    conseil avec lui-même, et bien considéré
24 l'éboulement — et puis il me saisit.
    Comme celui qui pense et agit à la fois,
    et qui semble toujours tout penser à l'avance,
27 ainsi, me portant vers la cime

d'un ronchione, avvisava un'altra scheggia
dicendo : « Sovra quella poi t'aggrappa;
30 ma tenta pria s'è tal ch'ella ti reggia. »

Non era via da vestito di cappa,
ché noi a pena, ei lieve e io sospinto,
33 potavam sú montar di chiappa in chiappa.

E se non fosse che da quel precinto
piú che da l'altro era la costa corta,
36 non so di lui, ma io sarei ben vinto.

Ma perché Malebolge inver' la porta
del bassissimo pozzo tutta pende,
39 lo sito di ciascuna valle porta

che l'una costa surge e l'altra scende;
noi pur venimmo al fine in su la punta
42 onde l'ultima pietra si scoscende.

La lena m'era del polmon sí munta
quand' io fui sú, ch'i' non potea piú oltre,
45 anzi m'assisi ne la prima giunta.

« Omai convien che tu cosí ti spoltre »,
disse 'l maestro; « ché, seggendo in piuma,
48 in fama non si vien, né sotto coltre;

sanza la qual chi sua vita consuma,
cotal vestigio in terra di sé lascia,
51 qual fummo in aere e in acqua la schiuma.

E però leva sú; vinci l'ambascia
con l'animo che vince ogne battaglia,
54 se col suo grave corpo non s'accascia.

Piú lunga scala convien che si saglia;
non basta da costoro esser partito.
57 Se tu mi 'ntendi, or fa sí che ti vaglia. »

Leva'mi allor, mostrandomi fornito
meglio di lena ch'i' non mi sentia,
60 e dissi : « Va, ch'i' son forte e ardito. »

Su per lo scoglio prendemmo la via,
ch'era ronchioso, stretto e malagevole,
63 ed erto piú assai che quel di pria.

Parlando andava per non parer fievole;
onde una voce uscí de l'altro fosso,
66 a parole formar disconvenevole.

d'un gros rocher, il avisa un autre bloc
et dit : « Accroche-toi bien à celui-ci ;
30 mais éprouve d'abord s'il peut te soutenir. »
Ce n'était pas chemin pour gens vêtus de chapes,
car à grand-peine lui si léger, et moi poussé,
33 nous pouvions monter de saillie en saillie.
Et si ce n'eût été que par cette enceinte
la pente était plus courte que par l'autre,
36 je ne sais pas pour lui, mais moi j'étais vaincu.
Mais puisque Malebolge est tout entière penchée
vers l'orifice du dernier puits,
39 la position de chaque vallée comporte
qu'une paroi s'élève et l'autre moins,
nous parvînmes enfin à la crête
42 où fait saillie le dernier roc.
L'haleine des poumons s'était faite si courte,
lorsque j'y fus, que je ne pus aller plus loin,
45 et je m'assis à la première halte.
« Il faut maintenant que tu chasses la paresse »,
dit mon maître : « ce n'est pas assis sous la plume
48 ni sous la couette, qu'on arrive à la gloire ;
or qui consume sa vie sans elle
laisse de soi, sur terre, trace pareille à celle
51 de la fumée dans l'air, et de l'écume dans l'eau.
Lève-toi donc ; vaincs cette angoisse
par le courage qui gagne les batailles,
54 s'il ne fléchit pas sous le poids du corps.
Il nous faudra monter plus longue échelle* ;
avoir laissé les diables ne suffit pas.
57 Si tu m'entends, que la leçon te serve. »
Je me levai alors, en me montrant pourvu
de plus de souffle que je n'en sentais,
60 et dis : « Va donc, je suis fort et hardi. »
Sur ce rocher nous prîmes le chemin,
qui était rugueux, étroit et malaisé,
63 et bien plus escarpé que le précédent.
Je marchais en parlant pour ne pas sembler faible ;
quand une voix sortit de l'autre fosse
66 qui parvenait mal à former ses mots.

Non so che disse, ancor che sovra 'l dosso
fossi de l'arco già che varca quivi;
69 ma chi parlava ad ire parea mosso.
    Io era vòlto in giú, ma li occhi vivi
non poteano ire al fondo per lo scuro;
72 per ch'io : « Maestro, fa che tu arrivi
da l'altro cinghio e dismontiam lo muro;
ché, com' i' odo quinci e non intendo,
75 cosí giú veggio e neente affiguro. »
    « Altra risposta », disse, « non ti rendo
se non lo far; ché la dimanda onesta
78 si de' seguir con l'opera tacendo. »
    Noi discendemmo il ponte da la testa
dove s'aggiugne con l'ottava ripa,
81 e poi mi fu la bolgia manifesta :
    e vidivi entro terribile stipa
di serpenti, e di sí diversa mena
84 che la memoria il sangue ancor mi scipa.
    Piú non si vanti Libia con sua rena;
ché se chelidri, iaculi e faree
87 produce, e cencri con anfisibena,
    né tante pestilenzie né sí ree
mostrò già mai con tutta l'Etïopia
90 né con ciò che di sopra al Mar Rosso èe.
    Tra questa cruda e tristissima copia
corrën genti nude e spaventate,
93 sanza sperar pertugio o elitropia :
    con serpi le man dietro avean legate;
quelle ficcavan per le ren la coda
96 e 'l capo, ed eran dinanzi aggroppate.
    Ed ecco a un ch'era da nostra proda,
s'avventò un serpente che 'l trafisse
99 là dove 'l collo a le spalle s'annoda.
    Né O sí tosto mai né I si scrisse,
com' el s'accese e arse, e cener tutto
102 convenne che cascando divenisse;
    e poi che fu a terra sí distrutto,
la polver si raccolse per sé stessa
105 e 'n quel medesmo ritornò di butto.

Je ne sais ce qu'elle dit, bien que je fusse déjà
sur le sommet de l'arc qui enjambe le trou ;
69 mais celui qui parlait semblait aller au pas de course.

Je m'étais penché, mais les yeux d'un vivant,
ne pouvaient voir le fond à travers les ténèbres ;
72 alors je dis : « Maître, fais que tu arrives
jusqu'à l'autre enceinte, et descendons ce mur :
de même qu'ici j'entends sans rien comprendre,
75 de même je vois en bas et ne reconnais rien. »

« Je ne te donnerai », dit-il, « d'autre réponse
que par l'action ; car la juste requête
78 doit être suivie par l'acte sans discours. »

Nous descendîmes le pont par l'extrême bord,
là où il rejoint la huitième digue,
81 et la bolge alors se découvrit à moi :
j'y aperçus un effroyable amas
de serpents d'espèces si étranges
84 que la mémoire m'en gèle encore le sang.

Que la Libye ne vante plus ses sables ;
car si elle produit chélydres* et pharées,
87 et aussi jacules, cenchres et amphisbènes,
jamais elle n'a montré bêtes si venimeuses
ni si méchantes, même avec l'Éthiopie,
90 et avec les déserts qui bordent la mer Rouge.

Parmi cet amas repoussant et sinistre
couraient des gens nus et pleins d'épouvante,
93 sans espoir de refuge ou d'héliotrope* :
les mains liées derrière le dos par des serpents
qui leur dardaient aux reins leurs queues
96 et leurs têtes, et se nouaient par-devant.

Soudain sur un damné qui était près de nous
un serpent se jeta, qui le transperça
99 à l'endroit où le cou se rattache à l'épaule.

En moins de temps qu'on n'écrit O ou I
il s'alluma, et il brûla,
102 puis il tomba tout entier en cendres ;
et quand il fut à terre ainsi détruit,
la poussière se rassembla d'elle-même
105 et recomposa la forme précédente.

Cosí per li gran savi si confessa
che la fenice more e poi rinasce,
108 quando al cinquecentesimo anno appressa;
erba né biado in sua vita non pasce,
ma sol d'incenso lagrime e d'amomo,
111 e nardo e mirra son l'ultime fasce.

E qual è quel che cade, e non sa como,
per forza di demon ch'a terra il tira,
114 o d'altra oppilazion che lega l'omo,
quando si leva, che 'ntorno si mira
tutto smarrito de la grande angoscia
117 ch'elli ha sofferta, e guardando sospira :
tal era 'l peccator levato poscia.

Oh potenza di Dio, quant' è severa,
120 che cotai colpi per vendetta croscia!

Lo duca il domandò poi chi ello era;
per ch'ei rispuose : « Io piovvi di Toscana,
123 poco tempo è, in questa gola fiera.

Vita bestial mi piacque e non umana,
sí come a mul ch'i' fui; son Vanni Fucci
126 bestia, e Pistoia mi fu degna tana. »

E ïo al duca : « Dilli che non mucci,
e domanda che colpa qua giú 'l pinse;
129 ch'io 'l vidi omo di sangue e di crucci. »

E 'l peccator, che 'ntese, non s'infinse,
ma drizzò verso me l'animo e 'l volto,
132 e di trista vergogna si dipinse;

poi disse : « Piú mi duol che tu m'hai colto
ne la miseria dove tu mi vedi,
135 che quando fui de l'altra vita tolto.

Io non posso negar quel che tu chiedi;
in giú son messo tanto perch' io fui
138 ladro a la sagrestia d'i belli arredi,

e falsamente già fu apposto altrui.
Ma perché di tal vista tu non godi,
141 se mai sarai di fuor da' luoghi bui,

apri li orecchi al mio annunzio, e odi.
Pistoia in pria d'i Neri si dimagra;
144 poi Fiorenza rinova gente e modi.

Ainsi les grands sages disent-ils
que le phénix meurt et puis renaît,
108 quand il approche la cinq centième année;
il ne mange dans sa vie ni herbe ni fourrage,
mais larmes d'encens et de cardamone,
111 et le nard et la myrrhe sont ses derniers langes.
Tel est celui qui tombe, sans savoir comment,
par l'effet d'un démon qui l'attire à terre,
114 ou par un autre mal qui le paralyse,
quand il se lève et qu'il regarde autour de lui,
tout égaré par la grande angoisse
117 qu'il a soufferte, et qu'il soupire en regardant :
tel était le pécheur qui s'était redressé.
Qu'elle est sévère la puissance de Dieu
120 qui frappe de tels coups dans sa vengeance !
Mon guide lui demanda qui il était;
il répondit : « Je tombai de Toscane
123 il y a peu de temps dans cette gorge cruelle.
J'aimai la vie bestiale et non humaine,
en mulet que j'étais; je suis Vanni Fucci*
126 la brute, et Pistoia fut ma digne tanière. »
« Dis-lui de ne pas s'en aller », dis-je à mon guide,
« et demande quelle faute l'a jeté ici;
129 car je l'ai vu homme de sang et de violences. »
Et le pécheur, qui m'entendit, n'hésita pas :
il dressa vers moi son âme et son visage,
132 qui se peignit de honte douloureuse;
et dit : « Je souffre plus de ce que tu m'as surpris
dans la misère où tu me vois
135 que je ne fis quand l'autre vie me fut ôtée.
Je ne puis refuser ce que tu demandes;
je suis placé si bas parce que je fus voleur
138 des beaux ornements de la sacristie,
et un autre en fut accusé à tort.
Mais pour que tu ne puisses jouir de cette vue,
141 si jamais tu sors de ces lieux obscurs,
ouvre tes oreilles à mon annonce, écoute :
Pistoia d'abord s'amaigrit* des Noirs;
144 puis Florence renouvelle ses gens et ses lois.

Tragge Marte vapor di Val di Magra
ch'è di torbidi nuvoli involuto;
147 e con tempesta impetüosa e agra
sovra Campo Picen fia combattuto;
ond' ei repente spezzerà la nebbia,
sí ch'ogne Bianco ne sarà feruto.
151 E detto l'ho perché doler ti debbia! »

Mars tire un éclair du Val de Magra
tout enveloppé de nuages troubles;
147 et pendant un orage impétueux et âpre,
  on se battra aux champs du Picenum;
alors l'éclair soudain déchirera la nue,
si bien que tous les Blancs en seront blessés.
151   Et je te l'ai dit pour que douleur te morde!»

CANTO XXV

Al fine de le sue parole il ladro
le mani alzò con amendue le fiche,
3 gridando : « Togli, Dio, ch'a te le squadro! »
    Da indi in qua mi fuor le serpi amiche,
perch' una li s'avvolse allora al collo,
6 come dicesse « Non vo' che piú diche »;
    e un'altra a le braccia, e rilegollo,
ribadendo sé stessa sí dinanzi,
9 che non potea con esse dare un crollo.
    Ahi Pistoia, Pistoia, ché non stanzi
d'incenerarti sí che piú non duri,
12 poi che 'n mal fare il seme tuo avanzi?
    Per tutt' i cerchi de lo 'nferno scuri
non vidi spirto in Dio tanto superbo,
15 non quel che cadde a Tebe giú da' muri.
    El si fuggí che non parlò piú verbo;
e io vidi un centauro pien di rabbia
18 venir chiamando : « Ov' è, ov' è l'acerbo? »
    Maremma non cred' io che tante n'abbia,
quante bisce elli avea su per la groppa
21 infin ove comincia nostra labbia.
    Sovra le spalle, dietro da la coppa,
con l'ali aperte li giacea un draco;
24 e quello affuoca qualunque s'intoppa.
    Lo mio maestro disse : « Questi è Caco,
che, sotto 'l sasso di monte Aventino,
27 di sangue fece spesse volte laco.

CHANT XXV

8ᵉ cercle, 7ᵉ bolge : Voleurs; ils sont métamorphosés en serpents.

Blasphème et châtiment de Vanni Fucci – Invective contre Pistoia – Le Centaure Cacus – Voleurs florentins et leurs métamorphoses. – Défi poétique à Ovide.
(Samedi saint, 9 avril 1300, vers midi.)

Lorsqu'il eut fini de parler, le voleur
leva les deux mains en faisant la figue* :
3 « Dieu », cria-t-il, « tiens, c'est pour toi. »
J'eus dès lors de l'amitié pour les serpents,
car l'un s'enroula autour de son cou,
6 comme s'il disait : « Je ne veux plus t'entendre »;
et un autre autour de ses bras,
et il s'y noua lui-même par-devant
9 si fort, qu'il ne pouvait plus faire un mouvement.
Ah Pistoia Pistoia, que ne te résous-tu
à te réduire en cendres, et à disparaître,
12 puisque tu dépasses tes aïeux dans le mal ?
Par tous les sombres cercles de l'Enfer
je ne vis pas un seul esprit si violent contre Dieu,
15 même celui qui tomba* des murs de Thèbes.
Il s'enfuit sans dire un mot de plus;
et je vis un Centaure plein de rage
18 venir en criant : « Où est-il, où est-il cet impie ? »
Je ne crois pas qu'on trouve dans la Maremme
autant de couleuvres qu'il en portait en croupe,
21 jusque là où commence notre figure humaine.
Sur ses épaules, derrière la nuque,
il portait un dragon aux ailes déployées,
24 qui met le feu à tous ceux qu'il rencontre.
Mon maître dit : « Celui-là, c'est Cacus*,
qui sous le roc du vieux mont Aventin
27 fit souvent couler des lacs de sang.

Non va co' suoi fratei per un cammino,
per lo furto che frodolente fece
30 del grande armento ch'elli ebbe a vicino;
   onde cessar le sue opere biece
sotto la mazza d'Ercule, che forse
33 gliene diè cento, e non sentí le diece. »
   Mentre che sí parlava, ed el trascorse,
e tre spiriti venner sotto noi,
36 de' quai né io né 'l duca mio s'accorse,
   se non quando gridar : « Chi siete voi? »;
per che nostra novella si ristette,
39 e intendemmo pur ad essi poi.
   Io non li conoscea; ma ei seguette,
come suol seguitar per alcun caso,
42 che l'un nomar un altro convenette,
   dicendo : « Cianfa dove fia rimaso? »;
per ch'io, acciò che 'l duca stesse attento,
45 mi puosi 'l dito su dal mento al naso.
   Se tu se' or, lettore, a creder lento
ciò ch'io dirò, non sarà maraviglia,
48 ché io che 'l vidi, a pena il mi consento.
   Com' io tenea levate in lor le ciglia,
e un serpente con sei piè si lancia
51 dinanzi a l'uno, e tutto a lui s'appiglia.
   Co' piè di mezzo li avvinse la pancia
e con li anterïor le braccia prese;
54 poi li addentò e l'una e l'altra guancia;
   li diretani a le cosce distese,
e miseli la coda tra 'mbedue
57 e dietro per le ren sú la ritese.
   Ellera abbarbicata mai non fue
ad alber sí, come l'orribil fiera
60 per l'altrui membra avviticchiò le sue.
   Poi s'appiccar, come di calda cera
fossero stati, e mischiar lor colore,
63 né l'un né l'altro già parea quel ch'era :
   come procede innanzi da l'ardore,
per lo papiro suso, un color bruno
66 che non è nero ancora e 'l bianco more.

Il ne suit pas le chemin de ses frères
à cause du vol qu'il fit par fraude
30 du grand troupeau dont il était voisin ;
    ses œuvres tortueuses prirent fin à ce moment
sous la massue d'Hercule, qui lui donna
33 cent coups peut-être ; lui n'en sentit pas dix. »
    Tandis qu'il parlait, l'autre disparut,
et trois esprits★ vinrent au-dessous de nous,
36 que ni moi ni mon guide n'avions aperçus,
    jusqu'au moment où ils crièrent : « Qui êtes-vous ? »
Notre discours en fut interrompu,
39 et nous ne fîmes plus attention qu'à eux.
    Ils m'étaient inconnus ; mais il arriva,
comme souvent il arrive par hasard,
42 que l'un dut en nommer un autre,
    disant : « Cianfà★, où donc est-il resté ? »
Alors, pour que mon guide fût attentif,
45 je dressai mon doigt devant la bouche.
    Si maintenant, lecteur, tu es lent à croire
ce que je vais dire, ce n'est pas merveille,
48 car moi-même qui le vis j'y crois à peine.
    Comme je tenais les yeux fixés sur eux,
voici que s'élance un serpent à six pieds
51 sur le premier, et s'attache tout à lui.
    De ses pieds du milieu il lui serra le ventre,
et de ceux de devant lui saisit les bras,
54 puis lui planta ses crocs dans les deux joues.
    Ceux de derrière, il les mit sur les cuisses,
et fit passer sa queue entre les deux,
57 la redressant sur les reins par-derrière.
    Jamais un lierre ne serra de si près
un arbre, que cette horrible bête
60 n'entortilla ses membres à ceux de l'autre ;
    ensuite ils se collèrent, comme s'ils avaient été
de cire chaude, en mêlant leurs couleurs ;
63 ni l'un ni l'autre ne semblait plus ce qu'il était :
    tout comme s'avance, poussée par la chaleur,
sur le bord du papier une couleur brune,
66 qui n'est pas encore noire, et où le blanc meurt.

Li altri due 'l riguardavano, e ciascuno
gridava : « Omè, Agnel, come ti muti!
69 Vedi che già non se' né due né uno. »

Già eran li due capi un divenuti,
quando n'apparver due figure miste
72 in una faccia, ov' eran due perduti.

Fersi le braccia due di quattro liste;
le cosce con le gambe e 'l ventre e 'l casso
75 divenner membra che non fuor mai viste.

Ogne primaio aspetto ivi era casso :
due e nessun l'imagine perversa
78 parea; e tal sen gio con lento passo.

Come 'l ramarro sotto la gran fersa
dei dí canicular, cangiando sepe,
81 folgore par se la via attraversa,

sí pareva, venendo verso l'epe
de li altri due, un serpentello acceso,
84 livido e nero come gran di pepe;

e quella parte onde prima è preso
nostro alimento, a l'un di lor trafisse;
87 poi cadde giuso innanzi lui disteso.

Lo trafitto 'l mirò, ma nulla disse;
anzi, co' piè fermati, sbadigliava
90 pur come sonno o febbre l'assalisse.

Elli 'l serpente e quei lui riguardava;
l'un per la piaga e l'altro per la bocca
93 fummavan forte, e 'l fummo si scontrava.

Taccia Lucano omai là dov' e' tocca
del misero Sabello e di Nasidio,
96 e attenda a udir quel ch'or si scocca.

Taccia di Cadmo e d'Aretusa Ovidio,
ché se quello in serpente e quella in fonte
99 converte poetando, io non lo 'nvidio;

ché due nature mai a fronte a fronte
non trasmutò sí ch'amendue le forme
102 a cambiar lor matera fosser pronte.

Insieme si rispuosero a tai norme,
che 'l serpente la coda in forca fesse,
105 e il feruto ristrinse insieme l'orme.

Les deux autres damnés regardaient, en criant :
« Hélas, Agnel, comme tu changes !
69 Voici que tu n'es plus ni deux ni un ! »

Déjà les deux têtes n'en formaient plus qu'une,
quand deux figures mêlées y apparurent
72 en une face où toutes deux étaient perdues.

Les deux bras se formèrent de quatre parties,
les cuisses avec les jambes, le ventre avec le buste
75 devinrent des membres jamais vus.

Tout aspect primitif y était aboli :
l'image perverse semblait deux et aucune,
78 et s'éloignait, ainsi faite, à pas lents.

Comme un lézard sous le grand fouet
des jours caniculaires, changeant de haie,
81 semble un éclair s'il traverse la route,

tel apparut, avançant vers les ventres
des deux qui restaient là un serpenteau de feu,
84 livide et noir comme un grain de poivre.

Il transperça l'un deux en cet endroit du corps
par où nous prenons la première nourriture ;
87 puis tomba étendu devant lui.

Le transpercé le regarda, et ne dit rien ;
mais il bâillait, les pieds fichés en terre,
90 comme assailli de fièvre ou de sommeil.

Il regardait la bête, elle le regardait :
l'un par sa plaie, et l'autre par la bouche,
93 ils fumaient fort, et les fumées se rencontraient.

Que Lucain se taise* désormais, là où il parle
du pauvre Sabellus et de Nasidius,
96 et qu'il écoute ce qui va sortir de mon arc.

Qu'Ovide se taise* sur Aréthuse et sur Cadmos ;
car si sa poésie change la première en source,
99 le second en serpent, moi je ne l'envie pas :

jamais il ne transmua deux natures face à face
de telle façon que les deux formes
102 fussent en mesure d'échanger leur substance.

Ils se correspondirent en suivant une loi
qui fit que le serpent fendit sa queue en fourche
105 et que le blessé joignit ses pieds ensemble.

Le gambe con le cosce seco stesse
s'appiccar sí, che 'n poco la giuntura
108 non facea segno alcun che si paresse.
Togliea la coda fessa la figura
che si perdeva là, e la sua pelle
111 si facea molle, e quella di là dura.
Io vidi intrar le braccia per l'ascelle,
e i due piè de la fiera, ch'eran corti,
114 tanto allungar quanto accorciavan quelle.
Poscia li piè di rietro, insieme attorti,
diventaron lo membro che l'uom cela,
117 e 'l misero del suo n'avea due porti.
Mentre che 'l fummo l'uno e l'altro vela
di color novo, e genera 'l pel suso
120 per l'una parte e da l'altra il dipela,
l'un si levò e l'altro cadde giuso,
non torcendo però le lucerne empie,
123 sotto le quai ciascun cambiava muso.
Quel ch'era dritto, il trasse ver' le tempie,
e di troppa matera ch'in là venne
126 uscir li orecchi de le gote scempie;
ciò che non corse in dietro e si ritenne
di quel soverchio, fé naso a la faccia
129 e le labbra ingrossò quanto convenne.
Quel che giacëa, il muso innanzi caccia,
e li orecchi ritira per la testa
132 come face le corna la lumaccia;
e la lingua, ch'avëa unita e presta
prima a parlar, si fende, e la forcuta
135 ne l'altro si richiude; e 'l fummo resta.
L'anima ch'era fiera divenuta,
suffolando si fugge per la valle,
138 e l'altro dietro a lui parlando sputa.
Poscia li volse le novelle spalle,
e disse a l'altro : « I' vo' che Buoso corra,
141 com' ho fatt' io, carpon per questo calle. »
Cosí vid' io la settima zavorra
mutare e trasmutare; e qui mi scusi
144 la novità se fior la penna abborra.

Jambes et cuisses s'unirent entre elles
si bien que leur jointure en peu de temps
108 n'était plus visible par aucun signe.
La queue fendue en deux prenait la forme
qui se perdait ailleurs ; sa peau
111 devenait molle, et l'autre durcissait.
Je vis les bras rentrer dans les aisselles,
et les deux pieds de l'animal, qui étaient courts,
114 s'allonger d'autant que les bras raccourcissaient.
Puis les pieds de derrière, tordus ensemble,
devinrent le membre que l'homme cache ;
117 du sien le malheureux tira deux pattes.
Tandis que la fumée les voile tous deux
d'une couleur nouvelle, faisant pousser des poils
120 sur la peau de l'un, épilant l'autre,
l'un se leva, l'autre tomba à terre,
sans jamais détourner leurs regards impies
123 sous lesquels ils changeaient de museau.
L'homme dressé le tira vers les tempes,
et de ce qui vint en excès de matière
126 les oreilles sortirent de ses joues aplaties :
le surplus qui resta par-devant
forma un nez sur le visage
129 et gonfla les lèvres autant qu'il fallut.
Le gisant amène son museau vers l'avant
et retire ses oreilles dans la tête,
132 comme fait la limace avec ses cornes ;
sa langue, auparavant unie,
prête à parler, se fend, tandis que la fourche
135 se referme chez l'autre, et que la fumée cesse.
L'âme qui était devenue bête
s'enfuit en sifflant par la vallée
138 et l'autre, derrière elle, crache en parlant.
Puis elle lui tourna ce dos tout neuf,
et dit à l'autre : « Je veux que Buoso* coure,
141 comme j'ai fait, à quatre pattes, par ce sentier. »
Je vis ainsi le lest du septième cercle
se muer et transmuer ; et que la nouveauté
144 soit mon excuse, si ma plume s'empêtre.

E avvegna che li occhi miei confusi
fossero alquanto e l'animo smagato,
147 non poter quei fuggirsi tanto chiusi,
ch'i' non scorgessi ben Puccio Sciancato;
ed era quel che sol, di tre compagni
che venner prima, non era mutato;
151 l'altr' era quel che tu, Gaville, piagni.

Mais bien que mes yeux fussent un peu troublés,
et que mon courage fût égaré,
147 ils ne purent s'enfuir si bien dissimulés
que je ne reconnusse Puccio Sciancato;
il était le seul, des trois compagnons
venus ensemble, à n'avoir pas changé.
151 L'autre était celui, Gaville*, pour qui tu pleures.

Godi, Fiorenza, poi che se' sí grande
che per mare e per terra batti l'ali,
3 e per lo 'nferno tuo nome si spande!
   Tra li ladron trovai cinque cotali
tuoi cittadini onde mi ven vergogna,
6 e tu in grande orranza non ne sali.
   Ma se presso al mattin del ver si sogna,
tu sentirai, di qua da picciol tempo,
9 di quel che Prato, non ch'altri, t'agogna.
   E se già fosse, non saria per tempo.
Cosí foss' ei, da che pur esser dee!
12 ché piú mi graverà, com' piú m'attempo.
   Noi ci partimmo, e su per le scalee
che n'avea fatto iborni a scender pria,
15 rimontò 'l duca mio e trasse mee;
   e proseguendo la solinga via,
tra le schegge e tra ' rocchi de lo scoglio
18 lo piè sanza la man non si spedia.
   Allor mi dolsi, e ora mi ridoglio
quando drizzo la mente a ciò ch'io vidi,
21 e piú lo 'ngegno affreno ch'i' non soglio,
   perché non corra che virtú nol guidi;
sí che, se stella bona o miglior cosa
24 m'ha dato 'l ben, ch'io stessi nol m'invidi.
   Quante 'l villan ch'al poggio si riposa,
nel tempo che colui che 'l mondo schiara
27 la faccia sua a noi tien meno ascosa,

CHANT XXVI

8ͤ, 8ͤ bolge : Conseillers perfides, enveloppés de flammes.

Invective contre Florence — Les damnés vêtus de feu —
Rencontre avec Ulysse — Ulysse raconte son dernier voyage
et sa mort.
(Samedi saint, 9 avril 1300, vers midi.)

Jouis, Florence, puisque tu es si grande
que sur terre et sur mer tu bats des ailes,
3 et que ton nom se répand par l'enfer!
Chez les voleurs j'ai rencontré bien cinq
de tes notables, ce dont j'ai honte, et toi
6 tu n'y gagnes pas grand honneur.
Mais si vers l'aube le rêve est véridique,
tu apprendras d'ici à peu de temps
9 tout le mal que Prato, et bien d'autres, te souhaitent.
S'il était déjà fait, il ne serait que temps.
Qu'il se fasse donc, puisqu'il doit se faire!
12 car plus je vieillirai, plus j'en aurai de peine.
Nous partîmes, et sur cet escalier
qui nous avait fait pâlir à le descendre,
15 mon maître remonta, me tirant après lui.
Nous poursuivîmes la route solitaire,
parmi les fragments et les rochers du pont
18 où le pied sans la main ne pouvait avancer.
Je souffris alors, et à présent je souffre encore,
quand ma pensée revient à ce que je vis,
21 et je freine mon esprit plus que de coutume,
pour qu'il ne coure pas sans que vertu le guide,
afin que si un astre, ou la grâce divine
24 m'a fait un don, je ne m'en prive moi-même.
Comme le paysan se reposant sur le coteau,
pendant le temps où le flambeau du monde
27 nous tient sa face le moins longtemps cachée,

come la mosca cede a la zanzara,
vede lucciole giú per la vallea,
30 forse colà dov' e' vendemmia e ara :
   di tante fiamme tutta risplendea
l'ottava bolgia, sí com' io m'accorsi
33 tosto che fui là 've 'l fondo parea.
   E qual colui che si vengiò con li orsi
vide 'l carro d'Elia al dipartire,
36 quando i cavalli al cielo erti levorsi,
   che nol potea sí con li occhi seguire,
ch'el vedesse altro che la fiamma sola,
39 sí come nuvoletta, in sú salire :
   tal si move ciascuna per la gola
del fosso, ché nessuna mostra 'l furto,
42 e ogne fiamma un peccatore invola.
   Io stava sovra 'l ponte a veder surto,
sí che s'io non avessi un ronchion preso,
45 caduto sarei giú sanz' esser urto.
   E 'l duca, che mi vide tanto atteso,
disse : « Dentro dai fuochi son li spirti;
48 catun si fascia di quel ch'elli è inceso. »
   « Maestro mio », rispuos' io, « per udirti
son io piú certo; ma già m'era avviso
51 che cosí fosse, e già voleva dirti :
   chi è 'n quel foco che vien sí diviso
di sopra, che par surger de la pira
54 dov' Eteòcle col fratel fu miso ? »
   Rispuose a me : « Là dentro si martira
Ulisse e Dïomede, e cosí insieme
57 a la vendetta vanno come a l'ira;
   e dentro da la lor fiamma si geme
l'agguato del caval che fé la porta
60 onde uscí de' Romani il gentil seme.
   Piangevisi entro l'arte per che, morta,
Deïdamía ancor si duol d'Achille,
63 e del Palladio pena vi si porta. »
   « S'ei posson dentro da quelle faville
parlar », diss'io, « maestro, assai ten priego
66 e ripriego, che 'l priego vaglia mille,

à l'heure où la mouche fait place au moustique,
voit des lucioles dans la vallée
30 là où le jour il vendange et laboure;
   ainsi resplendissait la huitième bolge,
d'autant de flammes, comme je m'en aperçus,
33 dès que je fus là d'où le fond se découvre.
   Et comme celui que les ours vengèrent*
vit le char d'Elie à son départ,
36 quand les chevaux montèrent droit dans le ciel,
   si bien qu'il ne pouvait, à le suivre des yeux,
voir autre chose que la flamme seule
39 qui s'élevait, comme un petit nuage :
   ainsi chacune s'avançait dans le creux
de la fosse, car nulle ne montrait son butin,
42 et chaque flamme enferme un pécheur.
   Je m'étais dressé pour voir sur le sommet,
et si je ne m'étais agrippé à la roche,
45 je serais tombé sans être poussé.
   Mon guide, en me voyant si attentif :
« Les âmes se tiennent dans ces feux », dit-il;
48 « car elles s'entourent de ce qui les embrase. »
   « Mon maître », répondis-je, « à te l'entendre dire,
j'en suis plus sûr; mais déjà je m'étais avisé
51 qu'il en était ainsi, et je voulais te dire :
   qui donc est dans ce feu si fourchu à sa pointe
qu'on dirait qu'il jaillit du bûcher
54 où furent mis Eteocle et son frère* ? »
   « Là-dedans », me dit-il, « endurent leur tourment
Ulysse et Diomède*; ainsi ils vont ensemble
57 au châtiment comme ils allaient à la colère;
   et dans leur flamme ils pleurent
la ruse du cheval qui ouvrit la porte
60 par où sortit la noble semence des Romains.
   Ils y pleurent la ruse qui fit que morte
Deidamie* se plaint encore d'Achille,
63 et y expient le vol du Palladium. »
   « S'ils peuvent parler dans ces flammes,
Maître », lui dis-je, « je te prie,
66 et te reprie, et ma prière en vaille mille,

che non mi facci de l'attender niego
fin che la fiamma cornuta qua vegna;
69 vedi che del disio ver' lei mi piego! »
      Ed elli a me : « La tua preghiera è degna
di molta loda, e io però l'accetto;
72 ma fa che la tua lingua si sostegna.
      Lascia parlare a me, ch'i' ho concetto
ciò che tu vuoi; ch'ei sarebbero schivi,
75 perch' e' fuor greci, forse del tuo detto. »
      Poi che la fiamma fu venuta quivi
dove parve al mio duca tempo e loco,
78 in questa forma lui parlare audivi :
      « O voi che siete due dentro ad un foco,
s'io meritai di voi mentre ch'io vissi,
81 s'io meritai di voi assai o poco
      quando nel mondo li alti versi scrissi,
non vi movete; ma l'un di voi dica
84 dove, per lui, perduto a morir gissi. »
      Lo maggior corno de la fiamma antica
cominciò a crollarsi mormorando,
87 pur come quella cui vento affatica;
      indi la cima qua e là menando,
come fosse la lingua che parlasse,
90 gittò voce di fuori e disse : « Quando
      mi diparti' da Circe, che sottrasse
me piú d'un anno là presso a Gaeta,
93 prima che sí Enëa la nomasse,
      né dolcezza di figlio, né la pieta
del vecchio padre, né 'l debito amore
96 lo qual dovea Penelopè far lieta,
      vincer potero dentro a me l'ardore
ch'i' ebbi a divenir del mondo esperto
99 e de li vizi umani e del valore;
      ma misi me per l'alto mare aperto
sol con un legno e con quella compagna
102 picciola da la qual non fui diserto.
      L'un lito e l'altro vidi infin la Spagna,
fin nel Morrocco, e l'isola d'i Sardi,
105 e l'altre che quel mare intorno bagna.

ne me refuse pas d'attendre ici
que la flamme fourchue se rapproche;
69 vois comme, de désir, vers elle je m'incline. »
Il répondit : « Ta prière est digne
de grand éloge, aussi je te l'accorde;
72 mais veille bien à retenir ta langue.
Laisse-moi parler : car j'ai compris
ce que tu veux; et ils dédaigneraient*,
75 comme ils furent Grecs, peut-être, tes paroles. »
Lorsque la flamme fut arrivée au point
où mon guide jugea qu'il était temps et lieu,
78 je l'entendis parler en cette forme :
« O vous qui êtes deux dans un seul feu,
si j'ai mérité de vous dans ma vie,
81 si j'ai mérité de vous peu ou prou,
quand j'écrivis mes hauts vers dans le monde,
ne partez point : que l'un de vous me dise
84 où, se perdant lui-même, il est allé mourir. »
La plus haute branche de la flamme antique
se mit à tressaillir en murmurant,
87 pareille à celle que le vent tourmente.
Puis agitant sa pointe çà et là
comme si c'était la langue qui parlait,
90 elle jeta au-dehors une voix, et dit :
« Quand je quittai Circé*, qui me cacha
plus d'une année là-bas près de Gaète*,
93 avant qu'Énée lui ait donné ce nom,
ni la douceur de mon enfant, ni la piété
pour mon vieux père, ni l'amour dû
96 qui devait faire la joie de Pénélope,
ne purent vaincre en moi l'ardeur
que j'eus à devenir expert du monde
99 et des vices des hommes, et de leur valeur;
mais je me mis par la haute mer ouverte,
seul avec un navire et cette compagnie
102 petite par qui jamais je ne fus abandonné.
Je vis l'une et l'autre rive jusqu'à l'Espagne,
jusqu'au Maroc, et à l'île des Sardes,
105 et aux autres que cette mer baigne, tout autour.

Io e' compagni eravam vecchi e tardi
quando venimmo a quella foce stretta
108 dov' Ercule segnò li suoi riguardi
    acciò che l'uom piú oltre non si metta;
da la man destra mi lasciai Sibilia,
111 da l'altra già m'avea lasciata Setta.
    "O frati", dissi, "che per cento milia
perigli siete giunti a l'occidente,
114 a questa tanto picciola vigilia
    d'i nostri sensi ch'è del rimanente
non vogliate negar l'esperïenza,
117 di retro al sol, del mondo sanza gente.
    Considerate la vostra semenza;
fatti non foste a viver come bruti,
120 ma per seguir virtute e canoscenza."
    Li miei compagni fec' io sí aguti,
con questa orazion picciola, al cammino,
123 che a pena poscia li avrei ritenuti;
    e volta nostra poppa nel mattino,
de' remi facemmo ali al folle volo,
126 sempre acquistando dal lato mancino.
    Tutte le stelle già de l'altro polo
vedea la notte, e 'l nostro tanto basso,
129 che non surgëa fuor del marin suolo.
    Cinque volte racceso e tante casso
lo lume era di sotto da la luna,
132 poi che 'ntrati eravam ne l'alto passo,
    quando n'apparve una montagna, bruna
per la distanza, e parvemi alta tanto
135 quanto veduta non avëa alcuna.
    Noi ci allegrammo, e tosto tornò in pianto;
ché de la nova terra un turbo nacque
138 e percosse del legno il primo canto.
    Tre volte il fé girar con tutte l'acque;
a la quarta levar la poppa in suso
e la prora ire in giú, com' altrui piacque,
142   infin che 'l mar fu sovra noi richiuso. »

Mes compagnons et moi, nous étions vieux et lents
lorsque nous vînmes à ce passage étroit
108 où Hercule* posa ses signaux
    afin que l'homme n'allât pas au-delà :
    je laissai Séville à main droite,
111 à main gauche j'avais déjà passé Ceuta.
    "O frères", dis-je, "qui par cent mille
    périls êtes venus à l'occident
114 et à cette veille si petite
    de nos sens, qui leur reste seule ;
    ne refusez pas l'expérience,
117 en suivant le soleil, du monde inhabité.
    Considérez votre semence :
    vous ne fûtes pas faits pour vivre comme des bêtes
120 mais pour suivre vertu et connaissance."
    Je rendis, par ce bref discours, mes compagnons
    si ardents à poursuivre la route,
123 qu'ensuite j'aurais eu peine à les retenir ;
    et tournant notre poupe vers l'orient,
    des rames nous fîmes des ailes pour ce vol fou,
126 en gagnant toujours sur la gauche.
    La nuit je voyais déjà toutes les étoiles
    de l'autre pôle, et le nôtre si bas
129 qu'il ne s'élevait plus du sol marin.
    Cinq fois s'était rallumée, cinq fois éteinte,
    la lumière en dessous de la lune,
132 depuis que nous étions dans ce pas redoutable,
    lorsque nous apparut une montagne* brune,
    dans la distance, et qui semblait si haute
135 que je n'en avais jamais vue de pareille.
    Nous nous réjouîmes, et la joie se changea vite en pleurs,
    car de la terre nouvelle un tourbillon naquit,
138 qui vint frapper le navire à l'avant.
    Il le fit tournoyer trois fois avec les eaux ;
    à la quatrième il dressa la poupe en l'air,
    et enfonça la proue, comme il plut à un Autre,
142 jusqu'à ce que la mer fût refermée sur nous. »

CANTO XXVII

Già era dritta in sú la fiamma e queta
per non dir piú, e già da noi sen gia
3 con la licenza del dolce poeta,
    quand' un'altra, che dietro a lei venía,
ne fece volger li occhi a la sua cima
6 per un confuso suon che fuor n'uscia.
    Come 'l bue cicilian che mugghiò prima
col pianto di colui, e ciò fu dritto,
9 che l'avea temperato con sua lima,
    mugghiava con la voce de l'afflitto,
sí che, con tutto che fosse di rame,
12 pur el pareva dal dolor trafitto;
    cosí, per non aver via né forame
dal principio nel foco, in suo linguaggio
15 si convertïan le parole grame.
    Ma poscia ch'ebber colto lor vïaggio
su per la punta, dandole quel guizzo
18 che dato avea la lingua in lor passaggio,
    udimmo dire : « O tu a cu' io drizzo
la voce e che parlavi mo lombardo,
21 dicendo "Istra ten va, piú non t'adizzo",
    perch' io sia giunto forse alquanto tardo,
non t'incresca restare a parlar meco;
24 vedi che non incresce a me, e ardo!
    Se tu pur mo in questo mondo cieco
caduto se' di quella dolce terra
27 latina ond' io mia colpa tutta reco,

CHANT XXVII

Guido da Montefeltro – État de la Romagne – La conversion de Guido da Montefeltro – Le rôle de Boniface VIII – Un diable logicien.
        (Samedi saint, 9 avril 1300, vers midi.)

        Déjà la flamme était droite et calmée,
    ne parlant plus ; déjà elle s'éloignait de nous,
3   avec le congé du doux poète,
        quand une autre, qui venait derrière elle,
    nous fit tourner les regards vers sa cime,
6   au bruissement confus qui en sortait.
        Comme le bœuf sicilien* qui mugit d'abord,
    (et ce fut à bon droit) avec les plaintes
9   de celui qui l'avait fabriqué de sa lime,
        mugissant par la voix du supplicié,
    si bien que, quoiqu'il fût d'airain,
12 il semblait transpercé de souffrance ;
        ainsi pour n'avoir ni sortie ni passage
    tout d'abord dans le feu les paroles dolentes
15 se traduisaient en langage de flamme.
        Mais dès qu'elles trouvèrent un chemin
    dans la cime, en lui donnant ce frémissement
18 qu'avait donné la langue à leur passage,
        nous entendîmes : « O toi à qui ma voix
    s'adresse et qui à l'instant parlais lombard,
21 disant : "Istra*, va-t'en, plus ne t'attise",
        bien que je sois venu peut-être un peu trop tard,
    consens à demeurer pour parler avec moi :
24 tu vois que j'y consens, et moi pourtant je brûle !
        Si à présent dans le monde aveugle,
    tu es tombé de la douce terre latine
27 d'où j'ai amené toute ma faute,

dimmi se Romagnuoli han pace o guerra;
ch'io fui d'i monti là intra Orbino
30 e 'l giogo di che Tever si diserra. »
    Io era in giuso ancora attento e chino,
quando il mio duca mi tentò di costa,
33 dicendo : « Parla tu; questi è latino. »
    E io, ch'avea già pronta la risposta,
sanza indugio a parlare incominciai :
36 « O anima che se' là giú nascosta,
    Romagna tua non è, e non fu mai,
sanza guerra ne' cuor de' suoi tiranni;
39 ma 'n palese nessuna or vi lasciai.
    Ravenna sta come stata è molt' anni :
l'aguglia da Polenta la si cova,
42 sí che Cervia ricuopre co' suoi vanni.
    La terra che fé già la lunga prova
e di Franceschi sanguinoso mucchio,
45 sotto le branche verdi si ritrova.
    E 'l mastin vecchio e 'l nuovo da Verrucchio,
che fecer di Montagna il mal governo,
48 là dove soglion fan d'i denti succhio.
    Le città di Lamone e di Santerno
conduce il lïoncel dal nido bianco,
51 che muta parte da la state al verno.
    E quella cu' il Savio bagna il fianco,
cosí com' ella sie' tra 'l piano e 'l monte,
54 tra tirannia si vive e stato franco.
    · Ora chi se', ti priego che ne conte;
non esser duro piú ch'altri sia stato,
57 se 'l nome tuo nel mondo tegna fronte. »
    Poscia che 'l foco alquanto ebbe rugghiato
al modo suo, l'aguta punta mosse
60 di qua, di là, e poi diè cotal fiato :
    « S'i' credesse che mia risposta fosse
a persona che mai tornasse al mondo,
63 questa fiamma staria sanza piú scosse;
    ma però che già mai di questo fondo
non tornò vivo alcun, s'i' odo il vero,
66 sanza tema d'infamia ti rispondo.

dis-moi si la Romagne est en paix ou en guerre,
car je viens des montagnes, là entre Urbino
30 et la colline où naît le Tibre. »
     Je l'écoutais, encore penché et attentif,
quand mon guide me toucha de côté
33 et dit : « Parle, toi, celui-ci est latin*. »
     Et moi qui avais déjà la réponse prête,
je me mis à parler sans retard :
36 « O âme qui es cachée là-bas,
     ta Romagne n'est pas, elle n'a jamais été
sans guerre dans le cœur de ses tyrans ;
39 mais je n'en ai pas laissée de déclarée ;
     Ravenne est ce qu'elle est depuis tant d'années :
l'aigle de Polenta* la couve si bien
42 qu'il recouvre Cervia de ses ailes.
     La terre* qui soutint jadis la longue épreuve
et de Français fit un monceau sanglant
45 se trouve encore sous les griffes vertes.
     Le vieux mâtin, et le nouveau* de Verruchio,
qui firent à Montagna* un si mauvais parti,
48 y déchirent* leur proie comme de coutume.
     Les villes de Lamone et de Santerno*
sont gouvernées par le lionceau dans son nid blanc*,
51 qui change de parti de l'été à l'hiver.
     Et celle dont le Savio baigne le flanc*,
comme elle est située entre plaine et montagne,
54 vit entre tyrannie et liberté.
     Et maintenant dis-moi, je te prie, qui tu es :
ne sois pas plus cruel que d'autres n'ont été,
57 et puisse ton nom rester longtemps sur terre. »
     Après que la flamme eut quelque temps rugi
à sa façon, elle agita sa pointe
60 de çà de là, puis elle souffla ainsi :
     « Si je croyais que ma réponse allât
à quelqu'un qui dût retourner sur la terre,
63 cette flamme cesserait de bouger ;
     mais comme jamais personne, si ce qu'on dit est vrai,
n'est revenu vivant de ce bas-fond,
66 je te réponds sans crainte d'infamie.

Io fui uom d'arme, e poi fui cordigliero,
credendomi, sí cinto, fare ammenda;
69 e certo il creder mio venía intero,
se non fosse il gran prete, a cui mal prenda!,
che mi rimise ne le prime colpe;
72 e come e *quare*, voglio che m'intenda.
Mentre ch'io forma fui d'ossa e di polpe
che la madre mi diè, l'opere mie
75 non furon leonine, ma di volpe.
Li accorgimenti e le coperte vie
io seppi tutte, e sí menai lor arte,
78 ch'al fine de la terra il suono uscíe.
Quando mi vidi giunto in quella parte
di mia etade ove ciascun dovrebbe
81 calar le vele e raccoglier le sarte,
ciò che pria mi piacëa, allor m'increbbe,
e pentuto e confesso mi rendei;
84 ahi miser lasso! e giovato sarebbe.
Lo principe d'i novi Farisei,
avendo guerra presso a Laterano,
87 e non con Saracin né con Giudei,
ché ciascun suo nimico era cristiano,
e nessun era stato a vincer Acri
90 né mercatante in terra di Soldano,
né sommo officio né ordini sacri
guardò in sé, né in me quel capestro
93 che solea fare i suoi cinti piú macri.
Ma come Costantin chiese Silvestro
d'entro Siratti a guerir de la lebbre,
96 cosí mi chiese questi per maestro
a guerir de la sua superba febbre;
domandommi consiglio, e io tacetti
99 perché le sue parole parver ebbre.
E' poi ridisse: "Tuo cuor non sospetti;
finor t'assolvo, e tu m'insegna fare
102 sí come Penestrino in terra getti.
Lo ciel poss' io serrare e diserrare,
come tu sai; però son due le chiavi
105 che 'l mio antecessor non ebbe care."

Je fus homme d'armes*, puis cordelier,
croyant expier mes fautes ainsi vêtu;
69 et certes ma croyance aurait été fondée
n'eût été le grand Prêtre, mal lui en vienne,
qui me remit dans mes premiers péchés;
72 le comment et pourquoi je veux que tu l'entendes.

Tant que j'eus la forme de chair et d'os
que ma mère me donna, mes actes furent
75 non pas actes de lion mais de renard.

Les stratagèmes et les chemins couverts,
je les sus tous; et j'en fis tel usage
78 que le bruit en courut jusqu'au bout de la terre.

Quand je me vis arrivé en ce temps
de notre vie où chaque homme devrait
81 carguer les voiles et ramasser les câbles,

ce qui me plaisait jusqu'alors me pesa;
tout repenti et confessé je me fis moine;
84 hélas! je m'en serais trop bien trouvé!

Le prince des nouveaux Pharisiens*
faisait alors la guerre près du Latran*,
87 non pas aux Sarrasins, non pas aux Juifs,

car tous ses ennemis étaient chrétiens,
et aucun n'avait gagné le siège d'Acre
90 ni trafiqué aux terres du Sultan :

il n'eut d'égard ni au suprême office
ni aux ordres sacrés ni pour moi au cordon
93 qui jadis émaciait ceux qui le portaient.

Mais comme Constantin fit venir Silvestre*
du haut du Soratte, pour guérir sa lèpre,
96 ainsi cet homme me requit pour docteur,

afin de guérir sa fièvre d'orgueil;
il me demanda conseil, et je me tus,
99 parce que son propos me parut d'un homme ivre.

Alors il répéta : "Que ton cœur n'ait crainte :
je t'absous d'avance, et toi enseigne-moi
102 comment jeter à bas Palestrina*.

Je peux ouvrir et fermer le ciel
comme tu sais, car elles sont deux les clefs
105 que mon prédécesseur n'a pas osé garder."

Allor mi pinser li argomenti gravi
là 've 'l tacer mi fu avviso 'l peggio,
108 e dissi : "Padre, da che tu mi lavi
di quel peccato ov' io mo cader deggio,
lunga promessa con l'attender corto
111 ti farà trïunfar ne l'alto seggio."
Francesco venne poi, com' io fu' morto,
per me; ma un d'i neri cherubini
114 li disse : "Non portar; non mi far torto.
Venir se ne dee giú tra ' miei meschini
perché diede 'l consiglio frodolente,
117 dal quale in qua stato li sono a' crini;
ch'assolver non si può chi non si pente,
né pentere e volere insieme puossi
120 per la contradizion che nol consente."
Oh me dolente! come mi riscossi
quando mi prese dicendomi : "Forse
123 tu non pensavi ch'io lòico fossi!"
A Minòs mi portò; e quelli attorse
otto volte la coda al dosso duro;
126 e poi che per gran rabbia la si morse,
disse : "Questi è d'i rei del foco furo";
per ch'io là dove vedi son perduto,
129 e sí vestito, andando, mi rancuro. »
Quand' elli ebbe 'l suo dir cosí compiuto,
la fiamma dolorando si partio,
132 torcendo e dibattendo 'l corno aguto.
Noi passamm' oltre, e io e 'l duca mio,
su per lo scoglio infino in su l'altr' arco
che cuopre 'l fosso in che si paga il fio
136 a quei che scommettendo acquistan carco.

Ces graves arguments me poussèrent alors
à penser que le pire eût été de me taire,
106 et je dis : "Père, dès lors que tu me laves
de ce péché où il me faut tomber,
longue promesse, avec un court effet,
111 te fera triompher en ton haut siège."
François* vint plus tard, lorsque je fus mort,
pour me chercher; mais un des anges noirs
114 lui dit : "Ne l'emporte pas; ne me fais pas tort.
Il doit venir en bas avec mes serviteurs,
puisqu'il a donné le conseil de traîtrise,
117 et depuis ce temps je le tiens aux cheveux;
car un non repenti ne peut se faire absoudre,
vouloir et repentir ne se pouvant ensemble,
120 par la contradiction qui ne le permet pas."
Hélas, pauvre de moi, comme je me réveillai,
quand il me prit en me disant : "Peut-être
123 ne pensais-tu pas que j'étais logicien!"
Il m'amena devant Minos, lequel tordit
huit fois sa queue autour de son échine;
126 puis, quand il l'eut mordue dans sa colère :
"Ce pécheur est de ceux que le feu cache";
aussi je suis puni là où tu me vois,
129 et ainsi vêtu je me plains en marchant. »
Quand elle eut achevé son discours,
la flamme s'éloigna en gémissant,
132 tordant et agitant sa pointe aiguë.
Nous passâmes au-delà mon guide et moi
sur le rocher jusqu'à la cime de l'autre pont
qui couvre la fosse où paient leur dette
136 ceux qui chargent leur âme en semant la discorde.

Chi poria mai pur con parole sciolte
dicer del sangue e de le piaghe a pieno
3 ch'i' ora vidi, per narrar piú volte?
   Ogne lingua per certo verria meno
per lo nostro sermone e per la mente
6 c'hanno a tanto comprender poco seno.
   S'el s'aunasse ancor tutta la gente
che già, in su la fortunata terra
9 di Puglia, fu del suo sangue dolente
   per li Troiani e per la lunga guerra
che de l'anella fé sí alte spoglie,
12 come Livïo scrive, che non erra,
   con quella che sentio di colpi doglie
per contastare a Ruberto Guiscardo;
15 e l'altra il cui ossame ancor s'accoglie
   a Ceperan, là dove fu bugiardo
ciascun Pugliese, e là da Tagliacozzo,
18 dove sanz' arme vinse il vecchio Alardo;
   e qual forato suo membro e qual mozzo
mostrasse, d'aequar sarebbe nulla
21 il modo de la nona bolgia sozzo.
   Già veggia, per mezzul perdere o lulla,
com' io vidi un, cosí non si pertugia,
24 rotto del mento infin dove si trulla.
   Tra le gambe pendevan le minugia;
la corata pareva e 'l tristo sacco
27 che merda fa di quel che si trangugia.

CHANT XXVIII

8e cercle, 9e bolge : Fauteurs de schismes et de discorde, dépecés
par l'épée d'un diable.

Vision de la neuvième bolge – Rencontre avec Mahomet –
Pier da Medicina – Bertrand de Born.
(Samedi saint, 9 avril 1300, vers 1 heure de l'après-midi.)

    Qui pourrait jamais, même sans rimes,
  redire à plein le sang et les plaies
3 que je vis alors, même en répétant son récit ?
    Certes toute langue y échouerait
  car notre discours et notre pensée
6 pour tant saisir ont peu d'espace.
    Si même on rassemblait tous les humains
  qui au pays tempétueux des Pouilles*
9 pleurèrent jadis d'avoir versé leur sang
    pour les Troyens et pour la longue guerre*
  qui fit un tel butin d'anneaux,
12 comme écrit Tite-Live, qui ne fait pas d'erreurs,
    ceux qui sentirent la douleur des blessures
  en combattant contre Robert Guiscard*,
15 et ceux dont on recueille encore les os
    à Ceprano*, là où fut traître
  tout Apulien, et à Tagliacozzo*,
18 où vainquit sans armes le vieil Alard* :
    que l'un montrât ses membres transpercés,
  l'autre son corps tronqué, cela ne serait rien
21 auprès de l'horreur de la neuvième bolge.
    Jamais tonneau fuyant par sa barre ou sa douve
  ne fut troué comme je vis une ombre,
24 ouverte du menton jusqu'au trou qui pète.
    Ses boyaux pendaient entre ses jambes ;
  on voyait les poumons, et le sac affreux
27 qui fabrique la merde avec ce qu'on avale.

Mentre che tutto in lui veder m'attacco,
guardommi e con le man s'aperse il petto,
30 dicendo : « Or vedi com' io mi dilacco!

vedi come storpiato è Mäometto!
Dinanzi a me sen va piangendo Alí,
33 fesso nel volto dal mento al ciuffetto.

E tutti li altri che tu vedi qui,
seminator di scandalo e di scisma
36 fuor vivi, e però son fessi cosí.

Un diavolo è qua dietro che n'accisma
sí crudelmente, al taglio de la spada
39 rimettendo ciascun di questa risma,

quand' avem volta la dolente strada;
però che le ferite son richiuse
42 prima ch'altri dinanzi li rivada.

Ma tu chi se' che 'n su lo scoglio muse,
forse per indugiar d'ire a la pena
45 ch'è giudicata in su le tue accuse? »

« Né morte 'l giunse ancor, né colpa 'l mena »,
rispuose 'l mio maestro, « a tormentarlo;
48 ma per dar lui esperïenza piena,

a me, che morto son, convien menarlo
per lo 'nferno qua giú di giro in giro;
51 e quest' è ver cosí com' io ti parlo. »

Piú fuor di cento che, quando l'udiro,
s'arrestaron nel fosso a riguardarmi
54 per maraviglia, oblïando il martiro.

« Or dí a fra Dolcin dunque che s'armi,
tu che forse vedra' il sole in breve,
57 s'ello non vuol qui tosto seguitarmi,

sí di vivanda, che stretta di neve
non rechi la vittoria al Noarese,
60 ch'altrimenti acquistar non saria leve. »

Poi che l'un piè per girsene sospese,
Mäometto mi disse esta parola;
63 indi a partirsi in terra lo distese.

Un altro, che forata avea la gola
e tronco 'l naso infin sotto le ciglia,
66 e non avea mai ch'una orecchia sola,

Tandis que je m'attache tout entier à le voir,
il me regarde et s'ouvre la poitrine avec les mains,
30 disant : « Vois comme je me déchire :
vois Mahomet comme il est estropié.
Ali* devant moi s'en va en pleurant,
33 la face fendue du menton à la houppe :
et tous les autres que tu vois ici
furent de leur vivant semeurs de scandale
36 et de schisme : et pour cette faute ils sont fendus.
Un diable est là derrière qui nous arrange
cruellement, faisant passer tous les damnés
39 de cette troupe au fil de son épée,
quand nous avons fini le triste tour ;
car nos blessures sont déjà refermées
42 avant que nous soyons de nouveau devant lui.
Mais qui es-tu, qui t'arrêtes sur ce pont,
pour retarder peut-être le supplice
45 qui te fut infligé après ta confession. »
« Mort ne l'a pas saisi encore », dit mon maître,
« et nulle faute ne le mène aux tourments ;
48 mais pour lui en donner pleine expérience
je dois, moi qui suis mort, l'accompagner
par le bas enfer, de cercle en cercle :
51 cela est aussi vrai que je te parle. »
Ils furent plus de cent ceux qui, en l'entendant,
s'arrêtèrent dans la fosse à me regarder,
54 dans la stupeur oubliant leur supplice.
« Toi qui bientôt verras peut-être le soleil,
dis donc à frère Dolcin* qu'il se pourvoie,
57 s'il ne veut pas me suivre ici bien vite,
d'assez de vivres pour que la neige
n'apporte pas aux Navarrais une victoire
60 qu'il aurait autrement trop de peine à gagner. »
Mahomet me tint ce discours,
un pied déjà levé pour s'en aller ;
63 puis il le posa à terre, et s'éloigna.
Un autre, qui avait la gorge transpercée,
le nez coupé jusque sous les cils,
66 et qui n'avait plus qu'une seule oreille,

ristato a riguardar per maraviglia
con li altri, innanzi a li altri aprí la canna,
69 ch'era di fuor d'ogne parte vermiglia,

e disse : « O tu cui colpa non condanna
e cu' io vidi in su terra latina,
72 se troppa simiglianza non m'inganna,

rimembriti di Pier da Medicina,
se mai torni a veder lo dolce piano
75 che da Vercelli a Marcabò dichina.

E fa sapere a' due miglior da Fano,
a messer Guido e anco ad Angiolello,
78 che, se l'antiveder qui non è vano,

gittati saran fuor di lor vasello
e mazzerati presso a la Cattolica
81 per tradimento d'un tiranno fello.

Tra l'isola di Cipri e di Maiolica
non vide mai sí gran fallo Nettuno,
84 non da pirate, non da gente argolica.

Quel traditor che vede pur con l'uno,
e tien la terra che tale qui meco
87 vorrebbe di vedere esser digiuno,

farà venirli a parlamento seco ;
poi farà sí, ch'al vento di Focara
90 non sarà lor mestier voto né preco. »

E io a lui : « Dimostrami e dichiara,
se vuo' ch'i' porti sú di te novella,
93 chi è colui da la veduta amara. »

Allor puose la mano a la mascella
d'un suo compagno e la bocca li aperse,
96 gridando : « Questi è desso, e non favella.

Questi, scacciato, il dubitar sommerse
in Cesare, affermando che 'l fornito
99 sempre con danno l'attender sofferse. »

Oh quanto mi pareva sbigottito
con la lingua tagliata ne la strozza
102 Curïo, ch'a dir fu cosí ardito !

E un ch'avea l'una e l'altra man mozza,
levando i moncherin per l'aura fosca,
105 sí che 'l sangue facea la faccia sozza,

resté de stupeur à me regarder
avec les autres, ouvrit avant les autres son gosier
69 qui était au-dehors tout rouge de sang,
    et dit : « O toi que nulle faute ne condamne
et que je vis là-haut sur la terre latine,
72 si je ne suis trompé par trop de ressemblance,
    souviens-toi de Pier da Medicina*,
si jamais tu revois la douce plaine*
75 qui s'abaisse de Vercelli à Marcabo.
    Et fais savoir aux deux grands de Fano*,
à messire Guido et à Angiolello,
78 que si la prévision ici n'est pas vaine,
    ils seront jetés hors de leur vaisseau
et noyés pierre au cou près de Cattolica*
81 par la trahison d'un cruel tyran.
    Entre les îles de Chypre et de Majorque
jamais Neptune ne vit un si grand crime
84 commis par un pirate, ou par des gens d'Argos*.
    Le traître, qui ne voit que d'un œil,
et qui tient cette ville que quelqu'un ici-bas
87 voudrait bien ne jamais avoir vue,
    les fera venir pour parlementer,
et puis il fera que ni vœux ni prières
90 ne les protègent du vent de Focara. »
    Et moi : « Sois clair et montre-moi,
si tu veux que je porte là-haut de tes nouvelles,
93 celui qui a eu cette vision amère. »
    Alors il posa la main sur la mâchoire
d'un de ses compagnons, et lui ouvrit la bouche
96 en criant : « Le voici*, et il ne parle pas :
    banni, il dissipa les doutes
de César, en affirmant que celui qui est prêt
99 ne gagne jamais à différer. »
    O comme il me sembla plein d'épouvante,
avec sa langue tranchée dans le gosier,
102 Curion, qui fut si hardi à parler !
    Un autre, qui avait les deux mains mutilées,
leva ses moignons dans l'air noir
105 si haut que son visage était souillé de sang.

gridò : « Ricordera'ti anche del Mosca,
che disse, lasso!, "Capo ha cosa fatta",
108 che fu mal seme per la gente tosca. »

E io li aggiunsi : « E morte di tua schiatta »;
per ch'elli, accumulando duol con duolo,
111 sen gio come persona trista e matta.

Ma io rimasi a riguardar lo stuolo,
e vidi cosa ch'io avrei paura,
114 sanza piú prova, di contarla solo;

se non che coscïenza m'assicura,
la buona compagnia che l'uom francheggia
117 sotto l'asbergo del sentirsi pura.

Io vidi certo, e ancor par ch'io 'l veggia,
un busto sanza capo andar sí come
120 andavan li altri de la trista greggia;

e 'l capo tronco tenea per le chiome,
pesol con mano a guisa di lanterna :
123 e quel mirava noi e dicea : « Oh me! »

Di sé facea a sé stesso lucerna,
ed eran due in uno e uno in due;
126 com' esser può, quei sa che sí governa.

Quando diritto al piè del ponte fue,
levò 'l braccio alto con tutta la testa
129 per appressarne le parole sue

che fuoro : « Or vedi la pena molesta,
tu che, spirando, vai veggendo i morti :
132 vedi s'alcuna è grande come questa.

E perché tu di me novella porti,
sappi ch'i' son Bertram dal Bornio, quelli
135 che diedi al re giovane i ma' conforti.

Io feci il padre e 'l figlio in sé ribelli;
Achitofèl non fé piú d'Absalone
138 e di Davíd coi malvagi punzelli.

Perch' io parti' cosí giunte persone,
partito porto il mio cerebro, lasso!,
dal suo principio ch'è in questo troncone,
142   Cosí s'osserva in me lo contrapasso. »

Il cria : « Souviens-toi aussi de Mosca*
qui dit ces mots, hélas : "Chose faite a une tête",
108 germe de maux pour le peuple toscan. »
Je continuai : « Et de mort pour ta race » ;
lui, accumulant douleur à la douleur,
111 s'en alla comme un homme à la fois triste et fou.
Moi je restai à regarder la troupe,
et je vis quelque chose que je craindrais
114 de conter seul, sans autre preuve :
si ce n'était que m'assure ma conscience,
bonne compagne qui rend l'homme libre
117 sous la cuirasse de pureté.
Je vis, en vérité, et crois encore le voir,
un corps aller sans tête, comme faisaient aussi
120 les autres qui formaient ce triste troupeau.
Il tenait sa tête coupée par les cheveux,
suspendue à la main comme une lanterne :
123 elle nous regardait, et disait : « Hélas! »
De soi-même à soi-même il faisait un flambeau ;
ils étaient deux en un, un en deux :
126 comment cela se peut, seul le sait qui l'ordonne.
Quand il fut juste au pied du pont,
il éleva en l'air le bras avec la tête,
129 pour rapprocher ses paroles de nous,
qui furent : « Vois donc la peine épouvantable,
toi qui, vivant, viens visiter les morts :
132 vois si aucune est aussi grande ;
et pour que de moi tu portes des nouvelles,
sache que je suis Bertrand de Born*, celui
135 qui donna les mauvais conseils au jeune roi.
Je fis se haïr entre eux père et fils :
Achitofel*, par ses pointes perfides,
138 ne fit pas plus contre David et Absalon.
Pour avoir divisé deux personnes si proches
je porte, hélas, mon cerveau séparé
de son principe, qui est dans ce tronc.
142 Ainsi s'observe en moi la loi du talion. »

La molta gente e le diverse piaghe
avean le luci mie sí inebrïate,
3 che de lo stare a piangere eran vaghe.
    Ma Virgilio mi disse : « Che pur guate?
perché la vista tua pur si soffolge
6 là giú tra l'ombre triste smozzicate?
    Tu non hai fatto sí a l'altre bolge;
pensa, se tu annoverar le credi,
9 che miglia ventidue la valle volge.
    E già la luna è sotto i nostri piedi;
lo tempo è poco omai che n'è concesso,
12 e altro è da veder che tu non vedi. »
    « Se tu avessi », rispuos' io appresso,
« atteso a la cagion per ch'io guardava,
15 forse m'avresti ancor lo star dimesso. »
    Parte sen giva, e io retro li andava,
lo duca, già faccendo la risposta,
18 e soggiugnendo : « Dentro a quella cava
    dov' io tenea or li occhi sí a posta,
credo ch'un spirto del mio sangue pianga
21 la colpa che là giú cotanto costa. »
    Allor disse 'l maestro : « Non si franga
lo tuo pensier da qui innanzi sovr' ello.
24 Attendi ad altro, ed ei là si rimanga;
    ch'io vidi lui a piè del ponticello
mostrarti e minacciar forte col dito,
27 e udi' 'l nominar Geri del Bello.

CHANT XXIX

8ᵉ cercle, 10ᵉ bolge : les Faussaires
— Falsificateurs de métaux, ou *Alchimistes* ; ils sont couverts de
gale et de lèpre.

Reproches de Virgile — Vision de la dixième bolge — **Peine**
des alchimistes — Griffolino d'Arezzo — Alberto de Sienne.
(Samedi saint, 9 avril 1300,
entre 1 heure et 2 heures de l'après-midi.)

La grande foule et les diverses plaies
avaient si fort enivré mes yeux
3 qu'ils avaient désir de se mettre à pleurer ;
mais Virgile me dit : « Que regardes-tu ?
pourquoi ta vue se fixe-t-elle encore
6 là-bas parmi les tristes ombres mutilées ?
Tu n'as pas fait ainsi dans les autres bolges :
pense, si tu crois les compter,
9 que la vallée a vingt-deux milles de tour.
Déjà la lune est sous nos pieds* ;
il nous est accordé peu de temps désormais,
12 et tu as autre chose à voir, que tu ne vois pas. »
« Si tu avais saisi la cause
de mon regard », répondis-je aussitôt,
15 « peut-être m'aurais-tu permis de m'attarder. »
Cependant il partait, et moi je le suivais,
mon guide, en lui faisant cette réponse,
18 et j'ajoutai : « Dans cette fosse
où je tenais mes yeux fixés, je crois
qu'un esprit de mon sang pleure la faute
21 qui coûte si cher dans ce bas-fond. »
Alors mon maître dit : « Que ta pensée
ne se brise plus désormais sur lui :
24 porte ton attention sur autre chose, et laisse-le là ;
car je l'ai vu au pied du petit pont
te montrer du doigt et te menacer ;
27 je l'ai entendu appeler Geri del Bello*.

Tu eri allor sí del tutto impedito
sovra colui che già tenne Altaforte,
30 che non guardasti in là, sí fu partito. »
« O duca mio, la vïolenta morte
che non li è vendicata ancor », diss' io,
33 « per alcun che de l'onta sia consorte,
fece lui disdegnoso; ond' el sen gio
sanza parlarmi, sí com' ïo estimo :
36 e in ciò m'ha el fatto a sé piú pio. »
Cosí parlammo infino al loco primo
che de lo scoglio l'altra valle mostra,
39 se piú lume vi fosse, tutto ad imo.
Quando noi fummo sor l'ultima chiostra
di Malebolge, sí che i suoi conversi
42 potean parere a la veduta nostra,
lamenti saettaron me diversi,
che di pietà ferrati avean li strali;
45 ond' io li orecchi con le man copersi.
Qual dolor fora, se de li spedali
di Valdichiana tra 'l luglio e 'l settembre
48 e di Maremma e di Sardigna i mali
fossero in una fossa tutti 'nsembre,
tal era quivi, e tal puzzo n'usciva
51 qual suol venir de le marcite membre.
Noi discendemmo in su l'ultima riva
del lungo scoglio, pur da man sinistra;
54 e allor fu la mia vista piú viva
giú ver' lo fondo, là 've la ministra
de l'alto Sire infallibil giustizia
57 punisce i falsador che qui registra.
Non credo ch'a veder maggior tristizia
fosse in Egina il popol tutto infermo,
60 quando fu l'aere sí pien di malizia,
che li animali, infino al picciol vermo,
cascaron tutti, e poi le genti antiche,
63 secondo che i poeti hanno per fermo,
si ristorar di seme di formiche;
ch'era a veder per quella oscura valle
66 languir li spirti per diverse biche.

Tu étais alors si absorbé
à voir celui qui tint jadis Hautefort★
30 que tu ne l'as pas regardé; et il est parti. »
« O mon guide », lui dis-je, « sa mort violente
qui n'a pas encore été vengée
33 par un de ceux qui partagent sa honte
l'a rendu méprisant : c'est pourquoi il s'en fut
sans me parler, comme je pense;
36 et par là il m'a donné plus de pitié. »
Nous parlâmes ainsi jusqu'au premier lieu
au sommet du roc, d'où on pourrait voir,
39 s'il faisait plus clair, l'autre vallée.
Quand nous fûmes au-dessus du dernier cloître
de Malebolge, si bien que ses convers
42 pouvaient apparaître à notre vue,
d'étranges cris me transpercèrent
car ils avaient des dards tout ferrés de pitié;
45 et je couvris mes oreilles de mes mains.
Telle serait la douleur, si tous les hôpitaux
de Val di Chiana★, et de Maremme et de Sardaigne
48 rassemblaient leurs maux de juillet à septembre,
tous ensemble, dans une seule fosse,
telle elle était ici; une odeur en sortait
51 pareille à celle qui vient des membres pourris.
Nous descendîmes sur la dernière rive
du long rocher toujours à main gauche;
54 et alors mon regard fut plus pénétrant
pour aller au fond, là où l'intendante
du seigneur tout-puissant, l'infaillible justice,
57 punit les faussaires qu'elle inscrit sur son livre.
Je ne crois pas qu'il fut plus terrible
de voir à Égine★ tout le peuple malade,
60 quand l'air était si plein de pestilence
que tous les animaux, jusqu'au moindre ver,
moururent, et que plus tard le peuple antique,
63 comme les poètes le tiennent pour certain,
fut restauré par la semence des fourmis,
qu'à voir ici dans la vallée obscure
66 languir les esprits en différents tas.

Qual sovra 'l ventre e qual sovra le spalle
l'un de l'altro giacea, e qual carpone
69 si trasmutava per lo tristo calle.

Passo passo andavam sanza sermone,
guardando e ascoltando li ammalati,
72 che non potean levar le lor persone.

Io vidi due sedere a sé poggiati,
com' a scaldar si poggia tegghia a tegghia,
75 dal capo al piè di schianze macolati;

e non vidi già mai menare stregghia
a ragazzo aspettato dal segnorso,
78 né a colui che mal volontier vegghia,

come ciascun menava spesso il morso
de l'unghie sopra sé per la gran rabbia
81 del pizzicor, che non ha più soccorso;

e sí traevan giú l'unghie la scabbia,
come coltel di scardova le scaglie
84 o d'altro pesce che piú larghe l'abbia.

« O tu che con le dita ti dismaglie »,
cominciò 'l duca mio a l'un di loro,
87 « e che fai d'esse talvolta tanaglie,

dinne s'alcun Latino è tra costoro
che son quinc' entro, se l'unghia ti basti
90 etternalmente a cotesto lavoro. »

« Latin siam noi, che tu vedi sí guasti
qui ambedue », rispuose l'un piangendo;
93 « ma tu chi se' che di noi dimandasti? »

E 'l duca disse : « I' son un che discendo
con questo vivo giú di balzo in balzo,
96 e di mostrar lo 'nferno a lui intendo. »

Allor si ruppe lo comun rincalzo;
e tremando ciascuno a me si volse
99 con altri che l'udiron di rimbalzo.

Lo buon maestro a me tutto s'accolse,
dicendo : « Dí a lor ciò che tu vuoli »;
102 e io incominciai, poscia ch'ei volse :

« Se la vostra memoria non s'imboli
nel primo mondo da l'umane menti,
105 ma s'ella viva sotto molti soli,

Qui sur le ventre, et qui sur les épaules
l'un de l'autre ils gisaient, et d'autres se traînaient
69 à quatre pattes dans l'affreux sentier.
Pas à pas nous allions sans rien dire,
en regardant, en écoutant tous ces malades
72 qui ne pouvaient soulever leur corps.
J'en vis deux assis, appuyés l'un à l'autre,
comme on appuie les tuiles, pour les chauffer,
75 tout couverts de croûtes, de la tête aux pieds;
jamais je n'ai vu manier l'étrille
par un valet que son maître attend,
78 ou par quelqu'un qui veille à contrecœur,
comme ces deux-là menaient leurs ongles
sur eux-mêmes, tout enragés
81 de démangeaisons sans remède;
ils arrachaient la gale avec leurs griffes,
comme le couteau gratte les écailles d'une carpe
84 ou d'un poisson qui les a plus grandes.
« O toi qui te démailles avec les doigts »,
commença mon guide à dire à l'un d'eux,
87 et qui t'en sers comme de tenailles,
dis-nous s'il est quelque Latin parmi ceux-ci
qui sont avec toi, et puissent tes ongles
90 te suffire pour toujours à cette besogne. »
« Nous sommes latins tous deux, nous que tu vois
si abîmés », répondit l'un des deux en pleurant,
93 « mais toi qui es-tu qui t'enquiers de nous ? »
Mon guide lui dit : « Je suis quelqu'un
qui va de roc en roc avec ce vivant
96 et j'ai mission de lui montrer l'enfer. »
Leur mutuel appui se rompit alors;
tremblant chacun des deux se tourna vers moi,
99 avec d'autres qui entendirent aussi.
Mon bon maître se rapprocha de moi
en disant : « Parle-leur comme tu veux »;
102 et je commençai, comme il le voulut :
« Que votre souvenir ne s'envole jamais
dans le premier monde des esprits humains
105 mais qu'il y vive sous de nombreux soleils;

ditemi chi voi siete e di che genti;
la vostra sconcia e fastidiosa pena
108 di palesarvi a me non vi spaventi. »

« Io fui d'Arezzo, e Albero da Siena »,
rispuose l'un, « mi fé mettere al foco;
111 ma quel per ch'io mori' qui non mi mena.

Vero è ch'i' dissi lui, parlando a gioco :
"I' mi saprei levar per l'aere a volo";
114 e quei, ch'avea vaghezza e senno poco,

volle ch'i' li mostrassi l'arte; e solo
perch' io nol feci Dedalo, mi fece
117 ardere a tal che l'avea per figliuolo.

Ma ne l'ultima bolgia de le diece
me per l'alchímia che nel mondo usai
120 dannò Minòs, a cui fallar non lece. »

E io dissi al poeta : « Or fu già mai
gente sí vana come la sanese?
123 Certo non la francesca sí d'assai! »

Onde l'altro lebbroso, che m'intese,
rispuose al detto mio : « Tra'mene Stricca
126 che seppe far le temperate spese,

e Niccolò che la costuma ricca
del garofano prima discoverse
129 ne l'orto dove tal seme s'appicca;

e tra'ne la brigata in che disperse
Caccia d'Ascian la vigna e la gran fonda,
132 e l'Abbagliato suo senno proferse.

Ma perché sappi chi sí ti seconda
contra i Sanesi, aguzza ver' me l'occhio,
135 sí che la faccia mia ben ti risponda :

sí vedrai ch'io son l'ombra di Capocchio,
che falsai li metalli con l'alchímia;
e te dee ricordar, se ben t'adocchio,
139 com' io fui di natura buona scimia. »

dites-moi qui vous êtes et de quelle ville ;
et que votre peine hideuse et cruelle
108 ne vous empêche pas de vous ouvrir à moi. »
     « Je fus d'Arezzo⋆, et Alberto de Sienne »,
répondit l'un d'eux, « me fit mettre au feu
111 mais tu me vois ici pour autre chose.
     Je lui dis, il est vrai, en parlant par jeu :
"Je saurais m'élever dans l'air en volant" ;
114 et lui, qui était curieux, et peu sensé,
     voulut que cet art lui fût enseigné ; et comme
je ne fis pas de lui un autre Dédale,
117 il me fit tuer par qui l'aimait comme son fils⋆.
     Mais à la dixième des dix bolges
pour l'alchimie que j'exerçai sur terre,
120 Minos me condamna, qui ne peut se tromper. »
     Je dis au poète : « Y eut-il jamais
gens aussi légers que les Siennois ?
123 pas même les Français, à beaucoup près. »
     Alors l'autre lépreux, qui m'entendit,
répondit à mon dire : « Exceptes-en Stricca⋆,
126 qui sut modérer ses dépenses,
     et Nicolo qui fit la découverte
du riche usage de la girofle
129 dans le jardin où germe cette graine ;
     exceptes-en la bande où Caccia d'Asciano⋆
dissipa sa vigne et son grand enclos,
132 et où l'Ébloui⋆ montra tout son bon sens.
     Mais pour que tu saches qui te seconde ainsi
contre les Siennois, aiguise ton œil,
135 afin que mon visage te réponde bien :
     tu verras que je suis l'ombre de Capocchio⋆,
qui faussa les métaux par l'alchimie ;
tu dois te souvenir, si je t'ai reconnu,
139 comme je fus bon singe de la nature. »

Nel tempo che Iunone era crucciata
per Semelè contra 'l sangue tebano,
come mostrò una e altra fïata,
    Atamante divenne tanto insano,
che veggendo la moglie con due figli
andar carcata da ciascuna mano,
    gridò : «Tendiam le reti, sí ch'io pigli
la leonessa e ' leoncini al varco»;
e poi distese i dispietati artigli,
    prendendo l'un ch'avea nome Learco,
e rotollo e percosselo ad un sasso;
e quella s'annegò con l'altro carco.
    E quando la fortuna volse in basso
l'altezza de' Troian che tutto ardiva,
sí che 'nsieme col regno il re fu casso,
    Ecuba trista, misera e cattiva,
poscia che vide Polissena morta,
e del suo Polidoro in su la riva
    del mar si fu la dolorosa accorta,
forsennata latrò sí come cane;
tanto il dolor le fé la mente torta.
    Ma né di Tebe furie né troiane
si vider mäi in alcun tanto crude,
non punger bestie, nonché membra umane,
    quant' io vidi in due ombre smorte e nude,
che mordendo correvan di quel modo
che 'l porco quando del porcil si schiude.

CHANT XXX

Du temps où Junon* était courroucée
contre le sang thébain, à cause de Sémélé,
3 comme elle montra plus d'une fois,
elle fit qu'Athamas* devînt si insensé
qu'apercevant sa femme et ses deux enfants
6 qu'elle portait tous les deux dans ses bras :
« Tendons nos filets, cria-t-il, que j'attrape
la lionne au passage, avec ses lionceaux » ;
9 puis il ouvrit sa griffe impitoyable,
saisit l'un d'eux, qu'on appelait Léarque,
et le brisa, en le jetant contre un rocher ;
12 sa femme se noya avec l'autre fardeau.
Et quand la fortune abaissa l'orgueil
des citoyens de Troie qui osaient tout faire,
15 si bien que le royaume tomba avec son roi,
Hécube* affligée, misérable et captive,
quand elle vit sa Polyxène morte
18 et le corps de son fils Polydore
sur le rivage de la mer, la malheureuse
dans sa folie aboya comme une chienne,
21 tant la douleur lui égara l'esprit.
Mais ni les fureurs de Thèbes, ni celles de Troie,
ne se montrèrent jamais aussi cruelles
24 à tourmenter les bêtes et les corps humains
que je vis deux ombres pâles et nues
qui couraient en mordant comme un porc
27 quand il est lâché hors de la porcherie.

L'una giunse a Capocchio, e in sul nodo
del collo l'assannò, sí che, tirando,
30 grattar li fece il ventre al fondo sodo.

E l'Aretin che rimase, tremando
mi disse : « Quel folletto è Gianni Schicchi,
33 e va rabbioso altrui cosí conciando. »

« Oh », diss' io lui, « se l'altro non ti ficchi
li denti a dosso, non ti sia fatica
36 a dir chi è, pria che di qui si spicchi. »

Ed elli a me : « Quell' è l'anima antica
di Mirra scellerata, che divenne
39 al padre, fuor del dritto amore, amica.

Questa a peccar con esso cosí venne,
falsificando sé in altrui forma,
42 come l'altro che là sen va, sostenne,

per guadagnar la donna de la torma,
falsificare in sé Buoso Donati,
45 testando e dando al testamento norma. »

E poi che i due rabbiosi fuor passati
sovra cu' io avea l'occhio tenuto,
48 rivolsilo a guardar li altri mal nati.

Io vidi un, fatto a guisa di lëuto,
pur ch'elli avesse avuta l'anguinaia
51 tronca da l'altro che l'uomo ha forcuto.

La grave idropesí, che sí dispaia
le membra con l'omor che mal converte,
54 che 'l viso non risponde a la ventraia,

faceva lui tener le labbra aperte
come l'etico fa, che per la sete
57 l'un verso 'l mento e l'altro in sú rinverte.

« O voi che sanz' alcuna pena siete,
e non so io perché, nel mondo gramo »,
60 diss' elli a noi, « guardate e attendete

a la miseria del maestro Adamo;
io ebbi, vivo, assai di quel ch'i' volli,
63 e ora, lasso!, un gocciol d'acqua bramo.

Li ruscelletti che d'i verdi colli
del Casentin discendon giuso in Arno,
66 faccendo i lor canali freddi e molli,

L'une vint à Capocchio, et lui planta
ses crocs au nœud du cou, si fort
30 qu'elle lui fit gratter le sol avec son ventre.

Et l'Arétin, qui resta tout tremblant, me dit :
« Le follet que tu vois est Gianni Schicchi*,
33 qui s'en va plein de rage en accoutrant les gens. »

« Que puisse l'autre démon », lui dis-je,
« ne pas te mordre, et consens à me dire
36 quel est son nom, avant qu'il disparaisse. »

Alors il répondit : « C'est l'âme antique
de Myrrha* la perverse, celle qui devint,
39 contre le droit amour, amante de son père.

Elle parvint à pécher avec lui
en simulant la forme d'une autre,
42 comme fit celui qui s'en va là-bas*,

qui pour avoir la reine du troupeau
osa se déguiser en Buoso Donati
45 et faire testament en forme légale. »

Lorsque furent passés ces deux enragés,
sur qui j'avais arrêté mon regard,
48 je me tournai pour voir tous les autres mal nés.

Et j'en vis un en forme de luth,
comme s'il était coupé à l'aine
51 là où le corps devient fourchu.

La lourde hydropisie, qui dépareille
si fort les membres, par l'humeur corrompue,
54 que le visage ne répond pas au ventre,

lui faisait garder les lèvres ouvertes,
comme fait l'étique, en qui la soif
57 tourne l'une vers le nez, l'autre vers le menton.

« O vous qui êtes sans aucune peine,
et je ne sais pourquoi, dans ce monde malade,
60 regardez », nous dit-il, « et prêtez attention

à la misère de maître Adam*;
vivant j'eus à foison tout ce que je voulus,
63 ici je convoite, hélas, un filet d'eau.

Les ruisselets qui des vertes collines
du Casentino* descendent vers l'Arno
66 rendant leurs cours frais et humides,

sempre mi stanno innanzi, e non indarno,
ché l'imagine lor vie piú m'asciuga
69 che 'l male ond' io nel volto mi discarno.

La rigida giustizia che mi fruga
tragge cagion del loco ov' io peccai
72 a metter piú li miei sospiri in fuga.

Ivi è Romena, là dov' io falsai
la lega suggellata del Batista;
75 per ch'io il corpo sú arso lasciai.

Ma s'io vedessi qui l'anima trista
di Guido o d'Alessandro o di lor frate,
78 per Fonte Branda non darei la vista.

Dentro c'è l'una già, se l'arrabbiate
ombre che vanno intorno dicon vero;
81 ma che mi val, c'ho le membra legate?

S'io fossi pur di tanto ancor leggero
ch'i' potessi in cent' anni andare un'oncia,
84 io sarei messo già per lo sentiero,

cercando lui tra questa gente sconcia,
con tutto ch'ella volge undici miglia,
87 e men d'un mezzo di traverso non ci ha.

Io son per lor tra sí fatta famiglia;
e' m'indussero a batter li fiorini
90 ch'avevan tre carati di mondiglia. »

E io a lui : « Chi son li due tapini
che fumman come man bagnate 'l verno
93 giacendo stretti a' tuoi destri confini? »

« Qui li trovai — e poi volta non dierno — »,
rispuose, « quando piovvi in questo greppo,
96 e non credo che dieno in sempiterno.

L'una è la falsa ch'accusò Gioseppo;
l'altr' è 'l falso Sinon greco di Troia :
99 per febbre aguta gittan tanto leppo. »

E l'un di lor, che si recò a noia
forse d'esser nomato sí oscuro,
102 col pugno li percosse l'epa croia.

Quella sonò come fosse un tamburo;
e mastro Adamo li percosse il volto
105 col braccio suo, che non parve men duro,

  sont toujours devant moi, et ce n'est pas en vain,
  car leur image me dessèche encore plus
69 que le mal qui me décharne le visage.

  Et la rigide justice qui me fouille
  tire motif du lieu où j'ai péché
72 pour m'arracher encore plus de soupirs.

  C'est là qu'est Romena*, où je faussai l'alliage
  qui fut scellé par le Baptiste*;
75 c'est pourquoi je laissai mon corps sur le bûcher.

  Mais si je voyais ici l'âme félonne
  de Guido, d'Alessandro ou de leur frère,
78 je n'en donnerais pas la vue pour Fonte Branda*.

  L'une d'elles est déjà là-dedans, si les ombres
  qui courent par ici disent la vérité;
81 mais à quoi bon, si j'ai le corps noué?

  Si seulement j'étais encore assez agile
  pour pouvoir, en cent ans, avancer d'un pouce,
84 je me serais déjà mis en chemin,

  pour le chercher parmi ces gens hideux,
  bien que la fosse ait onze milles de tour
87 et, en largeur, au moins un demi-mille.

  C'est par eux que je suis en si triste famille :
  ils me poussèrent à frapper des florins
90 qui avaient trois carats de scorie. »

  Je dis alors : « Qui sont ces malheureux
  qui fument comme en hiver la main mouillée,
93 gisant l'un contre l'autre, à ta main droite? »

  « Je les trouvai ici quand je tombai
  dans cette pierraille, et ils n'ont pas bougé;
96 je ne crois pas qu'ils bougent dans l'éternité.

  L'une est la fourbe* qui accusa Joseph;
  l'autre est le faux Sinon*, le Grec de Troie :
99 par fièvre aiguë, ils fument en puant. »

  Alors l'un d'eux, qui se fâcha peut-être
  d'être nommé d'une façon si noire,
102 lui frappa de son poing la panse enflée.

  Elle résonna comme un tambour ;
  et maître Adam le frappa au visage,
105 de son bras, qui ne parut pas être moins dur,

    dicendo a lui : « Ancor che mi sia tolto
  lo muover per le membra che son gravi,
108 ho io il braccio a tal mestiere sciolto. »
    Ond' ei rispuose : « Quando tu andavi
  al fuoco, non l'avei tu cosí presto;
111 ma sí piú l'avei quando coniavi. »
    E l'idropico : « Tu di' ver di questo :
  ma tu non fosti sí ver testimonio
114 là 've del ver fosti a Troia richesto. »
    « S'io dissi falso, e tu falsasti il conio »,
  disse Sinon, « e son qui per un fallo,
117 e tu per piú ch'alcun altro demonio! »
    « Ricorditi, spergiuro, del cavallo »,
  rispuose quel ch'avëa infiata l'epa;
120 « e sieti reo che tutto il mondo sallo! »
    « E te sia rea la sete onde ti crepa »,
  disse 'l Greco, « la lingua, e l'acqua marcia
123 che 'l ventre innanzi a li occhi sí t'assiepa! »
    Allora il monetier : « Cosí si squarcia
  la bocca tua per tuo mal come suole;
126 ché, s'i' ho sete e omor mi rinfarcia,
    tu hai l'arsura e 'l capo che ti duole,
  e per leccar lo specchio di Narcisso,
129 non vorresti a 'nvitar molte parole. »
    Ad ascoltarli er' io del tutto fisso,
  quando 'l maestro mi disse : « Or pur mira,
132 che per poco che teco non mi risso! »
    Quand' io 'l senti' a me parlar con ira,
  volsimi verso lui con tal vergogna,
135 ch'ancor per la memoria mi si gira.
    Qual è colui che suo dannaggio sogna,
  che sognando desidera sognare,
138 sí che quel ch'è, come non fosse, agogna,
    tal mi fec' io, non possendo parlare,
  che disïava scusarmi, e scusava
141 me tuttavia, e nol mi credea fare.
    « Maggior difetto men vergogna lava »,
  disse 'l maestro, « che 'l tuo non è stato;
144 però d'ogne trestizia ti disgrava.

en lui disant : « Mes membres trop pesants
m'empêchent de bouger, mais j'ai encore
106 le bras assez léger pour ce métier. »
    L'autre lui répondit : « Quand tu allais
sur le bûcher, tu ne l'avais pas aussi vif,
111 mais tu l'avais plus quand tu battais monnaie. »
    Et l'hydropique : « Tu dis vrai là-dessus ;
mais tu n'as pas été témoin si véridique
114 quand on t'a demandé, à Troie, de dire le vrai. »
    « Si je dis le faux, toi tu fausses le coin »,
dit Sinon, « et moi je suis là pour une faute,
117 tandis que toi pour plus qu'aucun autre démon ! »
    « Souviens-toi, parjure, du cheval »,
répondit celui à la panse enflée ;
120 « c'est tant pis pour toi si chacun le sait. »
    « C'est tant pis pour toi si la soif te perce
la langue », reprit le Grec, « et si l'eau pourrie
123 te met le ventre en tas devant les yeux. »
    Alors le monnayeur : « Comme d'habitude
ta maladie t'écorche la bouche ;
126 et si j'ai soif et l'humeur me farcit,
toi tu as la fièvre et le mal de tête,
et pour te faire lécher le miroir de Narcisse*,
129 il ne faudrait pas te prier longtemps. »
    J'étais tout entier tendu à les entendre,
quand mon maître me dit : « Prends garde !
132 encore un peu et je m'emporte contre toi ! »
    Lorsque je l'entendis parler avec colère,
je me tournai vers lui avec une telle honte
135 qu'elle s'agite encore dans ma mémoire.
    Et tel est celui qui rêve son dommage
et qui en rêvant espère qu'il rêve,
138 désirant ce qui est, comme si ce n'était pas ;
tel je devins alors, sans plus pouvoir parler,
car je désirais m'excuser, et m'excusais
141 de fait, tout en croyant ne pas le faire.
    « Moins de regret peut laver faute plus grosse »,
me dit mon maître, « que n'a été la tienne ;
144 aussi décharge-toi de tout chagrin,

E fa ragion ch'io ti sia sempre allato,
se piú avvien che fortuna t'accoglia
dove sien genti in simigliante piato :
148 ché voler ciò udire è bassa voglia. »

et compte que je suis près de toi,
s'il advient encore que fortune t'amène
là où sont des gens en pareille querelle ;
148   car vouloir les entendre est bas désir. »

CANTO XXXI

Una medesma lingua pria mi morse,
sí che mi tinse l'una e l'altra guancia,
3 e poi la medicina mi riporse;
      cosí od' io che solea far la lancia
d'Achille e del suo padre esser cagione
6 prima di trista e poi di buona mancia.

Noi demmo il dosso al misero vallone
su per la ripa che 'l cinge dintorno,
9 attraversando sanza alcun sermone.

Quiv' era men che notte e men che giorno,
sí che 'l viso m'andava innanzi poco;
12 ma io senti' sonare un alto corno,
      tanto ch'avrebbe ogne tuon fatto fioco,
che, contra sé la sua via seguitando,
15 dirizzò li occhi miei tutti ad un loco.

Dopo la dolorosa rotta, quando
Carlo Magno perdé la santa gesta,
18 non sonò sí terribilmente Orlando.

Poco portäi in là volta la testa,
che me parve veder molte alte torri;
21 ond' io : « Maestro, dí, che terra è questa? »

Ed elli a me : « Però che tu trascorri
per le tenebre troppo da la lungi,
24 avvien che poi nel maginare abborri.

Tu vedrai ben, se tu là ti congiungi,
quanto 'l senso s'inganna di lontano;
27 però alquanto piú te stesso pungi. »

Poi caramente mi prese per mano

CHANT XXXI

Le puits des Géants.

Nemrod – Éphialte – Briarée – Antée, qui dépose Virgile et Dante au fond du puits.
           (Samedi saint, 9 avril 1300,
      entre 3 heures et 4 heures de l'après-midi.)

    Une même langue me mordit d'abord,
me colorant l'une et l'autre joue,
3 et me tendit ensuite le remède ;
    ainsi dit-on que la lance d'Achille*
et de son père était la cause
6 de malchance d'abord, et puis de chance.
    Nous tournâmes le dos au vallon pitoyable,
le long de la rive qui fait le tour,
9 et le traversâmes sans nous dire un mot.
    Il ne faisait là pas plus nuit que jour,
si bien que ma vue ne portait pas très loin ;
12 mais j'entendis sonner un cor puissant*,
    si fort qu'il eût couvert le tonnerre même ;
mes regards se dressèrent vers un point,
15 en remontant la direction du son.
    Après la douloureuse défaite*,
quand Charlemagne perdit son armée*,
18 Roland ne sonna pas aussi terriblement.
    A peine avais-je tourné la tête vers ce côté
que je crus voir plusieurs très hautes tours ;
21 et moi : « Maître, dis-moi, quelle est cette cité ? »
    Il répondit : « Lorsque ta vue
veut pénétrer trop loin dans les ténèbres,
24 il advient qu'en imaginant tu t'égares.
    Tu verras bien, si tu arrives jusque-là,
combien les sens y sont trompés par la distance ;
27 tâche de presser un peu le pas. »
    Puis avec tendresse il me prit par la main,

   e disse : « Pria che noi siam piú avanti,
30 acciò che 'l fatto men ti paia strano,
     sappi che non son torri, ma giganti,
   e son nel pozzo intorno da la ripa
33 da l'umbilico in giuso tutti quanti. »
     Come quando la nebbia si dissipa,
   lo sguardo a poco a poco raffigura
36 ciò che cela 'l vapor che l'aere stipa,
     cosí forando l'aura grossa e scura,
   piú e piú appressando ver' la sponda,
39 fuggiemi errore e cresciemi paura;
     però che, come su la cerchia tonda
   Montereggion di torri si corona,
42 cosí la proda che 'l pozzo circonda
     torreggiavan di mezza la persona
   li orribili giganti, cui minaccia
45 Giove del cielo ancora quando tuona.
     E io scorgeva già d'alcun la faccia,
   le spalle e 'l petto e del ventre gran parte,
48 e per le coste giú ambo le braccia.
     Natura certo, quando lasciò l'arte
   di sí fatti animali, assai fé bene
51 per tòrre tali essecutori a Marte.
     E s'ella d'elefanti e di balene
   non si pente, chi guarda sottilmente,
54 piú giusta e piú discreta la ne tene;
     ché dove l'argomento de la mente
   s'aggiugne al mal volere e a la possa,
57 nessun riparo vi può far la gente.
     La faccia sua mi parea lunga e grossa
   come la pina di San Pietro a Roma,
60 e a sua proporzione eran l'altre ossa;
     sí che la ripa, ch'era perizoma
   dal mezzo in giú, ne mostrava ben tanto
63 di sovra, che di giugnere a la chioma
     tre Frison s'averien dato mal vanto;
   però ch'i' ne vedea trenta gran palmi
66 dal loco in giú dov' omo affibbia 'l manto.
     « *Raphèl maí amècche zabí almi* »,

et dit : « Avant que nous soyons plus près,
30 et pour que le fait te soit moins surprenant,
    sache que ce ne sont pas des tours, mais des géants,
    et qu'ils sont dans le puits, le long de la margelle,
33 tous plantés là du nombril jusqu'aux pieds. »
    Comme le brouillard vient à se dissiper
    en laissant l'œil peu à peu distinguer
36 ce que cache la vapeur accumulée dans l'air,
    ainsi, perçant l'épaisse obscurité,
    quand j'approchais de plus en plus du bord,
39 l'erreur disparaissait, et la peur augmentait.
    Car comme on voit sur son enceinte ronde
    Monterrigioni* se couronner de tours,
42 ainsi sur la crête qui entoure le puits
    se dressaient comme des tours, à moitié de leur corps,
    les horribles géants* que Jupiter menace
45 encore du haut du ciel, chaque fois qu'il tonne.
    Et je voyais déjà la face de l'un d'eux,
    ses épaules, son buste, une partie du ventre,
48 et les deux bras le long des flancs.
    Nature eut certes bien raison de renoncer
    à l'art de fabriquer ces animaux,
51 pour ôter à Mars pareils exécuteurs.
    Si des éléphants et des baleines
    elle ne se repent pas, qui la regarde bien
54 la juge encore plus juste et plus avisée :
    car là où les ressources de l'esprit
    s'unissent au mal vouloir et à la force,
57 on ne peut trouver aucun recours.
    La face du géant semblait très longue et grosse
    comme la pigne* de Saint-Pierre de Rome :
60 et les autres os étaient à proportion ;
    si bien que le talus qui lui servait de pagne
    sous la ceinture, en montrait assez par-dessus
63 pour que trois Frisons* n'eussent pu se vanter
    de grimper jusqu'à sa chevelure :
    car j'en voyais trente grands empans*
66 de la margelle au point où s'agrafe le manteau.
    « Raphèl mai amècche zabi almi* »,

cominciò a gridar la fiera bocca,
69 cui non si convenia piú dolci salmi.

E 'l duca mio ver' lui : « Anima sciocca,
tienti col corno, e con quel ti disfoga
72 quand' ira o altra passïon ti tocca!

Cércati al collo, e troverai la soga
che 'l tien legato, o anima confusa,
75 e vedi lui che 'l gran petto ti doga. »

Poi disse a me : « Elli stessi s'accusa;
questi è Nembrotto per lo cui mal coto
78 pur un linguaggio nel mondo non s'usa.

Lasciànlo stare e non parliamo a vòto;
ché cosí è a lui ciascun linguaggio
81 come 'l suo ad altrui, ch'a nullo è noto. »

Facemmo adunque piú lungo vïaggio,
vòlti a sinistra; e al trar d'un balestro
84 trovammo l'altro assai piú fero e maggio.

A cigner lui qual che fosse 'l maestro,
non so io dir, ma el tenea soccinto
87 dinanzi l'altro e dietro il braccio destro

d'una catena che 'l tenea avvinto
dal collo in giú, sí che 'n su lo scoperto
90 si ravvolgëa infino al giro quinto.

« Questo superbo volle esser esperto
di sua potenza contra 'l sommo Giove »,
93 disse 'l mio duca, « ond' elli ha cotal merto.

Fïalte ha nome, e fece le gran prove
quando i giganti fer paura a' dèi;
96 le braccia ch'el menò, già mai non move. »

E io a lui : « S'esser puote, io vorrei
che de lo smisurato Brïareo
99 esperïenza avesser li occhi mei. »

Ond' ei rispuose : « Tu vedrai Anteo
presso di qui che parla ed è disciolto,
102 che ne porrà nel fondo d'ogne reo.

Quel che tu vuo' veder, piú là è molto
ed è legato e fatto come questo,
105 salvo che piú feroce par nel volto. »

Non fu tremoto già tanto rubesto,

se mit à crier l'effroyable bouche,
69 à qui ne convient pas un plus doux psaume.
   Et mon guide lui dit : « Ame stupide,
tiens-t'en au cor, soulage-toi par lui
72 quand la colère te prend, ou une autre passion !
   Cherche à ton cou, tu y trouveras la courroie
qui te tient lié, âme confuse,
75 vois-la qui barre ta grande poitrine. »
   Puis il me dit : « Il s'accuse lui-même ;
c'est Nemrod★, qui a fait, par sa folle pensée,
78 qu'on n'use plus sur terre un langage unique.
   Laissons-le là, ne parlons pas en vain,
car toute langue est pour lui comme la sienne
81 aux autres, qui n'est comprise par personne. »
   Nous poursuivîmes donc notre chemin
tournés vers la gauche ; à un trait d'arbalète
84 parut l'autre géant, plus sauvage et plus grand.
   Quel fut le maître qui le lia,
je ne sais, mais son bras gauche
87 était serré devant, et l'autre derrière,
   par une chaîne qui le garrottait
du cou aux pieds, en tournant cinq fois
90 sur la partie visible de son corps.
   « Cet orgueilleux voulut faire l'essai
de son pouvoir contre Jupiter souverain »,
93 me dit mon guide, « et il en a cette récompense.
   Son nom est Éphialte★ ; il fit ses preuves
quand les géants firent peur aux dieux ;
96 il ne peut plus mouvoir les bras qu'il a brandis. »
   Je lui dis : « S'il se peut, je voudrais
que mes yeux jugent par expérience
99 la grandeur de l'immense Briarée★. »
   Il répondit : « Tu verras Antée★
tout près d'ici, qui parle et n'est pas enchaîné,
102 et qui nous mettra dans le fond des péchés.
   Celui que tu veux voir est bien plus loin,
il est tout ligoté, comme celui-ci,
105 sinon que son visage est plus féroce. »
   Jamais on ne vit un tremblement de terre

che scotesse una torre cosí forte,
108 come Fïalte a scuotersi fu presto.

Allor temett' io piú che mai la morte,
e non v'era mestier piú che la dotta,
111 s'io non avessi viste le ritorte.

Noi procedemmo piú avante allotta,
e venimmo ad Anteo, che ben cinque alle,
114 sanza la testa, uscia fuor de la grotta.

« O tu che ne la fortunata valle
che fece Scipïon di gloria reda,
117 quand' Anibàl co' suoi diede le spalle,

recasti già mille leon per preda,
e che, se fossi stato a l'alta guerra
120 de' tuoi fratelli, ancor par che si creda

ch'avrebber vinto i figli de la terra :
mettine giú, e non ten vegna schifo,
123 dove Cocito la freddura serra.

Non ci fare ire a Tizio né a Tifo :
questi può dar di quel che qui si brama ;
126 però ti china e non torcer lo grifo.

Ancor ti può nel mondo render fama,
ch'el vive, e lunga vita ancor aspetta
129 se 'nnanzi tempo grazia a sé nol chiama. »

Così disse 'l maestro ; e quelli in fretta
le man distese, e prese 'l duca mio,
132 ond' Ercule sentí già grande stretta.

Virgilio, quando prender sí sentio,
disse a me : « Fatti qua, sí ch'io ti prenda » ;
135 poi fece sí ch'un fascio era elli e io.

Qual pare a riguardar la Carisenda
sotto 'l chinato, quando un nuvol vada
138 sovr' essa sí, ched ella incontro penda :

tal parve Antëo a me che stava a bada
di vederlo chinare, e fu tal ora
141 ch'i' avrei voluto ir per altra strada.

Ma lievemente al fondo che divora
Lucifero con Giuda, ci sposò ;
né, sí chinato, lí fece dimora,
145 e come albero in nave si levò.

secouer une tour avec la force
108 qu'Éphialte mit alors à secouer son échine ;
plus que jamais je craignis de mourir
et à me tuer la peur aurait suffi
111 si je n'avais bien vu ses tours de chaîne.

Nous poursuivîmes alors notre chemin,
et arrivâmes à Antée, qui se dressait
114 de cinq aunes hors du puits, sans compter la tête.

« O toi qui rapportas mille lions pour butin,
autrefois, dans l'heureuse vallée
117 où Scipion hérita de ta gloire,

quand Hannibal tourna le dos avec les siens,
toi qui, si tu avais été au combat suprême
120 que soutinrent tes frères, à ce qu'on croit encore,

aurais fait gagner les enfants de la terre :
pose-nous en bas, et fais-le sans dédain,
123 là où le Cocyte* est serré par le gel.

Ne nous envoie ni à Tityos ni à Typhée* :
cet homme-ci peut donner ce qu'on désire ici ;
126 penche-toi donc, ne tords pas le museau.

Il peut te donner la gloire encore sur terre,
car il est vivant, et longue vie l'attend encore,
129 si la Grâce ne le rappelle avant le temps. »

Ainsi parla mon maître, et l'autre, aussitôt,
pour le prendre étendit les mains
132 dont Hercule éprouva jadis la grande étreinte.

Virgile, quand il se sentit enlever,
me dit : « Approche-toi, que je te prenne » ;
135 puis de lui et de moi il fit un seul faisceau.

Telle paraît s'incliner la Garisenda*
dans le sens contraire, si d'en bas on regarde
138 lorsque passe un nuage, vers le côté qui penche,

tel me parut Antée, à moi qui attendais
de le voir s'incliner, et ce fut le moment
141 où j'aurais bien voulu prendre un autre chemin.

Mais il nous déposa tout doucement
dans l'abîme qui dévore Lucifer et Judas ;
et ne resta pas longtemps penché,
145   mais il se redressa comme un mât de navire.

CANTO XXXII

S'ïo avessi le rime aspre e chiocce,
come si converrebbe al tristo buco
3 sovra 'l qual pontan tutte l'altre rocce,
    io premerei di mio concetto il suco
più pienamente; ma perch' io non l'abbo,
6 non sanza tema a dicer mi conduco;
    ché non è impresa da pigliare a gabbo
discriver fondo a tutto l'universo,
9 né da lingua che chiami mamma o babbo.
    Ma quelle donne aiutino il mio verso
ch'aiutaro Anfïone a chiuder Tebe,
12 sí che dal fatto il dir non sia diverso.
    Oh sovra tutte mal creata plebe
che stai nel loco onde parlare è duro,
15 mei foste state qui pecore o zebe!
    Come noi fummo giú nel pozzo scuro
sotto i piè del gigante assai più bassi,
18 e io mirava ancora a l'alto muro,
    dicere udi'mi : « Guarda come passi :
va sí, che tu non calchi con le piante
21 le teste de' fratei miseri lassi. »
    Per ch'io mi volsi, e vidimi davante
e sotto i piedi un lago che per gelo
24 avea di vetro e non d'acqua sembiante.
    Non fece al corso suo sí grosso velo
di verno la Danoia in Osterlicchi,
27 né Tanaï là sotto 'l freddo cielo,

CHANT XXXII

Si j'avais les rimes âpres et rauques
comme il conviendrait à ce lugubre trou
3 sur lequel s'appuient tous les autres rocs,
j'exprimerais le suc de ma pensée
plus pleinement; mais je ne les ai point,
6 et non sans frayeur je m'apprête à parler :
car ce n'est pas affaire à prendre à la légère
que de décrire le fond de l'univers entier
9 ni celle d'une langue disant « papa, maman* ».
Mais que ces dames* viennent secourir mes vers
qui aidèrent Amphion à faire les murs de Thèbes,
12 afin que le dire ne soit pas loin du fait.
O engeance entre toutes mal née
qui habites ce lieu dur à décrire,
15 mieux t'en eût pris d'être chèvre ou brebis!
Quand nous fûmes en bas dans le puits obscur,
beaucoup plus bas que les pieds du géant,
18 et que je regardais encore vers la falaise,
une voix me dit : « Prends garde quand tu passes!
va, si tu peux, sans fouler sous tes pieds
21 les têtes de tes frères humains, qui souffrent. »
Je me tournai alors et je vis devant moi
et sous mes pieds un lac à qui le gel
24 donnait l'aspect du verre, et non de l'eau.
Jamais en hiver le Danube autrichien
ni le Tanaïs* là-bas sous un ciel glacé
27 ne couvrirent leur cours d'un voile aussi épais

com' era quivi; che se Tambernicchi
vi fosse sú caduto, o Pietrapana,
30 non avria pur da l'orlo fatto cricchi.

E come a gracidar si sta la rana
col muso fuor de l'acqua, quando sogna
33 di spigolar sovente la villana,

livide, insin là dove appar vergogna
eran l'ombre dolenti ne la ghiaccia,
36 mettendo i denti in nota di cicogna.

Ognuna in giú tenea volta la faccia;
da bocca il freddo, e da li occhi il cor tristo
39 tra lor testimonianza si procaccia.

Quand' io m'ebbi dintorno alquanto visto,
volsimi a' piedi, e vidi due sí stretti,
42 che 'l pel del capo avieno insieme misto.

« Ditemi, voi che sí strignete i petti »,
diss' io, « chi siete? » E quei piegaro i colli;
45 e poi ch'ebber li visi a me eretti,

li occhi lor, ch'eran pria pur dentro molli,
gocciar su per le labbra, e 'l gelo strinse
48 le lagrime tra essi e riserrolli.

Con legno legno spranga mai non cinse
forte cosí; ond' ei come due becchi
51 cozzaro insieme, tanta ira li vinse.

E un ch'avea perduti ambo li orecchi
per la freddura, pur col viso in giúe,
54 disse : « Perché cotanto in noi ti specchi?

Se vuoi saper chi son cotesti due,
la valle onde Bisenzo si dichina
57 del padre loro Alberto e di lor fue.

D'un corpo usciro; e tutta la Caina
potrai cercare, e non troverai ombra
60 degna piú d'esser fitta in gelatina :

non quelli a cui fu rotto il petto e l'ombra
con esso un colpo per la man d'Artú;
63 non Focaccia; non questi che m'ingombra

col capo sí, ch'i' non veggio oltre piú,
e fu nomato Sassol Mascheroni;
66 se tosco se', ben sai omai chi fu.

qu'il était ici, et si le Tambernic*
ou la Pietrapana* étaient tombés dessus,
30 même sur le bord ils n'auraient pas fait crac.
    Et comme la grenouille se tient pour coasser
le museau hors de l'eau, alors que rêve
33 souvent la paysanne qu'elle s'en va glaner,
    livides, jusqu'au point où la honte se voit,
les ombres dolentes étaient dans la glace,
36 claquant des dents comme font les cigognes.
    Chacune avait la face vers le bas ;
la bouche donnait pénible témoignage
39 du froid, les yeux du cœur endolori.
    Quand j'eus assez vu autour de moi,
je me tournai vers mes pieds, et je vis deux damnés
42 si serrés que leurs cheveux étaient entremêlés.
    « Dites-moi, vous qui serrez si fort vos poitrines »,
leur dis-je, « qui êtes-vous ? » Ils tournèrent le cou ;
45 et quand ils eurent redressé leurs visages,
    leurs yeux, qui n'étaient mouillés qu'au-dedans,
ruisselèrent sur leurs lèvres ; le gel durcit
48 les pleurs entre eux, et les referma.
    Jamais crampon de fer ne serra bois sur bois
si fort ; eux, comme deux boucs, ils se heurtèrent
51 l'un contre l'autre, dans leur colère.
    Un autre qui avait perdu les deux oreilles
à cause du froid, le visage baissé lui aussi,
54 me dit : « Pourquoi te mires-tu en nous ?
    Si tu veux savoir qui sont ces deux-ci*,
la vallée où descend le Bisenzo
57 appartint à leur père Alberto, et à eux.
    Ils sont nés d'un même corps, et tu pourras fouiller
toute la Caïne*, tu n'y trouveras pas une ombre
60 plus digne d'être figée en gélatine ;
    pas même celui-là dont Arthur
perça d'un coup d'épée la poitrine et l'ombre ;
63 ni Focaccia* ; ni celui-ci qui m'encombre tant
    avec sa tête, que je ne vois pas au-delà,
et qui s'appelait Sassol Mascheroni* :
66 si tu es toscan, tu sais bien qui c'était.

E perché non mi metti in piú sermoni,
sappi ch'i' fu' il Camiscion de' Pazzi;
69 e aspetto Carlin che mi scagioni. »
  Poscia vid' io mille visi cagnazzi
fatti per freddo; onde mi vien riprezzo,
72 e verrà sempre, de' gelati guazzi.
  E mentre ch'andavamo inver' lo mezzo
al quale ogne gravezza si rauna,
75 e io tremava ne l'etterno rezzo;
  se voler fu o destino o fortuna,
non so; ma, passeggiando tra le teste,
78 forte percossi 'l piè nel viso ad una.
  Piangendo mi sgridò : « Perché mi peste?
se tu non vieni a crescer la vendetta
81 di Montaperti, perché mi moleste? »
  E io : « Maestro mio, or qui m'aspetta,
sí ch'io esca d'un dubbio per costui;
84 poi mi farai, quantunque vorrai, fretta. »
  Lo duca stette, e io dissi a colui
che bestemmiava duramente ancora :
87 « Qual se' tu che cosí rampogni altrui? »
  « Or tu chi se' che vai per l'Antenora,
percotendo », rispuose, « altrui le gote,
90 sí che, se fossi vivo, troppo fora? »
  « Vivo son io, e caro esser ti puote »,
fu mia risposta, « se dimandi fama,
93 ch'io metta il nome tuo tra l'altre note. »
  Ed elli a me : « Del contrario ho io brama.
Lèvati quinci e non mi dar piú lagna,
96 ché mal sai lusingar per questa lama! »
  Allor lo presi per la cuticagna
e dissi : « El converrà che tu ti nomi,
99 o che capel qui sú non ti rimagna. »
  Ond' elli a me : « Perché tu mi dischiomi,
né ti dirò ch'io sia, né mosterrolti
102 se mille fiate in sul capo mi tomi. »
  Io avea già i capelli in mano avvolti,
e tratti glien' avea piú d'una ciocca,
105 latrando lui con li occhi in giú raccolti,

Ne me force pas à parler davantage,
et sache que je fus Camicion de' Pazzi*,
69 et que j'attends Carlin*, qui me disculpera. »
Je vis encore mille visages
violacés de froid; depuis ce temps je tremble
72 et le ferai toujours, à voir des eaux gelées.
Pendant ce temps nous approchions du centre
vers lequel tend tout ce qui pèse,
75 et moi je tremblais dans le froid éternel;
si ce fut vouloir, ou destin, ou hasard,
je ne sais; mais en passant entre les têtes,
78 mon pied en heurta une, en plein visage.
Elle cria en pleurant : « Pourquoi me foules-tu?
Si tu ne viens pas accroître la vengeance
81 de Montaperti*, que me tortures-tu? »
Et moi : « Maître, attends-moi ici;
je veux sortir d'un doute à propos de cette ombre;
84 puis tu me presseras autant que tu voudras. »
Mon guide s'arrêta, et je dis à celui
qui m'insultait encore de toutes ses forces :
87 « Qui donc es-tu, toi qui rabroues ainsi autrui? »
« Et qui es-tu, toi qui t'en vas par l'Anténore* »,
dit-il, « frappant si fort les joues d'autrui,
90 que ce serait trop fort pour un vivant? »
« Je suis vivant », lui dis-je, « et il pourra te plaire,
si tu désires avoir la renommée,
93 que j'écrive ton nom parmi mes autres notes. »
Il répondit : « C'est du contraire que j'ai envie.
Va-t'en d'ici, ne me fatigue plus;
96 tu sais bien mal séduire dans ce bas-fond! »
Alors je le pris par la peau du cou
et je dis : « Il faudra bien que tu te nommes,
99 ou que pas un poil ne reste là-dessus. »
Et lui à moi : « Tu auras beau me rendre chauve,
je ne te dirai ni te montrerai qui je suis,
102 même si tu me tombais mille fois sur la tête. »
Je tenais dans ma main ses cheveux enroulés,
dont j'avais arraché déjà plusieurs mèches,
105 et lui, il aboyait, les yeux à terre,

quando un altro gridò : « Che hai tu, Bocca?
non ti basta sonar con le mascelle,
108 se tu non latri? qual diavol ti tocca? »
   « Omai », diss' io, « non vo' che piú favelle,
malvagio traditor; ch'a la tua onta
111 io porterò di te vere novelle. »
   « Va via », rispuose, « e cio che tu vuoi conta;
ma non tacer, se tu di qua entro eschi,
114 di quel ch'ebbe or cosí la lingua pronta.
   El piange qui l'argento de' Franceschi :
"Io vidi", potrai dir, "quel da Duera
117 là dove i peccatori stanno freschi."
   Se fossi domandato "Altri chi v'era?",
tu hai dallato quel di Beccheria
120 di cui segò Fiorenza la gorgiera.
   Gianni de' Soldanier credo che sia
piú là con Ganellone e Tebaldello,
123 ch'aprí Faenza quando si dormia. »
   Noi eravam partiti già da ello,
ch'io vidi due ghiacciati in una buca,
126 sí che l'un capo a l'altro era cappello;
   e come 'l pan per fame si manduca,
cosí 'l sovran li denti a l'altro pose
129 là 've 'l cervel s'aggiugne con la nuca :
   non altrimenti Tidëo si rose
le tempie a Menalippo per disdegno,
132 che quei faceva il teschio e l'altre cose.
   « O tu che mostri per sí bestial segno
odio sovra colui che tu ti mangi,
135 dimmi 'l perché », diss' io, « per tal convegno,
   che se tu a ragion di lui ti piangi,
sappiendo chi voi siete e la sua pecca,
nel mondo suso ancora io te ne cangi,
139   se quella con ch'io parlo non si secca. »

quand un autre cria : « Qu'as-tu donc, Bocca* ?
claquer des mâchoires ne te suffit pas,
106 il faut que tu aboies? quel démon te pique? »
« *A présent, je n'ai plus besoin que tu parles,
traître maudit » lui dis-je, « et à ta honte
111 je porterai là-haut de tes vraies nouvelles. »
« Va-t'en », répondit-il, « raconte ce qu'il te plaît,
mais si tu sors d'ici, ne te tais pas non plus
114 sur cet autre* à la langue si prompte.
Il pleure ici sur l'argent des Français* :
"J'ai vu", pourras-tu dire, "le seigneur de Duera,
117 là où les pécheurs sont mis au frais."
Si on te demandait : "Qui d'autre était là?"
tu as auprès de toi l'homme de Beccheria*
120 dont Florence a coupé le gorgerin.
Gianni de' Soldanieri*, je crois qu'il est
plus loin avec Ganelon et Tebaldello*,
123 qui ouvrit Faenza quand tout dormait. »
Nous avions déjà quitté cette ombre
quand je vis deux gelés dans un seul trou ;
126 la tête de l'un coiffait la tête de l'autre ;
et comme on mange du pain quand on a faim,
celui du haut planta ses dents sur le second,
129 là où le cerveau se joint à la nuque :
Tydée* dans sa fureur ne rongea pas
les tempes de Ménalippe d'autre façon
132 qu'il mangeait le crâne, avec le reste :
« O toi », lui dis-je, « qui dénonces ta haine
pour celui que tu manges par signe si bestial,
135 dis-moi pourquoi, et je m'engage,
si c'est à raison que tu te plains de lui,
sachant qui vous êtes et quel est son crime,
à t'en récompenser là-haut sur la terre,
139 si ne se dessèche pas la langue qui te parle. »

CANTO XXXIII

La bocca sollevò dal fiero pasto
quel peccator, forbendola a' capelli
3 del capo ch'elli avea di retro guasto.

Poi cominciò : « Tu vuo' ch'io rinovelli
disperato dolor che 'l cor mi preme
6 già pur pensando, pria ch'io ne favelli.

Ma se le mie parole esser dien seme
che frutti infamia al traditor ch'i' rodo,
9 parlare e lagrimar vedrai insieme.

Io non so chi tu se' né per che modo
venuto se' qua giú; ma fiorentino
12 mi sembri veramente quand' io t'odo.

Tu dei saper ch'i' fui conte Ugolino,
e questi è l'arcivescovo Ruggieri :
15 or ti dirò perché i son tal vicino.

Che per l'effetto de' suo' mai pensieri,
fidandomi di lui, io fossi preso
18 e poscia morto, dir non è mestieri;

però quel che non puoi avere inteso,
cioè come la morte mia fu cruda,
21 udirai, e saprai s'e' m'ha offeso.

Breve pertugio dentro da la Muda,
la qual per me ha 'l titol de la fame,
24 e che conviene ancor ch'altrui si chiuda,

m'avea mostrato per lo suo forame,
piú lune già, quand' io feci 'l mal sonno
27 che del futuro mi squarciò 'l velame.

CHANT XXXIII

Ugolino raconte sa mort et celle de ses fils — Invective contre Pise — Passage à la troisième zone — Colloque avec Frère Albéric — Branca d'Oria — Invective contre Gênes. (Samedi saint, 9 avril 1300, vers 6 heures de l'après-midi.)

    Il souleva la bouche de son affreux repas,
  ce pécheur, l'essuyant aux cheveux de la tête
3 qu'il avait entamée par-derrière.
    Puis il commença : « Tu veux que je ravive
  le désespoir qui serre encore mon cœur
6 rien qu'en y pensant, avant que j'en parle.
    Mais si mon récit peut engendrer
  quelque fruit d'infamie au traître que je ronge,
9 tu me verras parler et pleurer à la fois.
    Je ne sais qui tu es ni par quels moyens
  tu es venu ici ; mais tu es florentin,
12 me semble-t-il en vérité quand je t'entends.
    Sache que je fus le comte Ugolino*,
  et celui-ci est l'archevêque Ruggeri :
15 entends pourquoi je suis pour lui un tel voisin.
    Que par l'effet de ses mauvaises pensées
  me fiant à lui, je fus arrêté
18 puis mis à mort, il n'est pas besoin de le dire ;
    mais ce que tu ne peux avoir appris,
  c'est combien ma mort fut cruelle :
21 tu vas l'entendre ; et tu sauras s'il m'offensa.
    Un étroit pertuis dans la tour de la Mue*
  qui par ma cause a pris nom « de la faim »,
24 et qui après moi doit en enfermer d'autres,
    m'avait déjà montré par son ouverture
  plusieurs lunes*, lorsque je fis le mauvais rêve
27 qui déchira pour moi le voile du futur.

Questi pareva a me maestro e donno,
cacciando il lupo e ' lupicini al monte
30 per che i Pisan veder Lucca non ponno.
 Con cagne magre, studïose e conte
Gualandi con Sismondi e con Lanfranchi
33 s'avea messi dinanzi da la fronte.
 In picciol corso mi parieno stanchi
lo padre e' figli, e con l'agute scane
36 mi parea lor veder fender li fianchi.
 Quando fui desto innanzi la dimane,
pianger senti' fra 'l sonno i miei figliuoli
39 ch'eran con meco, e dimandar del pane.
 Ben se' crudel, se tu già non ti duoli
pensando ciò che 'l mio cor s'annunziava;
42 e se non piangi, di che pianger suoli?
 Già eran desti, e l'ora s'appressava
che 'l cibo ne solëa essere addotto,
45 e per suo sogno ciascun dubitava;
 e io senti' chiavar l'uscio di sotto
a l'orribile torre; ond' io guardai
48 nel viso a' mie' figliuoi sanza far motto.
 Io non piangëa, sí dentro impetrai :
piangevan elli; e Anselmuccio mio
51 disse : "Tu guardi sí, padre! che hai?"
 Perciò non lagrimai né rispuos' io
tutto quel giorno né la notte appresso,
54 infin che l'altro sol nel mondo uscío.
 Come un poco di raggio si fu messo
nel doloroso carcere, e io scorsi
57 per quattro visi il mio aspetto stesso,
 ambo le man per lo dolor mi morsi;
ed ei, pensando ch'io 'l fessi per voglia
60 di manicar, di súbito levorsi
 e disser : "Padre, assai ci fia men doglia
se tu mangi di noi : tu ne vestisti
63 queste misere carni, e tu le spoglia."
 Queta'mi allor per non farli piú tristi;
lo dí e l'altro stemmo tutti muti;
66 ahi dura terra, perché non t'apristi?

Cet homme-ci me semblait maître et seigneur,
chassant le loup et les louveteaux sur le mont*
30 qui empêche les Pisans de voir Lucques.

Avec des chiennes rapides, maigres et bien dressées,
il avait disposé en avant, sur le front,
33 les Gualandi, les Sismondi, les Lanfranchi*.

La chasse dura peu; le père et ses enfants
paraissaient épuisés, et il me sembla voir
36 des crocs aigus leur lacérer les flancs.

Quand je fus éveillé, avant le jour,
j'entendis pleurer dans leur sommeil mes fils,
39 qui étaient avec moi; ils demandaient du pain.

Tu es bien cruel si tu ne souffres pas
en pensant à ce que pressentait mon cœur;
42 et si tu ne pleures pas, de quoi donc pleures-tu?

Ils étaient éveillés, l'heure était proche
où d'habitude on apportait la nourriture,
45 et tous étaient anxieux, à cause d'un rêve;

j'entendis clouer la porte du bas
de l'horrible tour; et sans parler
48 je regardai mes enfants au visage.

Moi je ne pleurais pas, mais j'étais pétrifié.
Eux, ils pleuraient; mon petit Anselmo
51 dit : « Comme tu nous regardes, père; qu'as-tu? »

Je ne pleurai pas, ni ne répondis
pendant tout le jour, ni la nuit d'après,
54 jusqu'au retour du soleil sur le monde.

Quand un faible rayon eut pénétré
dans l'affreux cachot, et que je découvris
57 mon propre aspect sur leurs quatre visages,

de douleur je mordis mes deux mains;
et eux, pensant que c'était par désir
60 de manger, se levèrent aussitôt

et dirent : "Père, nous souffririons bien moins
si tu nous mangeais; tu nous a vêtus
63 de ces pauvres chairs; ôte-les-nous."

Je me calmai alors pour ne pas aggraver
leur peine; pendant deux jours nous fûmes tous sans voix;
66 ah terre cruelle, que ne t'ouvris-tu?

Poscia che fummo al quarto dí venuti,
Gaddo mi si gittò disteso a' piedi,
69 dicendo : "Padre mio, ché non m'aiuti?"
    Quivi morí; e come tu mi vedi,
vid' io cascar li tre ad uno ad uno
72 tra 'l quinto dí e 'l sesto; ond' io mi diedi,
    già cieco, a brancolar sovra ciascuno,
e due dí li chiamai, poi che fur morti.
75 Poscia, piú che 'l dolor, poté 'l digiuno. »
    Quand' ebbe detto ciò, con li occhi torti
riprese 'l teschio misero co' denti,
78 che furo a l'osso, come d'un can, forti.
    Ahi Pisa, vituperio de le genti
del bel paese là dove 'l sí suona,
81 poi che i vicini a te punir son lenti,
    muovasi la Capraia e la Gorgona,
e faccian siepe ad Arno in su la foce,
84 sí ch'elli annieghi in te ogne persona!
    Che se 'l conte Ugolino aveva voce
d'aver tradita te de le castella,
87 non dovei tu i figliuoi porre a tal croce.
    Innocenti facea l'età novella,
novella Tebe, Uguiccione e 'l Brigata
90 e li altri due che 'l canto suso appella.
    Noi passammo oltre, là 've la gelata
ruvidamente un'altra gente fascia,
93 non volta in giú, ma tutta riversata.
    Lo pianto stesso lí pianger non lascia,
e 'l duol che truova in su li occhi rintoppo,
96 si volge in entro a far crescer l'ambascia;
    ché le lagrime prime fanno groppo,
e sí come visiere di cristallo,
99 riempion sotto 'l ciglio tutto il coppo.
    E avvegna che, sí come d'un callo,
per la freddura ciascun sentimento
102 cessato avesse del mio viso stallo,
    già mi parea sentire alquanto vento;
per ch'io : « Maestro mio, questo chi move?
105 non è qua giú ogne vapore spento? »

Quand nous fûmes venus au quatrième jour,
Gaddo se jeta étendu à mes pieds,
69 et dit : "Père, ne viens-tu pas à mon secours?"
Il mourut là, et comme tu me vois,
je les vis tomber tous les trois, un par un,
72 avant le sixième jour; et je me mis alors,
déjà aveugle, à me traîner sur chacun d'eux,
les appelant pendant deux jours après leur mort.
75 Puis, ce que la douleur ne put, la faim* le put. »
Quand il eut dit ces mots, le regard tors,
il reprit le malheureux crâne avec ses dents,
78 qui mordirent l'os, comme celles d'un chien.
Ha! Pise, opprobre des hommes
du beau pays où le si résonne,
81 puisque tes voisins sont lents à te punir,
que Capraia et Gorgona* se meuvent;
qu'elles barrent l'Arno à l'embouchure,
84 pour qu'il noie dans tes murs tous les habitants.
Car si le comte Ugolino eut le renom
d'avoir trahi tes forteresses,
87 tu ne devais pas ainsi torturer ses enfants.
Leur jeune âge rendait innocents,
nouvelle Thèbes, Uguiccione et Brigata,
90 et les deux autres que mon chant a nommés.
Nous passâmes plus loin, là où la glace
enveloppe durement d'autres humains,
93 non pas la face en bas, mais toute renversée.
Là les larmes même empêchent de pleurer,
et la douleur, qui trouve obstacle sur les yeux,
96 se retourne au-dedans et fait croître l'angoisse.
Car les premières larmes font une masse,
et comme des visières de cristal,
99 remplissent toute la coupe sous les cils.
Et bien qu'à cause du froid tout sentiment
eût disparu de mon visage,
102 comme il arrive à une peau calleuse,
il me semblait déjà sentir un vent;
aussi je dis : « Maître d'où vient ceci?
105 tout souffle ici-bas n'est-il pas éteint? »

Ond' elli a me : « Avaccio sarai dove
di ciò ti farà l'occhio la risposta,
108 veggendo la cagion che 'l fiato piove. »

E un de' tristi de la fredda crosta
gridò a noi : « O anime crudeli
111 tanto che data v'è l'ultima posta,

levatemi dal viso i duri veli,
sí ch'ïo sfoghi 'l duol che 'l cor m'impregna,
114 un poco, pria che 'l pianto si raggeli. »

Per ch'io a lui : « Se vuo' ch'i' ti sovvegna,
dimmi chi se', e s'io non ti disbrigo,
117 al fondo de la ghiaccia ir mi convegna. »

Rispuose adunque : « I' son frate Alberigo;
i' son quel da le frutta del mal orto,
120 che qui riprendo dattero per figo. »

« Oh », diss' io lui, « or se' tu ancor morto? »
Ed elli a me : « Come 'l mio corpo stea
123 nel mondo sú, nulla scïenza porto.

Cotal vantaggio ha questa Tolomea,
che spesse volte l'anima ci cade
126 innanzi ch'Atropòs mossa le dea.

E perché tu piú volontier mi rade
le 'nvetrïate lagrime dal volto,
129 sappie che, tosto che l'anima trade

come fec' ïo, il corpo suo l'è tolto
da un demonio, che poscia il governa
132 mentre che 'l tempo suo tutto sia vòlto.

Ella ruina in sí fatta cisterna;
e forse pare ancor lo corpo suso
135 de l'ombra che di qua dietro mi verna.

Tu 'l dei saper, se tu vien pur mo giuso :
elli è ser Branca Doria, e son piú anni
138 poscia passati ch'el fu sí racchiuso. »

« Io credo », diss' io lui, « che tu m'inganni;
ché Branca Doria non morí unquanche,
141 e mangia e bee e dorme e veste panni. »

« Nel fosso sú », diss' el, « de' Malebranche,
là dove bolle la tenace pece,
144 non era ancora giunto Michel Zanche,

Et lui, à moi : « Bientôt tu seras là
où tes yeux donneront la réponse,
108 quand tu verras la cause d'où pleut cet air. »
Un des malheureux de la croûte froide
me cria : « O âmes si cruelles
111 que la dernière place vous est échue
ôtez-moi du visage ces voiles durs,
que j'examine la peine qui remplit mon cœur
114 un peu, avant que mes pleurs ne regèlent. »
Je répondis : « Si tu veux que je te soulage,
dis-moi ton nom, et si je ne te délivre pas,
117 que je tombe au fond de la glace ! »
Il répondit : « Je suis frère Alberigo★ ;
je suis celui des fruits du mauvais jardin,
120 et ici je reprends datte pour figue★. »
« Oh », lui dis-je, « es-tu donc déjà mort ? »
Et lui : « Ce que mon corps est devenu,
123 là-haut, sur terre, je n'en sais rien.
La Tolomée★ a ce privilège
que bien souvent une âme y tombe
126 avant qu'Atropos★ ne l'ait mise en route.
Et pour que tu m'ôtes plus volontiers
les pleurs figés en verre sur mon visage,
129 sache qu'aussitôt que l'âme a trahi,
comme je fis, son corps lui est ôté
par un démon, qui le gouverne ensuite,
132 jusqu'à ce que tout son temps soit dévidé.
Elle précipite alors dans cette citerne ;
et l'on voit peut-être encore là-haut le corps
135 de l'ombre qui gèle ici derrière moi.
Tu dois le savoir, si tu viens d'arriver :
c'est Branca d'Oria★, et plusieurs années
138 ont passé déjà depuis qu'il est ici. »
« Je crois », lui dis-je, « que tu me trompes,
car Branca d'Oria n'est pas encore mort ;
141 il mange, il boit, il dort, il met des habits. »
« Dans la fosse là-haut », dit-il, « des Malebranches,
là où bouillonne la poix tenace,
144 Michel Zanche n'était pas arrivé

che questi lasciò il diavolo in sua vece
nel corpo suo, ed un suo prossimano
147 che 'l tradimento insieme con lui fece.

Ma distendi oggimai in qua la mano;
aprimi li occhi. » E io non gliel' apersi;
150 e cortesia fu lui esser villano.

Ahi Genovesi, uomini diversi
d'ogne costume e pien d'ogne magagna,
153 perché non siete voi del mondo spersi?

Ché col peggiore spirto di Romagna
trovai di voi un tal, che per sua opra
in anima in Cocito già si bagna,
157   e in corpo par vivo ancor di sopra.

quand Branca laissa un démon à sa place
dans son corps, avec un de ses proches
147 qui fit avec lui la trahison.

Mais étends à présent la main jusqu'ici,
ouvre-moi les yeux. » Et moi, je ne les ouvris pas,
150 et ce fut courtoisie d'être avec lui vilain.

Ah vous Génois, hommes étrangers
à toutes mœurs, et pleins de vices,
153 que n'êtes-vous chassés du monde ?

Puisqu'à côté du pire esprit de la Romagne
je trouvai l'un de vous qui pour ses œuvres
a déjà son âme trempée dans le Cocyte,
157 lorsque son corps paraît encore vivant sur terre.

« *Vexilla regis prodeunt inferni*
verso di noi; però dinanzi mira »,
3 disse 'l maestro mio, « se tu 'l discerni. »
    Come quando una grossa nebbia spira,
o quando l'emisperio nostro annotta,
6 par di lungi un molin che 'l vento gira,
    veder mi parve un tal dificio allotta;
poi per lo vento mi ristrinsi retro
9 al duca mio, ché non lí era altra grotta.
    Già era, e con paura il metto in metro,
là dove l'ombre tutte eran coperte,
12 e trasparien come festuca in vetro.
    Altre sono a giacere; altre stanno erte,
quella col capo e quella con le piante;
15 altra, com' arco, il volto a' piè rinverte.
    Quando noi fummo fatti tanto avante,
ch'al mio maestro piacque di mostrarmi
18 la creatura ch'ebbe il bel sembiante,
    d'innanzi mi si tolse e fé restarmi,
« Ecco Dite », dicendo, « ed ecco il loco
21 ove convien che di fortezza t'armi. »
    Com'io divenni allor gelato e fioco,
nol dimandar, lettor, ch'i' non lo scrivo,
24 però ch'ogne parlar sarebbe poco.
    Io non mori' e non rimasi vivo;
pensa oggimai per te, s'hai fior d'ingegno,
27 qual io divenni, d'uno e d'altro privo.

CHANT XXXIV

4ᵉ zone (la Giudecca) : Traîtres envers leurs bienfaiteurs, envers l'autorité humaine ou divine.

Première apparition de Lucifer – Les trois traîtres suprêmes de l'Église et de l'Empire (Judas, Brutus et Cassius) mangés par les trois bouches de Lucifer – Descente au centre de la terre – Virgile explique la chute de Lucifer et l'origine de l'Enfer – Les poètes remontent sur la surface terrestre.
(Samedi saint, 9 avril 1300, de 7 heures et demie du soir à l'aube du dimanche de Pâques.)

    « *Vexilla regis prodeunt inferni**
    vers nous : regarde devant toi »,
3 me dit mon maître, « si tu le discernes. »
    Comme on voit au loin quand un brouillard épais,
    s'élève, ou qu'il fait nuit dans notre hémisphère,
6 apparaître un moulin que le vent fait tourner :
    il me parut alors voir un tel édifice ;
    pour m'abriter du vent je me serrai
9 derrière mon guide ; il n'était pas d'autre refuge.
    Je me trouvais déjà, et je tremble à l'écrire,
    là où les ombres étaient toutes couvertes,
12 et transparaissaient, comme fétus dans le verre.
    Les unes sont couchées ; les autres debout ;
    celle-ci sur la tête, celle-là sur ses jambes ;
15 une autre mise en arc, la face vers les pieds.
    Quand nous nous fûmes assez approchés
    pour qu'il plût à mon maître de me montrer
18 la créature qui eut si beau semblant,
    il s'écarta de devant moi, et m'arrêta :
    « Voici Dité* » dit-il, « et voici le lieu
21 où il convient de s'armer de courage. »
    Comme je devins alors glacé, sans force,
    ne le demande pas, lecteur, et je ne l'écris pas,
24 car toute parole serait trop peu.
    Je ne mourus pas, et ne restai pas vivant :
    juge par toi-même, si tu as fleur d'intelligence,
27 ce que je devins, sans mort et sans vie.

Lo'mperador del doloroso regno
da mezzo 'l petto uscia fuor de la ghiaccia;
30 e piú con un gigante io mi convegno,
    che i giganti non fan con le sue braccia :
vedi oggimai quant'esser dee quel tutto
33 ch'a cosí fatta parte si confaccia.

    S'el fu sí bel com'elli è ora brutto,
e contra 'l suo fattore alzò le ciglia,
36 ben dee da lui procedere ogne lutto.

    Oh quanto parve a me gran maraviglia
quand' io vidi tre facce a la sua testa!
39 L'una dinanzi, e quella era vermiglia;
    l'altr' eran due, che s'aggiugnieno a questa
sovresso 'l mezzo di ciascuna spalla,
42 e sé giugnieno al loco de la cresta :
    e la destra parea tra bianca e gialla;
la sinistra a vedere era tal, quali
45 vegnon di là onde 'l Nilo s'avvalla.

    Sotto ciascuna uscivan due grand' ali,
quanto si convenia a tanto uccello :
48 vele di mar non vid' io mai cotali.

    Non avean penne, ma di vispistrello
era lor modo; e quelle svolazzava,
51 sí che tre venti si movean da ello :
    quindi Cocito tutto s'aggelava.
Con sei occhi piangëa, e per tre menti
54 gocciava 'l pianto e sanguinosa bava.

    Da ogne bocca dirompea co' denti
un peccatore, a guisa di maciulla,
57 sí che tre ne facea cosí dolenti.

    A quel dinanzi il mordere era nulla
verso 'l graffiar, che talvolta la schiena
60 rimanea de la pelle tutta brulla.

    « Quell' anima là sú c'ha maggior pena »,
disse 'l maestro, « è Giuda Scarïotto,
63 che 'l capo ha dentro e fuor le gambe mena.

    De li altri due c'hanno il capo di sotto,
quel che pende dal nero ceffo è Bruto :
66 vedi come si storce, e non fa motto!;

Là l'empereur du règne de douleur
sortait à mi-poitrine de la glace;
30 et ma taille est plus proche de celle d'un géant
que les géants de celle de ses bras :
tu vois donc par là quel doit être le tout
33 qui correspondrait à telle partie.

S'il fut aussi beau qu'il est laid à présent,
et s'il dressa les yeux contre son créateur,
36 il faut bien que tout mal vienne de lui.

Oh quelle stupéfaction ce fut pour moi
quand je vis que sa tête avait trois faces★ !
39 L'une devant, qui était vermeille★,
et les deux autres, qui s'ajoutaient à la première,
se rejoignant à l'endroit de la crête,
42 sur le milieu de chaque épaule :
la droite me semblait entre blanc et jaune★;
la gauche★ était pareille, à la voir, à ceux
45 qui viennent du pays d'où le Nil descend.

Sous chacune partaient deux grandes ailes
à la mesure d'un tel oiseau;
48 je n'ai jamais vu en mer de pareilles voiles.

Elles n'avaient pas de plumes, et ressemblaient
à celles des chauves-souris; et il les agitait,
51 de sorte que trois vents★ naissaient de lui,
qui faisaient geler tout le Cocyte.
Il pleurait de six yeux, et sur trois mentons
54 gouttaient les pleurs et la bave sanglante.

Dans chaque bouche il broyait de ses dents
un pécheur, comme un moulin à chanvre,
57 si bien qu'en même temps il en suppliciait trois.

Pour celui de devant les morsures n'étaient rien
auprès des coups de griffe qui arrachaient parfois
60 toute la peau de son échine.

« Cette âme là-haut qui a le pire supplice »,
dit mon maître, « est Judas Iscariote★;
63 sa tête est dans la gueule; dehors il rue des jambes.

Des deux autres qui ont la tête en bas,
celui qui pend du museau noir, c'est Brutus★;
66 vois comme il se tord, et ne dit mot !

e l'altro è Cassio, che par sí membruto.
Ma la notte risurge, e oramai
69 è da partir, ché tutto avem veduto. »
Com' a lui piacque, il collo li avvinghiai;
ed el prese di tempo e loco poste,
72 e quando l'ali fuoro aperte assai,
appigliò sé a le vellute coste;
di vello in vello giú discese poscia
75 tra 'l folto pelo e le gelate croste.
Quando noi fummo là dove la coscia
si volge, a punto in sul grosso de l'anche,
78 lo duca, con fatica e con angoscia,
volse la testa ov' elli avea le zanche,
e aggrappossi al pel com'om che sale,
81 sí che 'n inferno i' credea tornar anche.
« Attienti ben, ché per cotali scale »,
disse 'l maestro, ansando com' uom lasso,
84 « conviensi dipartir da tanto male. »
Poi uscí fuor per lo fóro d'un sasso
e puose me in su l'orlo a sedere;
87 appresso porse a me l'accorto passo.
Io levai li occhi e credetti vedere
Lucifero com' io l'avea lasciato,
90 e vidili le gambe in sú tenere;
e s'io divenni allora travagliato,
la gente grossa il pensi, che non vede
93 qual è quel punto ch'io avea passato.
« Lèvati sú », disse 'l maestro, « in piede:
la via è lunga e 'l cammino è malvagio,
96 e già il sole a mezza terza riede. »
Non era camminata di palagio
là 'v' eravam, ma natural burella
99 ch'avea mal suolo e di lume disagio.
« Prima ch'io de l'abisso mi divella,
maestro mio », diss'io quando fui dritto,
102 « a trarmi d'erro un poco mi favella:
ov' è la ghiaccia? e questi com' è fitto
sí sottosopra? e come, in sí poc' ora,
105 da sera a mane ha fatto il sol tragitto? »

et l'autre est Cassius*, qui paraît si membru.
Mais la nuit revient ; et à présent
69 il faut partir ; car nous avons tout vu. »
    Comme il le voulut, j'embrassai son col ;
il saisit le moment et le lieu opportun,
72 et lorsque les ailes furent grandes ouvertes,
    il prit appui sur les côtes velues :
puis de touffe en touffe il descendit
75 entre le poil dru et les croûtes glacées.
    Quand nous arrivâmes au point où la cuisse
s'emboîte au saillant de la hanche,
78 mon guide, avec fatigue, avec angoisse,
    porta sa tête où se trouvaient les jambes,
et s'agrippa au poil comme pour monter,
81 si bien que je croyais retourner en Enfer.
    « Accroche-toi bien », dit mon maître, haletant
comme un homme harassé, « c'est par de telles échelles
84 qu'il nous faut quitter ce lieu de tant de mal. »
    Puis il sortit par le trou d'un rocher
et me posa assis sur le rebord,
87 me rejoignant ensuite à pas prudents.
    Je levai les yeux, et je croyais voir
Lucifer comme je l'avais laissé ;
90 mais je vis ses jambes tenir en l'air.
    Et si alors je fus troublé,
les gens grossiers le penseront, qui ne voient pas
93 quel est le point que j'avais dépassé.
    « Lève-toi », dit mon maître, « debout :
la voie est longue, et le chemin mauvais,
96 et déjà le soleil atteint la demi-tierce*. »
    Ce n'était pas la salle d'un palais
où nous étions, mais une grotte naturelle,
99 au sol rugueux et sans lumière.
    « Avant que je m'éloigne de l'abîme,
mon maître », dis-je quand je fus debout,
102 « dis-moi quelques mots pour me tirer d'erreur :
    où est la glace ? et celui-ci, comment tient-il,
planté à l'envers ? comment, en si peu d'heures,
105 le soleil est-il passé du soir au matin ? »

Ed elli a me : « Tu imagini ancora
d'esser di là dal centro, ov' io mi presi
108 al pel del vermo reo che 'l mondo fóra.

Di là fosti cotanto quant' io scesi;
quand' io mi volsi, tu passasti 'l punto
111 al qual si traggon d'ogne parte i pesi.

E se' or sotto l'emisperio giunto
ch'è contraposto a quel che la gran secca
114 coverchia, e sotto 'l cui colmo consunto

fu l'uom che nacque e visse sanza pecca;
tu haï i piedi in su picciola spera
117 che l'altra faccia fa de la Giudecca.

Qui è da man, quando di là è sera;
e questi, che ne fé scala col pelo,
120 fitto è ancora sí come prim' era.

Da questa parte cadde giú dal cielo;
e la terra, che pria di qua si sporse,
123 per paura di lui fé del mar velo,

e venne a l'emisperio nostro; e forse
per fuggir lui lasciò qui loco vòto
126 quella ch'appar di qua, e sú ricorse. »

Luogo è là giú da Belzebú remoto
tanto quanto la tomba si distende,
129 che non per vista, ma per suono è noto

d'un ruscelletto che quivi discende
per la buca d'un sasso, ch'elli ha roso,
132 col corso ch'elli avvolge, e poco pende.

Lo duca e io per quel cammino ascoso
intrammo a ritornar nel chiaro mondo;
135 e sanza cura aver d'alcun riposo,

salimmo sú, el primo e io secondo,
tanto ch'i' vidi de le cose belle
che porta 'l ciel, per un pertugio tondo.
139 E quindi uscimmo a riveder le stelle.

*[Explicit prima pars Comedie Dantis Alagherii in qua tracta-
tum est de Inferis]*

Et lui : « Tu imagines encore
être en deçà du centre, là où je me pris
108 au poil de l'affreux ver qui perce le monde.
    Tu y étais, tant que je descendis :
quand je me retournai, tu dépassas ce point*
111 où de tous côtés tendent les corps pesants.
    Et maintenant tu es venu sous l'hémisphère*
opposé à celui que couvre le grand sec*,
114 sous le sommet duquel* fut mis à mort
    l'homme qui naquit et vécut sans péché :
tu as le pied sur une petite sphère*
117 qui est l'autre face de la Giudecca*.
    Il fait jour ici quand c'est le soir là-bas,
et celui qui nous fit échelle de ses poils
120 est encore planté comme il l'était avant.
    C'est de ce côté qu'il tomba du ciel* :
et la terre qui jadis s'étendait par ici,
123 effrayée par lui, se cacha sous la mer,
    et s'en vint dans notre hémisphère ;
c'est pour le fuir peut-être que laissa ce vide
126 celle qui apparaît ici, où elle émergea. »
    Il est un lieu* là-bas, loin de Belzébuth,
aussi long que s'étend cette grotte,
129 qu'on reconnaît non par la vue mais par le son
    d'un petit ruisseau* qui descend là
par le trou d'un rocher, qu'il a rongé
132 dans son cours qu'il déroule, en pente douce.
    Mon guide et moi par ce chemin caché
nous entrâmes, pour revenir au monde clair ;
135 et sans nous soucier de prendre aucun repos*,
    nous montâmes, lui premier, moi second,
si bien qu'enfin je vis les choses belles
que le ciel porte, par un pertuis rond ;
139   Et par là nous sortîmes, à revoir les étoiles*.

[Ici s'achève la première partie de la Comédie de Dante Alighieri, où il est parlé des Enfers]

NOTES

Chant I

1. *de notre vie :* selon Dante, suivant Isaïe, la vie humaine dessine un arc, dont le centre, et le point le plus haut, est l'âge de 35 ans. Né en 1265, Dante a 35 ans en l'an 1300, date de son voyage à Rome, au moment du grand Jubilé institué par le pape Boniface VIII.

2. *une forêt obscure :* au sens allégorique, les vices et l'erreur (« la forêt d'erreurs de cette vie », *Convivio*, IV, XXIV, 12); elle correspond, pour Dante, à une période d'égarement moral et intellectuel.

17. *par les rayons de la planète :* le soleil était considéré comme une planète par les astronomes ptolémaïques.

30. *et le pied ferme* au sens de *stable, immobile.* Selon l'interprétation de John Freccero, le pied immobile était (dans les textes d'Albert le Grand et de saint Bonaventure, très connus de Dante) le pied gauche, alourdi et empêché par les passions humaines. Au Purgatoire, la marche sera de plus en plus légère et rapide. Au Paradis, Dante volera.

32. *une panthère : lonza,* de l'ancien français *lonce,* félin semblable, d'après les descriptions des contemporains de Dante, à une panthère ou à un léopard ; généralement entendue comme symbole de luxure.

37-38. *c'était le temps :* on pensait au Moyen Age que le monde avait été créé et le ciel mis en mouvement au début du printemps. En 1300, l'équinoxe de printemps tombait le 12 mars ; *toutes ces étoiles :* celles de la constellation du Bélier.

45. *à la vue d'un lion :* généralement entendu comme symbole de l'orgueil.

49. *et une louve* : symbole de l'*avarice*, au sens médiéval de *convoitise*. Les trois bêtes qui apparaissent ainsi à Dante au début de son voyage annoncent aussi les trois grandes divisions de l'Enfer (« les trois dispositions que le ciel ne veut pas » : l'*incontinence*, la *violence* et la *fraude*).

63. *qu'un long silence avait tout affaiblie.* On peut interpréter ainsi ce vers mystérieux : 1. la raison (sens allégorique de la figure de Virgile, qui apparaît ici), lorsqu'elle s'est tue pendant longtemps, a du mal à se faire entendre ; 2. celui qui, à cause du long silence du soleil, c'est-à-dire pour l'obscurité du lieu, apparaît indistinct à la vue.

65. *Miserere de moi* : Dante s'adresse à l'ombre inconnue en latin, suivant la formule liturgique *Miserere mei*.

70. *Sub Julio* : pendant le règne de Jules César.

73. *ce juste* : Énée.

79. *ce Virgile* : on peut parler d'un mythe de Virgile au Moyen Age : sa figure est alors celle d'un sage, expert en arts magiques, doué du don de prophétie, chantre des morts. Pour Dante, il est aussi allégorie de la raison humaine et poète de l'autorité impériale. Dans les premiers chants de la *Comédie* il est surtout maître de poésie et grand sage.

102. *le lévrier* : le terme *veltro* indique en réalité non pas un lévrier, mais un chien de chasse puissant ; ici, le sens allégorique est celui d'un sauveur providentiel qui ramènera sur terre la justice et la paix. Il a été assimilé par les commentateurs à différentes figures historiques, en particulier Can Grande della Scala, qui accueillit Dante en exil à Vérone, et à qui le poète dédia le *Paradis* ; et surtout à Henri VII, empereur d'Allemagne, admiré par Dante, et qui devait être sacré à Rome (mais il mourut avant d'y arriver, en 1313).

103. *ni métal* : *peltro*, alliage de plomb et d'étain. Vaut pour : argent.

105. *entre feltre et feltre* : autre énigme. On peut lire « entre feutre et feutre » – tissu pauvre ; donc, dans l'humilité. Ou : « Entre Feltre et Montefeltro », ce qui indiquerait, géographiquement, le territoire de Can Grande.

107-108. *la vierge Camille/Euryale et Turnus et Nisus* : personnages virgiliens, appartenant les uns au camp troyen, les autres au camp des Grecs : Dante indique ainsi que leur mort aux uns et aux autres a été nécessaire à la création de l'Empire de Rome (cf. Bosco).

122. *une âme* : Béatrice, la femme aimée (longuement évoquée dans le premier livre, la *Vita nuova*), qui sera guide de Dante au Paradis, Virgile, païen, ne pouvant aller jusque-là.

134. *la porte de saint Pierre :* il n'y a pas de porte au Paradis de Dante. Peut-être indique-t-il ici la porte du Purgatoire, le deuxième règne qu'il visitera aussi avec Virgile pour guide.

Chant II

7. *ô grand esprit :* on peut comprendre ce mot comme un terme collectif – l'esprit des Muses (Pézard) – ou comme désignant l'esprit de Dante, conscient de la hauteur de sa mission.

13. *le père de Silvius :* Énée, dont Virgile a décrit la descente aux Enfers.

17. *à l'effet qui viendrait :* la fondation de l'empire de Rome.

28. *le Vase d'élection :* saint Paul *y alla aussi :* dans l'autre monde, précisément au troisième ciel, comme l'écrit saint Paul lui-même dans l'*Épître aux Corinthiens*.

52. *parmi ceux qui sont en suspens :* dans les Limbes, que Dante décrira au chant IV de l'*Enfer* (31-45).

53. *quand une dame :* Béatrice.

61. *et non ami de la fortune :* celui qui aime de façon désintéressée (Casella).

78. *le ciel qui a les cercles les plus petits :* ciel au sens astronomique, selon le système ptolémaïque. Il s'agit du ciel de la lune, qui est le plus bas de tous.

100. *Lucie :* Lucie de Syracuse, sainte aimée de Dante, martyre du IVe siècle, protectrice de la vue.

102. *Rachel :* femme de Jacob ; dans le symbolisme médiéval, elle représentait la vie contemplative.

Chant III

7-8. *Avant moi rien n'a été créé/qui ne soit éternel :* l'Enfer fut produit par la chute de Lucifer sur la terre, quelques instants après la création des anges, dont une partie se rebella immédiatement contre Dieu ; tout ce qui avait été créé avant l'Enfer est éternel (ange, cieux, matière pure (cf. Sapegno).

37-39. *des anges/qui ne furent ni rebelles à Dieu/ni fidèles, et qui ne furent que pour eux-mêmes* : les anges neutres ne font pas partie de la tradition théologique. Dante puise probablement dans des légendes populaires médiévales, par exemple dans la *Visio Pauli.*

59-60. *l'ombre de celui-là/qui fit par lâcheté le grand refus* : Célestin V ; consacré pape en juillet 1294, il renonça à la papauté en décembre de la même année. Pour certains commentateurs, il pourrait s'agir d'Ésaü, ou de Pilate, ou de Julien l'Apostat, etc. (cf. Petrocchi).

83. *un vieillard blanc* : fils de l'Érèbe et de la Nuit, il est, dans la mythologie classique, le passeur des âmes dans l'au-delà. Dante le transforme en démon de l'Enfer chrétien.

91-92. *par d'autres voies, par d'autres ports/tu viendras au rivage* : Dante, vivant, ne peut pas passer là où passent les âmes damnées ; les âmes sauvées se recueillent à l'embouchure du Tibre et sont portées par un « léger vaisseau » jusqu'à la montagne du Purgatoire.

136. *et je tombai comme celui qui succombe au sommeil* : l'évanouissement de Dante représente l'élément surnaturel qui permet le passage de l'Achéron sans avoir à monter sur la barque de Caron.

Chant IV

53. *un puissant* : le Christ, qui ne peut être nommé par son nom en Enfer, et qui descendit dans le règne des damnés entre sa mort et sa résurrection.

102. *et je fus le sixième* : Dante se situe lui-même dans la suite des poètes classiques.

106. *noble château* : allégorie de la philosophie, qui représente la raison humaine sans la lumière de Dieu. Les sept murs sont les sept parties de la philosophie, ou encore les sept arts libéraux.

121. *Électre* : mère de Dardanus, fondateur des Troyens ; *avec ses compagnons* : ses descendants, parmi lesquels Hector et Énée – et tous les Romains sont donc aussi ses descendants.

124. *Camille* : vierge guerrière, personnage virgilien, comme les suivants ; *Penthésilée*, reine des Amazones, vaincue par Achille.

125. *Latinus* : roi du Latium, père de Lavinia, épouse d'Énée.

127. *Brutus* : consul romain (le Brutus meurtrier de César est puni au fond de l'Enfer).

128. *Lucrèce* : violée par Sextus Tarquin, elle se donna la mort.
Julia : fille de César et femme de Pompée.
Martia : femme de Caton.
Cornélia : mère des Gracques, fille de Scipion.

129. *Saladin* : le seul mahométan des Limbes, Sahl-ad-Din, sultan d'Égypte de 1174 à 1193, célébré comme prince et comme guerrier même par les Chrétiens.

131. *le maître de ceux qui savent* : Aristote ; pour Dante, c'est le philosophe par excellence.

134. *Socrate et Platon* : en eux, à travers Cicéron, Dante admirait les fondateurs de la philosophie morale. Dante ne connaissait pas les textes de Platon – seulement, sans doute, une traduction latine du *Timée*.

136. *Démocrite qui soumet le monde au hasard* : ici Dante traduit saint Thomas (cf. Bosco).

137. *Diogène* : probablement le philosophe cynique ; mais il pourrait s'agir aussi de Diogène d'Apollonie, nommé par Aristote.
Anaxagore : de Clazomène.
Thalès : de Milet, le premier des philosophes ioniens.

138. *Empédocle* : d'Agrigente. Dante se réfère à ses théories au chant XII (41-43).
Héraclite : d'Éphèse.
Zénon : le stoïque, ou Zénon d'Élée ; peut-être Dante les confond-il en une seule personne.

140. *Dioscoride* : médecin et naturaliste de Cilicie, auteur d'un traité sur les vertus médicinales des plantes.
Orphée : le poète mythique grec.

141. *Tullius* : Cicéron, un des principaux auteurs de Dante, depuis sa jeunesse.
Linus : autre poète mythique, souvent associé à Orphée comme symbole et père de l'art lyrique.

Sénèque moral : Dante pense aux œuvres philosophiques de Sénèque.

142. *Euclide :* le célèbre mathématicien d'Alexandrie, qui ouvre la série des hommes de science.

Ptolémée : astronome et géographe égyptien, dont la théorie géocentrique est la base de l'astronomie médiévale.

143. *Hippocrate :* le grand médecin grec.

Avicenne : Abu-Ali Ibn Sina, le célèbre médecin et philosophe arabe, que Dante cite à plusieurs reprises.

Galien : médecin grec de Pergame.

144. *Averroès :* le philosophe arabe le plus célèbre (1126-1198) ; son commentaire d'Aristote exerça une influence profonde sur la philosophie médiévale, et sur Dante.

Chant V

4. *Minos :* dans la mythologie classique, roi de Crète célèbre par sa sévérité et son sens de la justice. Homère le place dans l'Hadès comme juge des Ames ; Dante le reprend à travers Virgile, et en fait un démon infernal.

7. *mal née :* née pour son malheur.

34. *quand elles arrivent devant l'éboulis :* Dante fait ici la première mention des éboulis, par où on descend la falaise abrupte qui sépare les cercles de l'Enfer (l'explication détaillée de cette géographie infernale se trouvera au chant XII, 34).

58. *Sémiramis :* reine mythique de Chaldée et d'Assyrie, au XIVe siècle avant Jésus-Christ, célèbre par sa beauté et ses excès sexuels, elle aurait selon Orose promulgué une loi autorisant l'inceste.

60. *la terre que le Sultan gouverne :* il s'agit du sultan d'Égypte. Dante confond probablement la Babylone de Mésopotamie et Le Caire d'Égypte.

61-62. *celle-ci qui se tua par amour/en trahissant les cendres de Sichée :* Didon, reine de Carthage, dont Virgile raconte qu'elle se tua lorsqu'elle fut abandonnée par Énée, trahissant par cet amour la promesse de fidélité à son mari défunt, Sichée.

63. *Cléopâtre :* la reine d'Égypte, maîtresse de César puis d'Antoine, exemple traditionnel de luxure.

64. *Hélène* : cause de la guerre de Troie.

65-66. *Achille* : d'après les légendes médiévales sur la guerre de Troie, à cause de son amour pour Polyxène, il fut attiré dans un piège et tué par traîtrise.

74. *ces deux-ci* : fait divers devenu légende. Francesca da Rimini, fille de Guido da Polenta, épouse Giovanni Malatesta en 1275, s'éprend de son beau-frère Paolo da Malatesta ; Giovanni les surprend et les tue.

107. *La Caïne* : c'est la première des quatre régions du dernier cercle de l'Enfer, le Cocyte. Elle est assignée aux damnés traîtres à leurs parents.

128. *Lancelot* : différentes versions des romans de la Table Ronde racontent ses amours avec Genièvre, femme du roi Arthur.

137. *Galehaut* : sénéchal de la reine, témoin du pacte d'amour. Dans les textes connus, il pousse Genièvre à donner un baiser à Lancelot. Selon la version inconnue que suit Dante (ou selon sa propre version) c'est Lancelot qui donne un baiser à Genièvre.

Chant VI

2. *cousins* : au sens de *proches parents* (cf. Pézard). Dante dit « beaux-frères ».

13. *Cerbère* : monstre infernal de la mythologie antique – chien à trois têtes couvertes de serpents, et à la queue de serpent. Virgile et Ovide le mettent à la porte de l'Averne ; Dante en fait le gardien du troisième cercle, comme symbole de voracité et de discorde.

38. *une* : c'est *Ciacco*, « cochon », surnom sans doute d'un Florentin glouton et médisant, mais par ailleurs courtois (Boccace).

49. *Ta ville* : première apparition de Florence.

65. *ils en viendront au sang* : la rencontre a lieu en 1300, et à cette date ont déjà lieu des troubles entre les deux factions – guelfes blancs et guelfes noirs. Les gibelins, féodaux appuyés sur l'Empereur, avaient été vaincus depuis longtemps, et les guelfes s'étaient divisés en *Noirs* (« popolo grasso »), favorisant les visées de Boniface VIII sur la Toscane, et *Blancs*, l'aile démocratique, partisans intransigeants de l'indépen-

dance de la Toscane. Dante appartenait à une famille de guelfes blancs.

et le parti sauvage : c'est-à-dire *rustique*. Les Blancs sont commandés par la famille des Cerchi, qui venait de la campagne toscane.

66. *chassera l'autre* : en 1301, les Blancs au pouvoir exilent tous les chefs des Noirs.

68. *avant trois soleils* : avant trois ans auront lieu les condamnations et les bannissements (entre autres celui de Dante) des Blancs par les Noirs.

73. *deux sont les justes* : deux, peut-être dans le sens de « peu ». Ces justes ne sont pas identifiés. Dante pensait-il à lui-même et à Cavalcanti ? ou à lui et à Dino Compagni ?

79. *Farinata* : célèbre chef gibelin, que Dante rencontrera plus loin, dans le cercle des hérétiques.

Tegghiaio : podestat de San Gimignano en 1238. Dante le rencontrera au cercle des sodomites.

80. *Jacopo Rusticucci* : procureur de la Commune de Florence, médiateur de paix, il est lui aussi au cercle des sodomites.

Arrigo : non identifié. Peut-être Arrigo di Cascia, qui fut médiateur avec Tegghiaio et Rusticucci de la paix avec Volterra.

Mosca : podestat de Reggio en 1242. Dante le rencontrera parmi les semeurs de schismes et de scandale au 8e cercle.

106. *retourne à ta science* : la doctrine d'Aristote (textes et commentaires).

115. *Pluton* : dieu des Enfers, confondu au Moyen Age avec Plutus, dieu des richesses.

Chant VII

1. « *Pape Satàn, pape Satàn aleppe !* » : vers incompréhensible, mais non privé de sens – Virgile le comprend (v. 3) ; c'est une invocation à Satan, où *pape* a la valeur d'une exclamation de surprise, *aleppe* d'un cri de douleur (Bosco). Les interprétations sont innombrables. Entre autres, celle de Cellini, qui y lit des mots français « Paix, paix, Satan, paix, paix, Satan, allez, paix » (*Vita*, II, 27) (cf. Pasquini-Quaglio).

22. *Charybde* : promontoire de Sicile, en face de Scylla ; épisode célèbre de l'Odyssée, repris par Virgile.

57. *avec le poing fermé* : symbole d'avarice.
le poil rogné : symbole de prodigalité.

68. *cette fortune* : la Fortune est ici représentée comme un Ange, chargé de régler le cours des affaires humaines. Dante l'incorpore avec le thème de l'Univers (Bosco).

74. *fit les cieux* : Dieu crée les neuf cieux et leur assigne les intelligences motrices ; chacune d'elles reflète sa lumière intellectuelle sur chaque ciel matériel, sur chaque sphère céleste, en distribuant également la lumière divine dont elle est douée.

87. *les autres dieux* : les autres intelligences, vulgairement appelées Anges.

98. *les étoiles qui montaient* : douze heures sont donc passées ; il est à présent à peu près minuit du vendredi saint.

101. *une source* : toutes les eaux de l'Enfer dérivent d'une seule source – celle de l'Achéron.

103. *perse* : couleur des tapis persans. Dante entend par là « une couleur mêlée de pourpre et de noir, mais où domine le noir » (*Convivio*, IV, XX, 2).

106. *Styx* : dans la mythologie classique, c'est un fleuve des Enfers ; Dante (suivant en cela Virgile) en fait un marais, qui entoure ici la ville de Dité. Entre l'Achéron et le Styx sont punis les péchés d'incontinence. Au-delà du Styx se dressent les murailles en flammes de Dité, où sont punies la violence et la fraude.

Chant VIII

1. *en continuant* : le chant VIII marque une reprise narrative ; selon Boccace, les sept premiers chants auraient été composés à Florence, avant l'exil. Le travail de Dante aurait été ensuite interrompu, peut-être pendant plusieurs années. Cette hypothèse, avec un grand nombre de variantes, a été reprise par plusieurs commentateurs modernes.

19. *Phlégyas* : personnage mythologique – roi de Béotie, fils de Mars et d'une mortelle ; irrité contre Apollon, qui avait séduit sa fille, il mit le feu au temple de Delphes, et fut envoyé en Enfer par le dieu. Symbole de la colère, il est gardien du 5e cercle.

61. *Filippo Argenti* : riche Florentin du clan des Noirs, ennemi particulier de Dante (cf. V, 61).

68. *Dité :* du nom de *Dis*, Pluton, le dieu des Enfers en latin. La ville de Dité contient les 4 derniers cercles de l'Enfer.

70. *mosquées :* mosquées comme perversion des églises.

82-83. *plus de mille diables... précipités du ciel :* les anges déchus, devenus démons de l'Enfer après leur chute du ciel.

125. *à moins secrète porte :* lorsque Jésus descendit en Enfer, les démons tentèrent de lui en interdire l'entrée ; Jésus dut briser la porte.

130. *quelqu'un :* un messager du ciel.

Chant IX

23. *Érichton :* magicienne de Thessalie, qui, pour prédire à Pompée l'issue de la bataille de Pharsale, avait fait revenir un mort sur terre. Épisode inventé par Dante.

38. *trois furies infernales :* ce sont les Érinnyes, qui tourmentent ceux qui ont violé des tabous fondamentaux ; elles sont ici ministres de la vengeance céleste.

44. *reine des pleurs :* Proserpine, femme de Pluton.

52. *Méduse :* la plus jeune des trois Gorgones, filles de Phorcys, dieu marin. Méduse défie Minerve en beauté ; celle-ci change ses cheveux en serpents et lui donne un visage terrible, qui transforme en pierre ceux qui la regardent.

54. *Thésée :* il avait accompagné en Enfer son ami Pirithous qui voulait enlever Proserpine. Si les Furies avaient puni Thésée, elles auraient découragé les autres visiteurs de l'Enfer.

62-63. *voyez la doctrine qui se cache :* / *sous le voile des vers étranges :* Dante attire l'attention du lecteur sur le sens allégorique de l'épisode, dont il existe une foule d'interprétations (la Méduse comme hérésie, comme sensualité, comme terreur, etc.) (cf. Sapegno).

80. *quelqu'un :* messager du ciel ; l'archange saint Michel ?

99. *la gorge et le menton pelés :* Hercule avait amené sur terre Cerbère avec une chaîne qui lui avait râpé le cou.

112. *à Arles :* les tombeaux des Aliscans étaient célèbres au Moyen Age.

113. *à Pola :* en Istrie ; on pouvait y voir une nécropole romaine, aujourd'hui disparue.

132. *à main droite :* Dante en Enfer descend toujours vers la gauche ; ici, mystérieusement, il va vers la droite.

Chant X

11. *Josaphat :* près de Jérusalem ; lieu, selon la tradition biblique, du Jugement dernier.

13. *Épicure :* pour le Moyen Age, la philosophie épicurienne signifiait avant tout la négation de l'immortalité de l'âme.

18. *et au désir aussi que tu me tais :* Virgile lit en Dante le désir de parler avec un Florentin.

32. *Farinata :* Manente di Jacopo degli Uberti, dit Farinata, chef des gibelins de Florence à partir de 1239, chasse les guelfes en 1241 ; ils reviennent en 1251, et le bannissent à son tour en 1258. Il les bat à Monteperti en 1260, mettant ainsi la Toscane aux mains des gibelins. Il meurt en 1264.

53. *une ombre :* Cavalcante Cavalcanti, épicurien, père de Guido Cavalcanti, poète du *Dolce Stil Nuovo,* et « premier ami » de Dante.

63. *que votre Guido peut-être eut en mépris :* s'agit-il de dédain à l'égard de Virgile, en tant que représentant de la raison ? plus probablement à l'égard de Béatrice, en tant que symbole de la théologie.

71. *répondre :* l'explication du retard est donnée à Farinata par Dante voyageur aux vers 110-112.

80. *la dame qui règne ici :* Hécate ou Proserpine, déesse de la lune. Dante sera exilé de Florence avant 50 lunes (à partir de Pâques 1300).

83. *ce peuple :* les Florentins.

86. *qui teignirent de rouge le cours de l'Arbia :* la bataille de Montaperti, en 1260. L'Arbia est une rivière près de Sienne.

119. *le second Frédéric :* Frédéric II, élu empereur en 1212, mort en 1250, épicurien.

120. *le Cardinal :* Ottaviano degli Ubaldini, cardinal en 1265, descendant d'une illustre famille gibeline ; il était considéré plus ou moins comme le fondateur de cette faction et hérétique.

131. *de celle dont les beaux yeux :* Béatrice.

Chant XI

8-9. *le pape Anastase* : Anastase II, pape de 496 à 498, vivait au temps du schisme entre Église orientale et occidentale ; cherchant la conciliation, il devint suspect aux intransigeants ; il reçut de façon bienveillante le diacre *Photin*, envoyé à Rome par André de Thessalonique.

17. *trois petits cercles* : le 7ᵉ, le 8ᵉ et le 9ᵉ.

50. *Cahors* : Cahors était connue au Moyen Age pour ses usuriers.

65. *point de l'univers* : dans la géographie de Dante le fond de l'Enfer est le centre de la terre, qui est elle-même le centre de l'univers.

80. *ton Éthique* : l'*Éthique* d'Aristote, longuement étudiée par Dante.

101. *ta Physique* : la physique d'Aristote.

113. *les Poissons* : la constellation des Poissons, précédent celle du Bélier, arrive sur l'horizon trois heures avant l'aube.

114. *le Chariot* : de la Grande Ourse. *Caurus* : vent qui souffle du nord-ouest, où se trouve la Grande Ourse. Les étoiles ne sont pas visibles en Enfer, mais Virgile les lit par un pouvoir spécial que Dante n'explique pas.

Chant XII

4. *cet éboulis* : probablement celui qui se trouve près de Rovereto, entre Trente et Vérone.

12. *l'infamie de Crète* : le Minotaure, fils de Pasiphaé et du taureau enfermé dans le labyrinthe.

13. *la fausse vache* : la vache de bois construite par Dédale, dans laquelle Pasiphaé entra pour s'unir au taureau.

17. *le roi d'Athènes* : Thésée.

20. *les leçons de ta sœur* : Ariane, sœur du Minotaure, qui aida Thésée à sortir du labyrinthe.

38-39. *celui qui ôta à Dité/la grande proie* : le Christ, qui tira de l'Enfer les Justes de l'ancienne Loi.

40-41. *la grande vallée infecte/trembla* : c'est le tremblement de terre qui eut lieu au moment de la descente de Jésus-Christ aux Enfers.

42. *que l'univers/était frappé d'amour* : allusion à la doctrine d'Empédocle, que Dante connaissait à travers la *Métaphysique* d'Aristote : le monde se maintient par la discorde des éléments ; si l'amour les agrège à nouveau, l'univers retourne au Chaos.

47. *la rivière de sang* : le Phlégéton.

65. *Chiron* : le plus juste des Centaures ; précepteur d'Achille et d'autres héros grecs.

67. *Nessus* : le centaure Nessus enleva Déjanire, femme d'Hercule, qui se vengea grâce à une tunique empoisonnée qu'il fit revêtir à son rival, et qu'il finit par revêtir lui-même, sur le conseil de Déjanire : et c'est ainsi qu'il mourut.

72. *Pholus* : l'un des Centaures les plus violents, qui tenta d'enlever les femmes des Lapithes.

107. *Alexandre* : il s'agit d'Alexandre le Grand, ou peut-être d'Alexandre de Phères en Thessalie.
Denys le féroce : Denys tyran de Sicile.

110. *Azzolino* : Azzolino III da Romano, tyran des Marches, gibelin ; il massacra un grand nombre de Padouans.

111. *Opizzo* : Obizzo II d'Este, seigneur de Ferrare et de la Marche d'Ancône, mort en 1203. Dante veut ici révéler un épisode secret de la chronique contemporaine (Bosco).

119. *celui-ci* : Guy de Montfort, vicaire en Toscane de Charles Ier d'Anjou ; il assassina en 1272, pendant la messe à Viterbe, Henri, fils du roi Richard d'Angleterre.

135. *Pyrrhus* : Il s'agit probablement ici de Pyrrhus, fils d'Achille, plutôt que du roi d'Épire.
Sextus : il s'agit certainement de Sextus, fils de Pompée, dont Dante connaissait par Lucian la renommée de corsaire féroce.

137. *Rinier de Corneto* : célèbre bandit de la Maremme, contemporain du poète.
Rinier Pazzo : fameux brigand de Valdarno, de la famille des Pazzi.

Chant XIII

8. *Cecina* : petit fleuve de Toscane.
Corneto : aujourd'hui Tarquinia.

10. *les affreuses Harpies* : monstres mythologiques, à corps d'oiseaux rapaces et à corps de femme. Virgile décrit dans

l'*Énéide* les tourments qu'elles infligent à Énée et à ses compagnons dans les îles Strophades, en salissant leurs aliments
et en leur prédisant de nouveaux malheurs.

25. *je crois qu'il crut que je croyais* : artifice de style médiéval, qui annonce le dialogue avec le poète Pier delle Vigne.

48. *dans mes vers* : dans l'*Énéide*, livre III – Énée, arrivé en
Thrace, coupe une branche de myrte, qui se met à saigner ;
une voix sort de l'arbre, celle de Polydore, fils de Priam et ami
d'Énée, qui avait été tué traîtreusement par le roi de Thrace
et enseveli à cet endroit.

58. *je suis celui* : Pier delle Vigne, ministre de l'empereur
Frédéric II. Célèbre juriste et poète. Accusé de trahison,
condamné à la prison, aveuglé, il se suicida, selon certains (et
selon Dante lui-même), innocent en réalité de ces crimes. Il
était fameux pour son éloquence ornée, et Dante, le faisant
parler, adopte son style.

64. *la prostituée* : métaphore biblique, qui désigne habituel-
lement Babylone. Ici elle indique l'Envie.

65. *César* : c'est le titre de Frédéric II, empereur des
Romains, mais c'est aussi, de façon plus générale, une désignation courante pour un chef d'État.

73. *par les racines étranges* : on peut entendre l'adjectif *nove*
comme « récentes » – Pier delle Vigne était seulement depuis
cinquante ans en Enfer – ou comme « étranges ».

96. *Minos* : le juge infernal.

120-121. *Lano* : Lano de Sienne, grand dépensier. Tué à
la bataille du *Toppo*, en 1287, que les Siennois perdirent
contre les Arétins. Boccace raconte qu'il y chercha la mort
pour échapper à la pauvreté.

133. *Iacopo de Saint-André* : Padouan, fameux pour ses
sottes prodigalités. Ezzellino IV le fit tuer en 1239. On
raconte qu'un jour, pour fêter ses hôtes, il mit le feu à sa
propre maison.

139. *Et lui* : Florentin anonyme, dont la provenance est
dans le texte plus importante que l'identité.

143. *la cité* : Florence. Mars était le patron de la ville au
moment de sa fondation par les Romains. Lorsque les Florentins se convertirent au christianisme, ils enlevèrent la statue de
Mars et construisirent une église sur son emplacement : le
Baptistère. La statue, placée sur le bord de l'Arno, fut jetée

dans le fleuve au moment de la destruction de la ville par Attila. Le tronçon retrouvé fut placé au bout du Ponte Vecchio, et il y était encore au temps de Dante, avant d'être emporté par l'inondation de 1333.

Chant XIV

15. *que les pieds de Caton :* Caton d'Utique conduisit une armée à travers le désert de Libye.

31. *comme Alexandre :* information puisée par Dante dans le *De Meteoris* d'Albert le Grand.

35. *vapeurs :* le feu était alors considéré comme une vapeur embrasée.

46. *ce grand corps :* Capanée, l'un des sept rois grecs coalisés contre Thèbes. Dans la *Thébaïde* de Stace, il était déjà représenté comme blasphémateur ; il fut foudroyé par Jupiter.

56. *Montgibel :* l'Etna, où Vulcain avait sa forge.

58. *comme il fit à la bataille de Phlégrée :* c'est dans la vallée de Phlégrée en Thessalie qu'eut lieu le fameux combat des Dieux et des Géants.

77. *une mince rivière :* fleuve de sang qui descend à travers la forêt des suicidés, la plaine brûlante, et plonge de la grande falaise dans le 8ᵉ cercle.

79. *du Bulicame :* source sulfureuse chaude près de Viterbe. Les prostituées y avaient un droit spécial au bain public.

90. *qui éteint sur soi :* les vapeurs qui montent de la petite rivière écartent les flammes, permettant à Virgile de passer.

100-102. *Rhéa :* Rhéa, femme de Saturne, voulant sauver son fils Jupiter (Saturne effrayé par la prophétie selon laquelle il serait tué par son fils, voulait le dévorer), le fit élever dans une grotte du mont Ida, où ses prêtres, les Corybantes, couvraient avec les sons de leurs chants et de leurs instruments les pleurs du bébé.

103. *un grand vieillard :* la source de cette figure du vieillard de Crète est le passage biblique relatif au songe de Nabuchodonosor. Le vieillard de Crète représente l'humanité dans sa corruption progressive.

104. *à Damiette* : en Égypte, à l'embouchure du Nil. Dante fait allusion aux origines orientales de la civilisation humaine. L'humanité se tourne comme vers son modèle idéal vers Rome, centre spirituel de l'Église et de l'Empire.

106. *façonnée d'or fin* : symbole de l'âge d'or, qui sera suivi de l'âge d'argent, de cuivre, puis de fer.

111. *et il s'appuie* : le pied de terre symbolise le pape corrompu, le pied de fer l'Empire désormais privé de prestige et d'autorité.

113. *d'une blessure par où coulent des larmes* : les larmes deviennent les fleuves de l'Enfer. Équidistant entre les trois continents, le vieillard est le centre du Temps, qui tourne le dos à l'Orient, et regarde Rome.

119. *Cocyte* : le lac glacé au centre de l'Enfer.

136. *Léthé* : pour les Anciens, fleuve de l'oubli. Pour Dante, fleuve du Paradis terrestre.

Chant XV

11. *Quel qu'il fût* : Dieu ou le Diable. Même indétermination dans *Enfer*, XXI, 85-86.

30. *ser Brunetto* : Brunetto Latini (1230-1294). Éminent Florentin, notaire, ambassadeur des guelfes auprès du roi de Castille Alphonse X. A son retour reste volontairement exilé en France à la nouvelle de la défaite guelfe de Montaperti. Rentré à Florence, il est grand divulgateur de la culture laïque. Auteur d'une Encyclopédie en prose française (le *Trésor*).

61-63. *Mais ce peuple ingrat et méchant* : d'après la légende, Florence aurait été fondée à la fois par quelques colons romains et par des Fiesolans. Les discordes à Florence viendraient de cette double origine.

71. *que les deux partis auront faim de toi* : d'abord les Blancs, puis les Noirs voudront te nuire.

90. *pour celle* : Béatrice.

109. *Priscien* : célèbre grammairien du VIe siècle.

110. *Francesco d'Accorso* : juriste florentin, professeur à l'Université de Bologne, pendant la deuxième moitié du XIIIe siècle.

112. *celui* : le Florentin Andrea de' Mozzi, évêque de Florence en 1287.

le serviteur des serviteurs : le Pape ; c'est par cette formule que le Pape signait les Bulles.

114. *ses nerfs trop mal tendus :* tendus de façon mauvaise, pour satisfaire son vice.

118. *D'autres gens viennent, avec qui je ne dois pas être :* les sodomites damnés sont divisés en groupes. Celui de Brunetto comprend les hommes de lettres et les ecclésiastiques.

119. *mon Trésor :* son œuvre principale, écrite en français, *Li livres dou tresor.*

123. *le drap vert :* bannière, ou « palio ». Le premier dimanche du Carême, tous les jeunes gens de Vérone faisaient une course à pied, et le vainqueur gagnait le palio.

Chant XVI

37. *la banne Gualdrada :* la vertueuse fille de Bellincione de' Ravignani, épouse de Guido le Vieux ; dans les légendes florentines, elle apparaît comme un exemple de vertus domestiques et de mœurs probes (Bosco).

38. *Guido Guerra :* un des chefs valeureux du parti guelfe.

41. *Tegghiaio Aldobrandi :* de la famille des Adimari, mort en 1266 ; il essaya de dissuader ses concitoyens de l'entreprise contre Sienne, qui amena la défaite de Montaperti, en 1260.

44. *Jacopo Rusticucci :* citoyen florentin riche et actif de la première moitié du XIIIᵉ siècle.

70. *Guglielmo Borsiere :* expert homme de cour, arrangeur de mariages, mort vers 1300.

97. *Acquacheta :* aujourd'hui Mantoue.

106. *J'avais une corde :* peut-être Dante appartenait-il à l'ordre de saint François ; peut-être cette corde est-elle l'allégorie de la vertu opposée à la « panthère » (luxure) ; ou encore de la vertu opposée à la fraude, représentée par Géryon ; dans ce cas, il s'agit de la vertu comme justice et vérité.

Chant XVII

1. *Voici venir la bête :* Géryon était dans le mythe païen un géant à trois corps et trois têtes, roi d'une île occidentale (peut-être les Baléares) ; il nourrissait ses troupeaux de chair humaine (celle de ses hôtes tués par traîtrise) ; il fut tué à son

tour par Hercule. Dante, en lui ajoutant des éléments apocalyptiques et figuratifs médiévaux, en fait l'allégorie de la fraude (punie dans le 8e cercle, dont Géryon est le gardien).

2. *qui brises armes et murs :* les péchés de fraude sont plus destructeurs que les péchés de violence.

17. *Jamais Turcs ni Tartares :* Tartares et Turcs étaient les tisserands les plus experts au temps de Dante.

18. *Arachné :* la tisseuse lydienne qui osa défier Minerve et fut transformée en araignée.

36. *des gens :* les usuriers, qui pèchent contre l'art. C'est la troisième et dernière catégorie des violents contre Dieu.

59-60. *azur :* armoiries des Gianfigliazzi, guelfes florentins.

62-63. *plus blanche que le beurre :* armoiries des Obriachi, gibelins florentins.

64. *truie couleur d'azur :* armes des Scrovegni, de Padoue.

68. *Vitaliano :* Vitaliano del Dente, Padouan, podestat en 1307.

72. *le roi des chevaliers :* Giovanni di Buiamonte dei Becchi, gonfalonier de justice en 1293. Il avait pour armes trois boucs noirs sur champ d'or.

107. *Phaéton :* le fils d'Apollon, qui conduisit un jour le char de son père, et faillit mettre le feu au ciel. Il fut foudroyé par Jupiter (Ovide).

109. *Icare :* fils de Dédale ; il vole avec les ailes fabriquées par son père. Mais la chaleur du soleil fait fondre la cire, et Icare tombe dans la mer.

Chant XVIII

1. *Malebolge :* le 8e cercle est une immense zone circulaire en pente vers le centre, qui est formée par un puits profond ; elle est divisée en dix fosses concentriques (« bolges » – poches, sacs), semblables aux fossés qui entourent les châteaux. De l'extrémité inférieure de la rive partent des rochers qui forment comme des ponts au-dessus des bolges et qui convergent vers le puits central.

30. *le pont :* le pont Saint-Ange ; pendant le Jubilé de l'an 1300.

33. *la colline :* le mont Giordano, petite colline en face du château Saint-Ange, où habitait la famille Orsini.

46. *crut alors se cacher* : jusqu'à ce point, le désir des damnés était celui de rappeler leur nom dans le monde. Dans le fond de l'Enfer, la règle est renversée et les pécheurs, en général, essaient de cacher leur identité.

50. *Venedico* : Venedico Caccianemico (1228-1302) ; puissant personnage guelfe de Bologne, il remplit de nombreuses fonctions politiques dans différentes villes en Italie.

51. *sauces* : métaphore pour tourments, et allusion à un quartier mal famé de la banlieue de Bologne, les *Salse*.

55. *Ghisolabella* : sœur de Venedico, prostituée par lui à Obizzo d'Este, marquis de Ferrare.

61. *sipa* : dialecte de Bologne pour *si* : oui.

71. *à droite* : ce n'est pas une exception à la règle infernale de la marche vers la droite ; après avoir tourné à gauche, les poètes doivent monter sur les ponts qui se trouvent à leur droite (Bosco).

86-96. *Jason* : le chef mythique des Argonautes ; s'étant emparé de la Toison d'Or, il fit construire le bateau Argos, le premier à franchir la mer. A Lemnos il séduit et abandonne la jeune vierge Hysipile (qui avait sauvé son père en le cachant aux autres femmes de l'île) ; en Colchide, il trompe Médée en lui promettant le mariage. Médée se venge en tuant ses enfants.

101. *la deuxième digue* : celle qui enferme la bolge des flatteurs.

122. *Alessio Interminei* : guelfe blanc appartenant à une noble famille de Lucques.

133. *Thaïs* : protagoniste de la comédie l'*Eunuque* de Térence, que Dante cite à travers Cicéron.

Chant XIX

1. *Simon mage* : personnage biblique (Acta Apost. VIII, 9-20) qui exerçait les arts magiques ; il demanda à Pierre et Jean, contre de l'argent, la faculté de communiquer le Saint-Esprit aux baptisés ; il fut repoussé et maudit par saint Pierre.

7. *tombe* : bolge.

17-21. *mon beau saint Jean* : le baptistère de saint Jean ; épisode de la vie de Dante raconté par Benvenuto da Imola.

Un enfant (Antonio di Baldinuccio de' Cavicchioli) s'était pris les jambes dans l'une des vasques. Dante brisa la pierre pour le sauver.

52. *il me cria* : c'est Nicolas III, pape de 1277 à 1280.

53. *Boniface* : Boniface VIII, élu page en 1294 ; le damné prend Dante pour lui, laissant entendre que plus tard Boniface viendra prendre sa place.

57. *la belle Dame* : l'Église.
lui faire outrage : par la simonie.

69. *du grand manteau* : de la papauté.

70. *le fils de l'ourse* : de la famille des Orsini.

83. *viendra de l'ouest un pasteur sans loi* : Boniface sera remplacé par Clément V – Bertrand de Got, élu pape le 5 juin 1305 ; il transféra le siège papal en Avignon.

85-87. *nouveau Jason des Macchabées* : fils de Simon II ; selon le témoignage biblique (II Macc. IV, 7-26*)*, il se procura grâce à une promesse d'argent l'appui du roi Antiochus pour obtenir la charge de grand prêtre des Hébreux, et mena une vie corrompue. On disait que Bertrand de Got était monté sur le trône grâce à l'intervention de Philippe le Bel, à qui il avait promis de grands avantages.

94. *et à Matthieu* : Matthieu fut élu comme apôtre pour remplacer Judas.

98-99. *la monnaie* : Nicolas III avait toujours combattu l'influence de Charles d'Anjou, le roi de Naples, frère de Saint Louis. On racontait aussi qu'il avait reçu de l'argent de Jean de Procida pour la question qui aboutit aux Vêpres siciliennes.

106. *vous pasteurs* : saint Jean, dans son *Apocalypse*, fait allusion à la Rome païenne (sept collines, dix rois). Dante voit en elle aussi la Rome papale, pervertie par la simonie (les sept têtes sont alors les sept sacrements et les dix cornes le *Décalogue*). Le pape est l'époux de cette créature dépravée.

111-117. *Constantin* : Dante pensait comme ses contemporains que le pouvoir temporel du pape remontait non pas à Pépin le Bref, mais à Constantin lui-même : Constantin, par une donation apocryphe, aurait transporté le siège de l'Empire à Byzance afin de laisser Rome au pape Silvestre et à ses successeurs.

Chant XX

3. *du premier cantique :* l'*Enfer.*

34. *Amphiaros :* un des sept rois qui marchèrent contre Thèbes ; il avait appris au moyen de son art divinatoire qu'il devait mourir dans l'expédition, et avait essayé en vain de se cacher. Jupiter, sous les yeux des Thébains, entrouvrit la terre et l'engloutit (Stace).

40. *Tirésias :* devin des Grecs avant la guerre de Troie. Ayant frappé de sa verge magique deux serpents accouplés, il fut changé en femme pendant sept ans (Ovide).

46. *Aruns :* aruspice étrusque, qui vivait au temps de César et de Pompée ; il prophétisa la guerre civile et la victoire de César (Lucain).

47. *les monts de Luni :* la Lunigiana, région située au nord de La Spezia, où Dante fit un séjour heureux en 1306.

52. *celle-ci :* Mantô, fille de Tirésias et devineresse qui, après la mort de son père, s'enfuit de Thèbes, ville de Bacchus ; après avoir longtemps erré, elle s'établit dans le lieu qui devint plus tard la ville de Mantoue, où naquit Virgile.

63. *Benaco :* aujourd'hui lac de Garde.

95. *Casalodi :* Alberto da Casalodi, seigneur guelfe de Mantoue, que Pinamonte de' Bonacolsi chassa par ruse de sa ville, en 1272.

112. *Eurypyle :* devin grec qui, avant Calchas, indiqua à ses compatriotes le moment opportun pour lever l'ancre et partir pour la guerre de Troie.

113. *ma haute tragédie :* l'*Énéide.* Virgile l'appelle tragédie parce qu'elle est écrite en style noble ; de la même façon Dante appelle le sien *comédie,* parce qu'il est composé en style mêlé et familier.

115. *Michel Scott :* Écossais, médecin et astrologue de Frédéric II. Commentateur et traducteur d'Aristote. Il était resté célèbre en Écosse comme magicien.

118. *Guido Bonatti :* de Forlì, astrologue favori de Guido de Montefeltro.
Asdente : cordonnier de Parme, qui laissa son métier pour se faire devin.

124. *Caïn chargé d'épines :* cette expression désigne la lune, dont les taches, d'après une croyance populaire médiévale, représentaient Caïn chargé d'un fagot d'épines.

126. *au-dessous de Séville :* la lune est au zénith à Séville, qui marque le point le plus occidental du monde ; elle se couche à Jérusalem.

Chant XXI

38. *Santa Zita :* petite servante pieuse du XIIIᵉ siècle qui, canonisée, devint la patronne de la ville de Lucques.

41. *excepté Bonturo :* notation ironique : Bonturo Dati, chef du parti populaire au temps de Dante, était un trafiquant notoire.

48. *le Saint Voult :* ou *Visage.* C'était un ancien crucifix byzantin, en bois noir, qu'on croyait sculpté par la main de Dieu même, et qui faisait des miracles à Lucques, où on le portait en procession.

49. *au Serchio :* rivière de Lucques.

76. *Malacoda :* ou « la méchante queue ».

95. *Caprona :* château des Pisans, dont les Florentins s'emparèrent en 1289. Dante avait fait partie de l'expédition.

113. *mille deux cent soixante et six années :* Dante pensait, d'après saint Luc, que le Christ était mort en l'an 34 vers midi : la scène, d'après son calcul, se passe donc le samedi saint de l'année 1300, vers 7 heures du matin.

118-123. *Alichino :* ou « aile basse ».
Calcabrina : ou « foulegivre ».
Cagnazzo : ou « vilain chien ».
Barbaticcio : ou « barbe hérissée ».
Libicocco : ou « Libyen ».
Draghignazzo : ou « méchant dragon ».
Ciriatto : ou « porc ».
Graffiacane : ou « griffechien ».
Farfarello : ou « farfadet ».
Rubicante : ou « rubicond ».

Chant XXII

5. *Arétins :* au moment de la bataille de Campaldino, en 1289, où Dante était présent comme guerrier à cheval.

48. *je naquis au royaume de Navarre :* ce damné avait nom Ciampolo. Le roi de Navarre auprès de qui il vécut était

Thibaut II, comte de Champagne, neveu de Saint Louis. Il mourut de la peste pendant la croisade de Tunis.

81. *frère Gomita* : religieux de Gallura en Sardaigne ; il fut vicaire de Nino Visconti, de Pise.

88. *don Michel Zanche* : officier du roi Enzo, fils de Frédéric II, à Logoduro en Sardaigne. Après la mort du roi, il épousa sa veuve.

Chant XXIII

5. *vers la fable d'Ésope* : une des fables attribuées à Ésope, qu'on enseignait aux enfants dans les écoles au Moyen Âge. La grenouille transporte le rat sur son dos, veut le noyer ; le rat se débat ; un milan plonge et les emporte tous deux.

7. *ores* et *sur-le-champ* : « mo » et « issa » – mots de l'ancien dialecte florentin ; tous deux veulent dire *maintenant*.

63. *Cluny :* le monastère bénédictin.

66. *celles de Frédéric* : Frédéric II punissait les coupables de lèse-majesté en les faisant revêtir d'une chape de plomb et en les mettant ainsi vêtus dans une chaudière.

103. *joyeux frères* : religieux de l'ordre chevaleresque de Marie, institué à Bologne en 1261, consacré à l'apaisement des discordes familiales et civiles et à la protection des faibles.

104. *Catalano* : de la famille guelfe des Malavolti de Bologne, podestat dans plusieurs villes, puis à Bologne.
Loderingo : gibelin de Bologne, podestat, avec Catalano, à Florence (ils avaient été choisis ensemble pour cette charge dans le but d'aplanir les discordes). Mais ils durent s'enfuir, accusés de défendre en réalité le pape Clément IV. Les Gibelins furent alors chassés de Florence et les maisons de leurs chefs brûlées.

115. *cet homme cloué* : c'est Caïfas, le grand prêtre des Hébreux qui soutint la nécessité de mettre à mort Jésus (*Jean*, XI, 50).

121. *son beau-père :* Anne, qui prononça la sentence (*Jean*, XVIII, 13).

124. *je vis alors Virgile s'étonner :* à son premier voyage en Enfer, Virgile n'avait pas vu ce crucifié : il n'était pas encore mort.

Chant XXIV

55. *plus longue échelle :* Virgile pense ici à l'escalade de la montagne du Purgatoire.

86-87. *chélydres et pharées/jacules, cenchres et amphisbènes :* liste de serpents plus ou moins fabuleux, venus de la *Pharsale* de Lucain.

93. *héliotrope :* la plante d'héliotrope passait pour guérir et rendre invisible celui qui la portait.

125. *je suis Vanni Fucci :* fils bâtard (d'où « mulet ») d'un noble de Pistoia, Fuccio de' Lazzari, vers 1293, il vola le trésor de la chape de saint Jacques, à Pistoia. Plusieurs innocents furent arrêtés, et punis, jusqu'à ce que l'un des complices désigne les vrais coupables. Vanni Fucci était en fuite ; c'était un guelfe noir, qui prédit ici à Dante la ruine des Blancs.

143. *Pistoia d'abord s'amaigrit :* la prophétie décrit les événements qui amenèrent l'exil de Dante. En mai 1301, les Blancs de Pistoia chassèrent les Noirs, mais à la Toussaint de la même année, Corso Donati, chef des Noirs, entrait victorieux à Florence ; son gouvernement renouvela gens et lois, exilant les Blancs. En 1302, sous les ordres du marquis Malaspina, les Noirs de Pistoia s'emparèrent, avec l'aide des Noirs florentins, de la forteresse de Serravalle, qui était aux Blancs ; cette bataille amena la ruine définitive de ce parti.

Chant XXV

2. *en faisant la figue :* figure obscène formée en repliant les doigts de la main de façon à faire saillir le pouce entre l'index et le médius.

15. *celui qui tomba :* Capanée, cf. XIV, 46-72.

25. *c'est Cacus :* selon la fable antique, c'était un satyre, qui réussit à dérober le troupeau de bœufs qu'Hercule avait abrité sous le mont Aventin ; pour emmêler leurs traces, il les fit marcher en arrière, en les tirant par la queue.

35. *trois esprits :* trois voleurs florentins.

43. *Cianfà :* de la famille des Donati, chefs des Noirs. Il éventrait des coffres-forts.

68. *Agnel :* Agnello Brunelleschi, de bonne famille florentine, pratiquait le vol comme un sport. Agnello est saisi et assimilé par une ombre à six pieds, qui est son compagnon, Cianfà Donati.

94. *que Lucain se taise* : Lucain raconte dans la *Pharsale* la fin prodigieuse de deux soldats de l'armée de Caton, Sabellus et Nassidius, qui dans le désert de Syrie furent mordus par des serpents.

97. *qu'Ovide se taise* : Dante ici rivalise avec le grand poète des *Métamorphoses*. Cadmos, fondateur de Thèbes, fut changé en serpent, la nymphe Aréthuse transformée en fontaine à Syracuse (*Métamorphoses*, IV, V).

140. *Buoso* : peut-être Buoso Donati, le petit-fils du Buoso du chant XXIII.

148. *Puccio Sciancato* : gibelin de Florence, courtois et boiteux.

151. *Gaville* : village fortifié du val d'Arno, dont les habitants tuèrent celui que Dante appelle « l'autre », Francesco Cavalcanti ; les représailles furent cruelles, d'où les pleurs de Gaville.

Chant XXVI

34. *celui que les ours vengèrent* : le prophète Élie. Des gamins qui sortaient de Béthel se moquèrent de lui. Le prophète les maudit et deux ours sortis d'un bois se jetèrent sur eux et en mangèrent quarante-deux (*Rois*, IV, II).

54. *Étéocle et son frère* : s'étant disputé le trône de Thèbes, ils s'entre-tuèrent. Ils furent mis sur un même bûcher, mais la flamme se divisa en deux jets contraires.

56. *Ulysse et Diomède* : le roi d'Ithaque et le roi d'Argos ; ils s'associaient souvent pour les mêmes exploits (le meurtre de Rhésus, le rapt de la statue d'Athéna, etc.).

62. *Deidamie* : sa mère Thétis avait caché Achille, déguisé en fille, chez le roi de Syros. Mais l'une des filles du roi, Dédamie, s'éprit de lui.

74-75. *ils dédaigneraient/ tes paroles* : il est diverses hypothèses sur les raisons de la médiation de Virgile entre Dante et Ulysse ; entre autres : – l'italien est, par rapport au grec, une langue barbare ; – l'italien est la langue des descendants d'Énée et des Troyens (les ennemis d'Ulysse). De plus, Virgile est le juste intermédiaire entre Homère et Dante.

91. *quand je quittai Circé* : Dante part dans son récit d'un passage des *Métamorphoses* d'Ovide, où Macarée, l'un des compagnons d'Ulysse, raconte à Énée que lui et ses compagnons, après un an de séjour chez Circé, avaient été invités par leur chef à reprendre le voyage ; mais ils étaient lents et vieux désormais. Macarée était resté chez Circé.

92. *Gaète* : ainsi nommée du nom de la nourrice d'Énée, morte en ce lieu (*Énéide*, VII).

108-109. *où Hercule* : selon la mythologie, Hercule avait disposé dans le détroit de Gibraltar deux colonnes que personne ne devait franchir.

133. *montagne* : c'est la montagne du Paradis terrestre où fut placé le Purgatoire par le Christ. Dans cet épisode, Dante ne suit pas Homère, mais une légende médiévale qu'il interprète de façon complètement originale (déjà Sénèque et Servius avaient formulé l'hypothèse d'un Ulysse se perdant dans le monde inconnu). Cf. *Dante écrivain* (Seuil, 1982, p. 135).

Chant XXVII

7. *comme le bœuf sicilien* : il s'agit du taureau de Phalaris, tyran d'Agrigente. Il était fait d'airain creux, et on y enfermait les condamnés ; puis on le portait au rouge ; et son constructeur, Perillos d'Athènes, fut le premier à en faire l'expérience.

21. *Istra* : mot lombard, « à présent », « tout de suite ».

33. *latin* : italien.

41. *Polenta* : les Polenta, dont les armes étaient un aigle, étaient seigneurs de Ravenne depuis 1270 ; leur domination s'étendait jusqu'à Cervia, sur l'Adriatique.

43. *La terre* : Forlì, où une armée en partie formée de Français, envoyée par le pape Martin IV, avait été défaite le 1er mai 1282 par Guido de Montefeltro. Les seigneurs de Forlì étaient les Ordelaffi, qui avaient un lion vert dans leurs armes.

46. *le vieux matin, et le nouveau* : Malatesta de Verrucchio, et son fils, Malatestino.

47. *Montagna* : chef gibelin que Malatesta fit tuer.

48. *y déchirent* : à Rimini.

49. *les villes de Lamone et de Santerno* : Feanza et Imola.

50. *le lionceau dans son nid blanc* : Maghinardo Pagani, qui avait dans ses armoiries un lion azur sur champ blanc.

52. *celle dont le Savio baigne le flanc* : Cesena.

67. *je fus homme d'armes* : c'est Guido de Montefeltro, illustre chef gibelin, qui remporta de nombreuses victoires sur les guelfes ; il fut excommunié, et se réconcilia plusieurs fois avec l'Église ; il entra dans l'ordre de saint François en 1296.

85. *le prince des nouveaux Pharisiens* : le pape Boniface VIII.

86. *près du Latran* : à Rome, dans le cœur de la chrétienté. Il s'agit ici de la lutte contre les Colonna.

94. *comme Constantin fit venir Silvestre* : légende connue au Moyen Age. Constantin, atteint de la lèpre, aurait eu une vision des apôtres Pierre et Paul, qui lui conseillaient d'envoyer chercher le pape Sylvestre, caché sur le mont Soratte, près de Rome, pour fuir les persécutions. Sylvestre guérit Constantin et le baptisa.

102. *Palestrina* : c'était une forteresse des Orsini.

112. *François* : saint François d'Assise.

Chant XXVIII

8. *au pays tempétueux des Pouilles* : cette locution désigne ici l'ensemble du royaume de Naples.

10. *les Troyens* : les Romains, parce que les Romains sont descendants d'Énée.

la longue guerre : la deuxième guerre punique, qui culmina dans la bataille de Cannes, où les morts romains furent si nombreux que les Carthaginois, entassant les anneaux d'or pris aux doigts des cadavres, en firent un tas immense.

14. *Robert Guiscard* : il conquit le royaume de Naples au XIᵉ siècle.

16. *Ceprano* : c'était un lieu stratégique au seuil du royaume, qui fut abandonné sans aucune bataille. Dante le confond sans doute avec Bénévent, où mourut le roi Manfred avec beaucoup des siens.

17. *Tagliacozzo* : victoire remportée sur Corradin, fils de Manfred.

18. *Alard* : Alard de Valéry, conseiller de Charles Iᵉʳ d'Anjou.

32. *Ali* : Ali ibn Abi Talib, gendre de Mahomet et l'un de ses premiers fidèles, qui provoqua ensuite un schisme à l'intérieur de l'Islam.

56. *frère Dolcin* : Fra Dolcino Tornielli, de Novare. Il dirigeait les Frères apostoliques, et prêchait la mise en commun de toutes choses, y compris des femmes. Le pape Clément V organisa contre lui une croisade. En 1305, Fra Dolcin prit le mont Zabello au Piémont, mais il manqua de vivres pendant les grandes chutes de neige, et fut contraint de se rendre au pape.

73. *Pier da Medicina* : on ne sait presque rien de ce personnage ; il vécut entre Bologne et la Romagne ; il aurait passé sa vie à dresser les Bolognais les uns contre les autres.

74. *la douce plaine* : la Lombardie.

76. *aux deux grands de Fano* : Guido del Cassero et Angiolello da Carignano ; ils furent jetés à la mer dans des sacs sur l'ordre de Malatestino, le tyran félon (cf. *Enfer*, XXVII, 46-48).

80. *Cattolica* : entre Pesaro et Rimini, sur l'Adriatique.

84. *des gens d'Argos* : les Grecs, et les pirates grecs.

96. *le voici* : Curion, tribun du peuple qui, banni de Rome, poussa César à franchir le Rubicon.

106. *Mosca* : Mosca dei Lamberti, Florentin ; à la suite de ses conseils, les Amidei et les leurs décidèrent de tuer Buondelmonte, qui avait abandonné une jeune fille de leur famille. La mort de Buondelmonte, à Pâques 1215, fut considérée comme l'origine des discordes de Florence.

134. *Bertrand de Born* : célèbre troubadour, seigneur du château de Hautefort, dans le Périgord ; il vécut dans la deuxième moitié du XIIᵉ siècle ; Dante le loue comme « poète des armes » dans le *De Vulgari Eloquentia*, et pour sa libéralité dans le *Convivio*. Feudataire du roi d'Angleterre Henri II, il sema la discorde entre le roi et son fils Henri III.

137. *Achitofel* : conseiller de David, il poussa Absalon à se rebeller contre son père David, et à le tuer.

Chant XXIX

10. *déjà la lune est sous nos pieds* : au nadir, c'est-à-dire aux antipodes de Jérusalem.

27. *Geri del Bello* : cousin germain du père de Dante. Meurtrier par trahison, il avait ensuite été lui-même assassiné.

29. *Hautefort* : Bertrand de Born, sire de Hautefort (cf. chant XXVIII).

47. *Val di Chiana* : vallée entre Arezzo et Montepulciano, rendue insalubre au temps de Dante – comme la Maremme et la Sardaigne – par la malaria.

59. *à Égine* : petite île près d'Athènes, à qui la peste avait été envoyée par Junon, jalouse de la nymphe Égine, aimée de Jupiter, qui remplaça les habitants morts par des fourmis qui se changèrent en hommes, les Myrmidons (Ovide).

109. *je fus d'Arezzo* : Griffolino, surnommé Bal, alchimiste et faux monnayeur.

117. *quelqu'un qui l'aimait comme son fils* : l'évêque de Sienne.

125. *Stricca* : Ici Dante donne une série d'exemples ironiques.
Stricca de' Salimbeni, podestat de Bologne en 1276 et en 1286, dissipa tout son bien en inepties. Son frère *Nicolas* fut le premier à lancer la mode des clous de girofle parmi les gourmets de Sienne.

130. *Caccia d'Asciano* : de la très riche famille des Scialenghi.

132. *l'Ébloui* : surnom de Bartolomeo de' Folcacchieri, qui dans son âge mûr remplit d'honorables offices.

136. *l'ombre de Capocchio* : Capocchio de Florence. Il aurait été compagnon d'études de Dante ; très habile à caricaturer les visages ; il était aussi faussaire en métaux, et fut brûlé vif à Sienne en 1293.

Chant XXX

1. *Du temps où Junon* : Jupiter l'avait trompée avec Sémélé, fille de Cadmos, premier roi de Thèbes ; l'enfant, Bacchus, fut confié à la reine Ino, fille du roi Athamas.

4. *Athamas* : Junon, pour se venger, rendit Athamas fou furieux.

16. *Hécube* : veuve de Priam, emmenée comme captive par les Grecs : Junon se vengea d'elle parce que son fils Pâris lui

avait préféré Vénus. Sa fille Polyxène fut immolée par les Grecs sur le tombeau d'Achille, qui l'avait aimée.

32. *Gianni Schicchi* : un Calvalcanti de Florence, auteur du faux testament de Buoso Donati, testament dans lequel il s'attribuait à lui-même « la dame du troupeau » – la plus belle jument du défunt.

38. *Myrrha* : fille de Cinyre, roi de Chypre, qui aima incestueusement son père ; elle conçut de lui Adonis (Ovide).

42-45. *celui qui s'en va là-bas* : Gianni Schicchi, qui prend l'aspect et la voix de Buoso Donati, qui vient de mourir.

61. *maître Adam* : Adam de Anglia, d'origine probablement anglaise, qui, pour avoir falsifié le florin d'or de Florence, sur instigation des comtes Guidi de Romena, fut brûlé vif en 1281.

65. *du Casentino* : la vallée supérieure de l'Arno.

73-77. *Romena* : château fort des comtes Guidi, *Guido, Alessandro* et *Aghilolfo*, qui avaient déterminé le damné à devenir faussaire.

74. *l'alliage/qui fut scellé par le Baptiste* : les florins portaient d'un côté le lis, de l'autre l'effigie de saint Jean-Baptiste.

78. *Fonte Branda* : fontaine siennoise qui porte ce nom ; ou peut-être une fontaine homonyme de Romena.

97. *la fourbe* : la femme de Putiphar, qui tenta de séduire Joseph et le fit jeter en prison (*Genèse*, XXXIX).

98. *Sinon* : ce fut lui qui persuada les Troyens de laisser entrer dans la ville le grand cheval qui contenait dans ses flancs l'élite des guerriers grecs.

128. *le miroir de Narcisse* : la source limpide où Narcisse se contemplait.

Chant XXXI

4-5. *la lance d'Achille* : cette lance, qu'Achille tenait de son père Pélée, avait le pouvoir de guérir par son attouchement les blessures qu'elle avait faites.

12. *un cor puissant* : celui du géant Nemrod.

16. *la douloureuse défaite* : Roncevaux.

17. *son armée* : les douze pairs et l'élite de l'armée de Charlemagne. Dante appelle cette armée *gesta*, du nom par lequel on désignait en France les grandes maisons féodales.

41. *Monterrigioni* : petit village fortifié près de Sienne, à peu près semblable aujourd'hui à celui que vit Dante.

44. *les horribles géants* : les géants avaient été foudroyés par Jupiter dans la vallée de Phlégra (cf. *Enfer*, XIV, 58).

59. *la pigne* : de bronze, on peut la voir aujourd'hui encore au Vatican.

63. *trois Frisons* : habitants de la Frise, province de Hollande, qui passaient au XIVe siècle pour être les hommes les plus grands du monde.

65. *trente grands empans* : c'est-à-dire plus de sept mètres. Nemrod avait par conséquent une hauteur de 27 à 28 mètres.

67. *Raphaèl mai amècche zabí almi* : vers volontairement incompréhensible, construit à partir de sons hébraïques et arabes, de façon à former dans le texte une sorte de débris concret de la confusion babélique des langues.

77. *Nemrod* : descendant de Cham, grand chasseur et premier roi de Babylone. C'est lui, selon la tradition, qui conçut le projet de la tour de Babel.

94. *Éphialte* : fils de Neptune ; l'un des Géants les plus hardis contre Jupiter.

99. *Briarée* : le plus monstrueux et démesuré des Géants ; fils du Ciel et de la Terre, il avait 50 têtes, 100 bras qui brandissaient 50 épées et 50 boucliers, et il vomissait des flammes.

100. *Antée* : fils de Neptune et de la Terre ; il fut le seul des Géants à ne pas prendre parti contre Jupiter. Il avait sa caverne près de Zama, où Scipion l'Africain remporta la victoire décisive sur Hannibal. Il fut étouffé dans les bras d'Hercule, qui s'était aperçu que le géant reprenait des forces en touchant sa mère.

123. *le Cocyte* : fleuve infernal gelé qui forme le 9e cercle.

124. *ni à Tityos ni à Typhée* : deux autres géants, le premier percé de flèches par Apollon, le deuxième foudroyé par Jupiter.

136. *la Garisenda* : célèbre tour penchée de Bologne, qui était, à l'époque de Dante, bien plus haute qu'aujourd'hui.

Chant XXXII

9. « *papa, maman* » c'est-à-dire une langue d'enfant. Dante veut dire qu'il faut, pour ce chant, une langue non instinctive et gouvernée par l'art (Bosco).

10. *ces dames* : les Muses, Amphion avait invoqué les Muses à son secours pour ceindre Thèbes d'un rempart : au son de sa lyre, les pierres vinrent d'elles-mêmes se mettre à leur place.

26. *le Tanaïs* : fleuve de Scythie, aujourd'hui le Don.

28. *le Tambernic* : montagne difficile à identifier ; peut-être une cime des Alpes Apouanes.

29. *la Pietrapana* : aujourd'hui Pania della Croce.

55. *ces deux-ci* : Alexandre et Napoléon degli Alberti, seigneurs de la vallée du Sieve et du Bisenzio ; le premier était guelfe, le deuxième gibelin. Ils s'entre-tuèrent pour des questions d'intérêt en 1286.

59. *la Caïne* : la première région du Cocyte, celle où se trouvent Dante et Virgile, et qui est destinée à la punition des traîtres à leurs parents ; elle tire son nom de Caïn.

61. *celui-là* : Mordred, fils incestueux du roi Arthur, dans le roman *Lancelot du Lac*. Il prit les armes contre son père, qui le transperça d'un coup d'épée, au moment où un rayon de soleil, entré dans la plaie, lui traversa le corps.

63. *ni Focaccia* : surnom de Vanni dei Cancellieri, guelfe blanc de Pistoia, hardi et preux ; mais il tua par traîtrise un de ses cousins, qui était guelfe noir.

65. *Sassol Mascheroni* : Florentin qui tua par traîtrise son neveu encore enfant ; il fut décapité.

68. *Camticion dei Pazzi* : Alberto Camicione de' Pazzi, gibelin de Valdarno. Il tua un de ses parents, Ubertino.

69. *Carlin* : Carlino de' Pazzi, traître politique ; en 1302, il livra un château des Blancs aux Noirs florentins.

81. *la vengeance de Montaperti* : la fameuse défaite subie par les Florentins le 2 septembre 1260 contre les Gibelins de Sienne.

89. *l'Antenora* : la deuxième région du Cocyte, affectée aux traîtres à la patrie ou à leur parti. Elle tire son nom d'Anténor, Troyen qui livra le Palladium (la statue d'Athéna) à Ulysse et Diomède.

106. *Bocca :* Bocca degli Abbati, dont la trahison causa la défaite des guelfes à Montaperti : il coupa la main de l'enseigne des Florentins, faisant ainsi tomber leur bannière et les démoralisant.

114. *cet autre :* Bocca dénonce son dénonciateur, Buoso da Duera, gibelin, et seigneur de Vérone.

115. *l'argent des Français :* en 1265, Buoso, corrompu par l'« argent » (gallicisme dans le texte), laissa passer l'armée de Charles Ier d'Anjou.

119. *l'homme de Beccheria :* Tesauro dei Beccheria, gibelin de Pavie, abbé de Vallombrosa et légat du pape en Toscane. Il fut exécuté par les Florentins guelfes en 1258 pour avoir tramé avec les Gibelins exilés.

121. *Gianni de' Soldanieri :* gibelin de Florence, puni pour avoir tenté en 1266, contre son parti, de prendre la tête du gouvernement pendant les émeutes populaires.

122. *Ganelon :* le fameux héros négatif des poèmes carolingiens, qui trahit Roland à Roncevaux.

Tebaldello : Tebaldello Zambrasi, de Faenza, qui livra de nuit sa ville aux guelfes de Bologne.

130. *Tydée :* l'un des sept contre Thèbes ; blessé à mort par le Thébain Ménalippe, il le tua, obtint de ses compagnons qu'ils lui apportent sa tête, et se mit aussitôt à la ronger.

Chant XXXIII

13. *le comte Ugolino :* Ugolino della Gherardesca ; de famille gibeline, il trama avec son gendre en faveur des guelfes en 1275, quand ils s'imposèrent en Toscane et à Pise. Banni de la ville, il y rentra l'année suivante avec l'aide des Florentins. Devenu podestat, il céda plusieurs châteaux aux Florentins et aux Lucquois, et réussit à conclure une paix honorable avec Gênes. Mais les gibelins se rebellèrent, sous la direction de l'archevêque Ruggeri de Pise, qui enferma traîtreusement Ugolin dans une tour où il le laissa mourir de faim avec ses enfants et petits-enfants en 1289.

22. *la Mue :* c'est en général le lieu obscur où on enferme les faucons pour les dresser. Il s'agit ici de la tour des Gualandi dans le centre de Pise.

26. *plusieurs lunes :* Ugolin avait été fait prisonnier au mois de juillet 1288, et il ne mourut qu'en 1289.

30. *le mont :* le mont San Giuliano.

33. *Gualandi :* familles gibelines de Pise alliées à l'archevêque.

75. *la faim :* vers ambigu : la faim tue Ugolin, ou, comme le veut une tradition tardive, l'amène à manger ses enfants. L'ambiguïté est entretenue dans le chant, comme l'a montré Borges, par la continuité des allusions cruelles à l'acte de manger (depuis les derniers vers du chant précédent, où l'on voit Ugolin ronger la tête de Ruggeri).

82. *Capraia et Gorgona :* deux îles non loin de l'embouchure de l'Arno ; elles se trouvaient alors sous la domination de Pise.

118. *frère Alberigo :* Alberigo de' Manfredi, frère joyeux ; l'un des chefs du parti guelfe à Florence ; offensé par un neveu, il l'invita à dîner dans son château ; au signal qu'il donna d'apporter les fruits, les serviteurs massacrèrent son neveu et son frère. D'où l'allusion aux « dattes » et aux « figues ».

124. *La Tolomée :* troisième région du Cocyte, où sont punis les traîtres à leurs hôtes ; ce nom vient peut-être du nom du roi d'Égypte Ptolémée, qui, pour faire sa cour à César, lui envoya la tête de Pompée, son hôte. Ou peut-être, plus probablement, du Ptolémée biblique (*Mac.*, XVI) : gouverneur de Jéricho, il tua par traîtrise au cours d'un repas son beau-frère Maccabée et ses deux fils.

126. *Atropos :* la Parque qui coupe le fil des jours humains.

137. *Branca d'Oria :* chevalier génois, gendre de Michel Zanche, damné dans la 5e fosse du dernier cercle. Son beau-frère était seigneur de Logoduro en Sardaigne. Voulant ses possessions, il l'invita dans son château et il le fit massacrer en 1275 .

Chant XXXIV

1. *Vexilla regis prodeunt inferni :* « les enseignes du roi de l'Enfer s'avancent » ; adaptation du premier vers d'un hymne fameux de Fortunat, affecté à la liturgie du vendredi saint.

20. *Voici Dité :* le roi de l'Averne païen, à qui Dante identifie Lucifer.

38. *trois faces :* antithèse analogique aux trois personnes de la Trinité.

39. *vermeille :* représente la haine, opposée au « premier amour », l'Esprit saint (*Enfer* ; III).

43. *blanc et jaune* : ces couleurs représentent l'ignorance, opposée à la « somma sapienza » (*Enfer*, III, 6), qui est le Fils.

44. *gauche* (comme les Éthiopiens) : c'est l'impuissance, qui s'oppose à la *divina potestate* (*Enfer*, III, 5) : le Père trinitaire.

51. *vents* : les trois vents qui font geler le Cocyte.

62. *Judas Iscariote* : traître à Jésus, donc traître suprême.

65. *Brutus* : traître à César – c'est-à-dire à l'autorité impériale.

67. *Cassius* : ami de Brutus, traître lui aussi à César.

96. *et déjà le soleil atteint la demi-tierce* : à la tierce il est 9 heures du matin ; il s'agit donc ici de la moitié du temps entre le lever du soleil et 9 heures : il est entre 7 h et demie et 8 heures.

110. *ce point* : le centre de la terre, coïncidant avec les hanches de Lucifer (cf. *Enfer*, XXXII, 3, 74-75).

112. *l'hémisphère* : l'hémisphère céleste (austral).

113. *le grand sec* : le grand élément sec – la terre.

114. *sous le sommet duquel* : à Jérusalem.

116. *une petite sphère* : un espace circulaire.

117. *la Giudecca* : c'est la zone la plus petite du Cocyte.

121-126. *ciel* : Lucifer tomba du ciel du côté de l'hémisphère austral, et la terre, qui auparavant émergeait de la mer dans cet hémisphère, se retira par horreur de lui sous la surface de la mer, et émergea dans l'hémisphère boréal ; et la terre apparaît alors dans les eaux de l'hémisphère austral, où elle forme la montagne du Purgatoire, laissant une cavité et remontant vers la surface.

126. *un lieu* : cavité aussi longue que l'Enfer dans l'hémisphère austral.

130. *un petit ruisseau* : probablement le Léthé, qui amène en Enfer les taches des âmes qui se purifient au Purgatoire.

135. *sans nous soucier de prendre aucun repos* : comme les poètes arrivent au Purgatoire le dimanche de Pâques vers 5 heures du matin, ils ont marché pendant à peu près vingt et une heures.

139. *les étoiles* : c'est par le même mot que se terminent aussi le *Purgatoire* et le *Paradis*.

BIBLIOGRAPHIE

Principales éditions critiques de la *Comédie* et principaux commentaires utilisés :

G. PETROCCHI, *Dante Alighieri, La Commedia secondo l'antica vulgata*, Milan, Mondadori, 1966-1967.

U. BOSCO et G. REGGIO, *La Divina Commedia*, Florence, Le Monnier, 1979.

N. SAPEGNO, *Dante, La Divina Commedia*, Florence, La Nuova Italia, 1985.

E. PASQUINI et A. QUAGLIO, *Dante, Commedia*, Milan, Garzanti, 1987.

A.M. CHIAVACCI LEONARDI, *Dante Alighieri, Commedia*, Milan, Mondadori, 1991-1997.

Éditions françaises :

F. LAMENNAIS, *Dante, La Divine Comédie*, Paris, Didier, 1863.

A. MASSERON, *Dante, La Divine Comédie*, Paris, Club français du Livre, 1965.

A. PÉZARD, *Dante, Œuvres complètes*, Paris, Gallimard, 1965.

L. PORTIER, *Dante, La Divine Comédie*, Paris, Éditions du Cerf, 1987.

J.-C. VEGLIANTE, *Dante, L'Enfer, Le Purgatoire*, Paris, Imprimerie Nationale, 1996-1998.

M. SCIALOM, in C. BEC (dir.), *Dante, Œuvres Complètes*, Paris, Le Livre de poche, 1996.

Études sur Dante et sur *La Divine Comédie* :

E. AUERBACH, *Studi su Dante*, Milan, Feltrinelli, 1963 ; *Figura*, Paris, Macula, 2003.

T. BAROLINI, *The Undivine Comedy, Detheologizing Dante*, Princeton University, 1992 ; *La Commedia senza Dio*, Milan, Feltrinelli, 2003.

G. BOCCACIO, *Vite di Dante*, Milan, Mondadori, 2002 ; *Vie de Dante Alighieri*, Marseille, Via Valeriano/Paris, Léo Scheer, 2002.

J.-L. BORGES, *Nueve Ensayos Dantescos*, Madrid, 1982 ; *Neuf Essais sur Dante*, trad. F. Rosset, Paris, Gallimard, 1987.

N. BORSELLINO, *Ritratto di Dante*, Bari, Laterza, 1998.

G. CONTINI, *Un'idea di Dante*, Turin, Einaudi, 1976.

M. CORTI, *Percorsi dell'invenzione*, Turin, Einaudi, 1993.

J. FRECCERO, *Dante, the Poetics of Conversion*, Cambridge, Harvard University Press, 1986.

G. GETTO, *Aspetti della poesia di Dante*, Florence, Le Monnier, 1966.

E. GILSON, *Dante et la philosophie*, Paris, Vrin, 1939 ; *Dante et Béatrice*, Paris, Vrin, 1979.

J. GOUDET, *Dante et la politique*, Paris, Aubier, 1969.

F. LE BLAY, *La Divine Comédie, Dante*, Paris, Larousse, 2001.

O. MANDELSTAM, *Entretien sur Dante*, « Argile » XII, 76-77.

F. MAZZONI, *Saggio su di un nuovo commento*, Florence, Le Monnier, 1967.

B. NARDI, *Saggi di filosofia dantesca*, Bari, Laterza, 1974.

G. PADOAN, *Introduzione a Dante*, Florence, Sansoni, 1995.

A. PAGLIARO, *Ulisse, Ricerche semantiche sulla Divina Commedia*, Florence, Messina, 1969.

E. PASQUINI, *Dante e le figure del vero*, Milan, Mondadori, 2001.

G. PASSERONE, *Dante, Cartographie de la vie*, Paris, Kimé, 2001.

G. PETROCCHI, *Itinerari danteschi*, Bari, Adriatica, 1969 ; *Vita di Dante*, Bari, Laterza, 1983.

P. RENUCCI, *Dante juge et témoin du monde gréco-latin*, Paris, Les Belles Lettres, 1954.

J. RISSET, *Dante écrivain, ou L'Intelletto d'Amore*, Paris, Seuil, 1982 ; *Dante, une vie*, Paris, Flammarion, 1995.

M. RODDEWIG, *Dante Alighieri, Die göttliche Komödie*, Stuttgart, Hierseman, 1984.

E. SANGUINETI, *Tre studi danteschi*, Florence, Le Monnier, 1961.

CH. SINGLETON, *La Poesia della Divina Commedia*, Bologne, Il Mulino, 1978 et 1983.

PH. SOLLERS, *Dante et la traversée de l'écriture*, in *Logiques*, Paris, Seuil, 1968 ; *La Divine Comédie, entretiens avec Benoît Chantre*, Paris, Desclée de Brouwer, 2000.

A. VALLONE, *Percorsi danteschi*, Florence, Le Lettere, 1991.

VIE DE DANTE

1265 : Fin mai : Naissance de Dante Alighieri à Florence, dans une famille de la petite noblesse citadine. Son père, Alighiero, est agent de change et prêteur d'argent. Sa mère, Bella, mourra avant 1275.
Alighiero se remariera par la suite avec Lapa di Chiarissimo Cialeffi, et mourra vers 1281, laissant à Dante la charge de ses frères et sœurs (dont Francesco, son demi-frère, qui sera commerçant, et Tana sa demi-sœur).

1274 : Première rencontre avec Béatrice (Bice Portinari), âgée de neuf ans.

1277 : Promesse de mariage avec Gemma Donati.

1287 : Dante, étudiant en droit, en philosophie, ou peut-être en médecine, fait un bref séjour à Bologne.

1289 : Dante prend part aux batailles de Campaldino (contre Arezzo) et de Caprona (contre Pise).

1290 : Mort de Béatrice.

1291-1295 : Études philosophico-théologiques auprès des écoles de religieux : l'école franciscaine de Santa Croce et dominicaine de Santa Maria Novella Enseignement de Brunetto Latini et élaboration de la *Vita Nova*.

1295 : Une nouvelle loi permet aux nobles de participer à la vie publique (ils en étaient exclus depuis 1293 à la suite des *Ordonnances de Justice* de Gianni della Bella), à condition de s'inscrire à une corporation. Dante s'inscrit à la corporation des Médecins et Apothicaires, la plus acceptable pour les intellectuels.

1296 : Dante commence à participer aux débats de la

commune, dans l'aile la plus démocratique, et se définit comme guelfe blanc.

1300 : Dante assiste-t-il à Rome au Jubilé ?
En mai, le gouvernement des Blancs lui confie la mission d'établir des alliances à San Gimignano contre la politique du pape Boniface VIII.
Dante est nommé prieur pour trois mois.

1301 : Dante figure parmi les ambassadeurs florentins auprès de Boniface VIII. Il est retenu à Rome par le pape, pendant que les Noirs prennent le pouvoir à Florence.

1302 : Condamnation à mort de Dante et de quatorze guelfes blancs par les Noirs, à Florence.

1303-1304 : Dante, qui participe activement aux réunions des exilés, fait divers séjours à Arezzo, Forli, Bologne, Vérone. Il écrit le *De Vulgari Eloquentia*.

1304 : Dante est porte-parole des guelfes blancs auprès du légat du nouveau pape (Benoît XI), Nicola da Prato ; par la suite, il se détache des Blancs.
Il commence à écrire le *Convivio*.

1304-1309 : Voyages de Dante en Italie (dans le Casentino, dans la Lunigiana, à Lucques).

1310 : Probablement, voyage à Paris.

1311 : Rencontre avec l'empereur Henri VII à Milan.

1313 : Mort de Henri VII.

1313-1318 : Séjour à Vérone chez Can Grande della Scala.

1314 : Publication de l'*Enfer*.

1315 : Publication du *Purgatoire*.

1319-1320 : Dante à Ravenne, chez Guido Novello da Polenta, écrit le *Paradis*.

1321 : Mission à Venise.
13-14 septembre : mort de Dante à Ravenne.

INDEX
DES NOMS

TABLE

GF Flammarion

N° d'édition : L.01EHPNFG1216.A011 Novembre 1992
Imprimé en Espagne par Novoprint (Barcelone)